5/- 7.00

D-08-89

LA FLEUR
D'AMÉRIQUE

GERALD MESSADIÉ

LA FLEUR
D'AMÉRIQUE

JEANNE DE L'ESTOILLE ***

ARCHIPOCHE

Si vous souhaitez recevoir notre catalogue
et être tenu au courant de nos publications,
envoyez vos nom et adresse, en citant ce livre,
à Archipoche,
34, rue des Bourdonnais, 75001 Paris.
Et, pour le Canada, à
Édipresse Inc., 945, avenue Beaumont,
Montréal, Québec, H3N 1W3.

ISBN 2-84187-812-0

PREMIÈRE PARTIE

LA ROSE DES VENTS

1

L'archange précurseur

Le fracas fit vibrer l'air. Un hêtre se changea instantanément en arbre de vif-argent, puis s'enflamma. C'était
l'effet de la foudre. Comme d'une passion trop violente.

Les saints devaient étinceler de la sorte quand venait la
révélation, se dit Jeanne, devant la fenêtre de la grande salle
du château de Gollheim.

Une bourrasque déferla dans le ciel du Palatinat, poussant des escadrons de nuages gras et noirs. Jeanne referma la
fenêtre. Les flammes des chandelles dansèrent dans les flambeaux et le luminaire de fer, en forme de couronne, qui pendait à une chaîne au milieu du plafond. Comme si elles
sentaient passer l'esprit et dansaient de joie.

— Franz-Eckart ne soupe pas avec nous ? demanda
Jeanne, à mi-voix, à son fils François.

Il secoua à peine la tête en guise de réponse. Le sujet était
délicat. Jeanne demeura impassible.

Les convives arrivèrent, riant bruyamment et secouant les
gouttes qui s'étaient accrochées à leurs capes. Les serviteurs
s'empressèrent. Les conversations firent diversion, car elles
étaient animées : il y avait bien seize convives dans la salle à
manger du château de Gollheim. On servit du poisson et de
la volaille, des truites poêlées au raisin blond, du poulet aux

choux et des vins de France. François se ruinait en crus de choix et quand il séjournait à Gollheim et que sa mère et Joseph de l'Estoille l'accompagnaient, les demandes d'invitation se multipliaient. Jeanne, en effet, emmenait avec elle son cuisinier. Ce n'était pas tous les jours fête dans les environs.

Tout le clan de l'Estoille était présent : Jeanne, donc, son mari Joseph, leur fille Aube, bientôt dix-neuf ans, couvée par les regards de tous, Déodat, le fils de feu Jacques, vingt-trois ans, et François de Beauvois, quarante et un ans, sa femme Sophie-Marguerite et leur aîné, Jacques-Adalbert, dix-neuf ans.

Le cadet, François-Eckart, qui séjournait à Gollheim le plus clair de l'année, était présent aussi, mais n'était pas des convives.

On ne parla d'abord que des deux provinces de France, l'Artois et la Franche-Comté, que le nouveau roi de France, Charles VIII, avait concédées à Maximilien d'Autriche au traité de Senlis, et des deux autres qu'il avait offertes à la couronne d'Espagne, la Cerdagne et le Roussillon.

— Son père doit se retourner dans sa tombe ! dit le vieux comte de Gollheim en riant.

— Et son grand-père aussi bien, observa Jeanne en allemand.

Depuis tant d'années que son fils aîné était marié à Sophie-Marguerite von und zu Gollheim, elle avait fini par maîtriser cette langue. Comme elle séjournait parfois l'été à Gollheim, son oreille aussi s'y était faite. Son fils Déodat de l'Estoille, lui, l'avait aussi apprise, de même que ses fréquents voyages en Italie, auprès de Ferrando Sassoferrato, l'avaient familiarisé avec l'italien.

Tout le monde convint que Maximilien d'Autriche faisait une peur affreuse à Charles le Huitième, lequel était un esprit agité, rusé, mais débile.

Sophie-Marguerite de Beauvois semblait émoustillée par la présence d'un jeune aristocrate venu avec son père. François feignait de n'en rien voir et Jeanne non plus. À quarante ans passés, la comtesse François de Beauvois conservait un goût prononcé pour la chair fraîche ; elle avait même tenté sa chance auprès de Déodat, le propre demi-frère de son époux, qui l'avait envoyée paître sans ménagement.

Après le souper, Jeanne prit son fils à part et l'entraîna dans un petit salon. Elle lui saisit les mains et le regarda dans les yeux ; ces questions muettes étaient plus éloquentes que bien des mots.

— Tu veux que je te parle de Franz-Eckart. Que veux-tu que je te dise ? répondit François, d'un ton morne. Tu le connais. Je sais que tu l'aimes beaucoup, et je sais qu'il t'aime aussi depuis qu'il était enfant. Mais il a préféré souper seul en dépit de ta présence.

— Vous n'avez pas eu de querelle ? demanda Jeanne.

— Non. Cela ne sert à rien de lui faire des remontrances.

Il fit un pas dans un sens, puis dans l'autre, visiblement tourmenté.

— Je ne sais quel génie sauvage a présidé à sa naissance, si ce n'est à sa conception. Il ne participe quasiment pas à notre vie de famille. Il ne dort même pas dans sa chambre, mais passe ses nuits seul dans ce pavillon que tu as vu, en pleine forêt, dans la compagnie de livres auxquels je ne comprends rien. Il est savant, oh oui, bien plus savant que moi et que je ne le voudrais pour moi-même ! Ses professeurs de l'université de Hanovre ne tarissent pas d'éloges sur lui. Ils voudraient qu'il rejoigne leurs rangs. Il parle grec et latin et maintenant il apprend l'hébreu. Mais c'est un garçon solitaire.

François se laissa tomber sur un siège, accablé et songeur. La lumière d'un flambeau caressa son visage, et Jeanne le considéra d'un œil à la fois lointain et attendri : le portrait craché de son vrai père, François Villon. Comme le flambeau, la maturité mettait en lumière ses traits véritables, dépouillant les brumes flatteuses de la jeunesse et révélant son vrai charme, celui d'un homme pensif, âpre et tendre. Il était Villon comme elle eût voulu qu'il eût été : tendre et fidèle.

Jeanne fut navrée de le trouver soucieux. Pourtant, François-Eckart avait dix-neuf ans, et ce n'était certes pas ce soir que son père découvrait sa nature singulière. Elle pressentit un autre motif à la contrariété de son fils. Elle s'efforça de chasser l'orage.

— N'a-t-il pas d'amis ? demanda-t-elle.

— Je ne sais s'il a besoin d'amitié, mais il voit souvent un personnage singulier, qui vit dans une tour abandonnée, non loin d'ici. C'est un vieux barbu, qui ressemble à un moine fou. J'ignore de quoi ils s'entretiennent, mais le sujet les passionne sans doute, car ils passent ensemble de longues soirées. Je vois briller la lumière dans le pavillon à l'heure où je me couche, et je sais que Franz-Eckart fait une consommation remarquable de chandelles. Outre cet ermite, je ne lui connais pas de familiers.

— Eh bien, voilà un garçon studieux, dit Jeanne. Mieux vaut qu'il passe ses soirées avec des manuscrits qu'avec des ribaudes !

— Ah, ce n'est pas lui qui prolongera ma race ! s'écria François. Heureusement que j'ai Jacques-Adalbert. Lui au moins est un gaillard !

— Rappelle-toi comment tu étais, François, dit Jeanne. Jusqu'à ta rencontre avec Sophie-Marguerite…

François se redressa.

— Mère…

Il n'acheva pas sa phrase et se leva.

— Mère, à quoi bon le dire ? Tu le sais. Sophie-Marguerite est ma femme. Nous avons deux enfants. Mais parfois… elle me fait penser à une ribaude de noble naissance !

Jeanne soupira et jeta un coup d'œil vers la porte pour s'assurer que personne ne les écoutait. Mais il était vrai qu'ils parlaient français. Les éclats d'une conversation en allemand leur parvenaient, répercutés par les murs de pierre et mêlés au rire de Sophie-Marguerite. Elle imagina d'un coup leur vie conjugale : lui à l'imprimerie depuis l'aube et rentrant tard et fourbu, elle s'ennuyant. Leurs enfants étaient grands, elle n'avait rien à faire. Elle courait le guilledou.

— François, dit-elle, le corps a ses raisons. Il lui faut une passion. Tu as l'imprimerie. Elle a besoin de chasser.

Il eut un sourire amer.

— Chasser ! Y a-t-il un esprit héréditaire étrange qui habite le sang des Gollheim et qui se manifeste au hasard ? Ou bien…

Il regarda sa mère, anxieux.

— François-Eckart est né neuf mois après cet épisode étrange, où Sophie-Marguerite avait été, m'as-tu dit, effrayée par un cerf. Je me demande s'il n'y aurait pas un rapport entre cette rencontre avec un cerf et la nature déconcertante de ce garçon. À supposer que ç'ait bien été un cerf qui l'a effrayée. Et il ne me ressemble pas…

— Mais tu l'aimes ? demanda-t-elle.

— Mais voyons, mère, bien sûr ! C'est mon fils, non ?

— C'est l'essentiel.

Il ne servirait à rien, se dit-elle, de révéler à François que François-Eckart, communément appelé Franz-Eckart, était presque sans aucun doute le fils de Joachim, le famulus muet du peintre d'Angers. Sophie-Marguerite s'était laissé exciter par la sauvagerie silencieuse du jeune homme, et seule l'adresse de Jeanne avait masqué la vérité. Si François apprenait que son fils était le fruit d'une foucade de sa femme, son mariage risquait d'y sombrer. L'amour-propre blessé est bien plus fort que s'il n'était pas, comme on dit, « propre ».

Joseph, Déodat et Jacques-Adalbert vinrent interrompre l'entretien. Ils semblaient tous trois d'excellente humeur.

Le lendemain matin, Jeanne se rendit au pavillon de Franz-Eckart.

Le temps était incertain. Des troupeaux de nuages rôdaillaient par-dessus la forêt, menaçant de se résoudre en pluie, puis le soleil brillait soudain, comme un archer dont la vue égailla des voyous.

Elle toqua à la porte. Personne ne répondit. Un renard passa tranquillement à vingt pas et la considéra, d'un air intrigué.

— Jeanne !

Elle se retourna ; c'était lui. Il l'appelait de son prénom. Elle fut frappée par la ressemblance entre le visage du jeune homme et le renard. Mais elle retrouvait aussi en lui les traits de Joachim, la bouche charnue qui n'était certes pas celle de sa mère et ce nez fort aux narines mobiles. Il s'approcha d'elle, souriant, et ses yeux effilés, dont les sourcils étirés accusaient l'apparence féline, se plissèrent. Sa chevelure drue et sombre, pareille à une crinière noire, frémit. Il embrassa sa grand-mère avec un mélange de chaleur et de gaîté, ouvrit la porte et l'invita à entrer. Il revenait d'une promenade, dit-il.

14

L'extraordinaire fatras de papiers et de palimpsestes n'avait guère diminué depuis un an. Le télescope de cuivre était toujours à la fenêtre, braqué sur le ciel. Franz-Eckart tira un siège, l'offrit à Jeanne, se débarrassa de son manteau et s'assit sur un coffre.

— Tu nous as manqué au souper, hier, dit-elle.

Il la regarda d'abord sans répondre, les yeux pétillants d'ironie.

— Jeanne, dit-il enfin, tu sais bien ce que sont ces réunions. Les gens parlent pour se faire valoir. Puis je n'échappe pas aux questions ordinaires : quel est mon métier ? Suis-je marié ? Vais-je l'être bientôt ? On croirait que le seul but d'un être humain est de gagner de l'argent et d'être marié.

— Et si je te posais moi-même ces questions ?

— Ce serait différent, parce que je sais ton affection pour moi.

— Mais que me répondrais-tu ?

Il leva les yeux, cherchant les mots pour répondre.

— Mon métier est la recherche du savoir. C'est comme un sacerdoce. Le plaisir suprême. Cela ne laisse pas beaucoup de place pour un ménage.

— Mais ton cœur ?

— Jeanne, nous savons bien toi et moi que le cœur est dans les reins !

Et il éclata de rire. Elle rit aussi, perplexe.

— L'on s'éprend, dit-il. L'on s'attache. Un enfant est conçu. L'on se met en ménage. Il faut gagner de l'argent…

Il eut un geste pour signifier que tout cela n'avait pour lui aucun intérêt. Elle songea que François avait été, lui aussi, distrait à l'égard des femmes, jusqu'au moment où

Sophie-Marguerite l'avait séduit, comme il l'avait d'ailleurs raconté à Jeanne et non sans esprit. Mais ce garçon-ci semblait avoir jeté les affaires de cœur et la galanterie dans des oubliettes.

— François s'inquiète, dit-elle.

— Si je m'étais donné au métier des armes, courant le risque de me faire tailler en pièces à chaque bataille, il serait sans doute fier. Si je m'étais lancé dans le commerce, il serait content que je coure le risque de me faire duper par des escrocs, parce que je ferais de l'argent. Mais de l'argent, qu'en avons-nous tant besoin, grand ciel ! Faut-il acheter un autre château ? Des terres ? D'autres chevaux ? Mangerais-je deux fois de suite ? Quel goût de la puissance ! Et quelle vanité ! Mon père voudrait que je m'associe à lui dans ses affaires d'imprimerie, afin que mon frère et moi lui succédions. Mais que vaut l'imprimerie sans textes à imprimer ?

Il rit une fois de plus, d'un rire dérangeant, car sa juvénilité contrastait scandaleusement avec la maturité désenchantée de ses propos.

— Mais que fais-tu de ta science ? demanda Jeanne. Tu te consacres à Dieu ?

Il lui renvoya un regard interrogateur, comme surpris.

— Tu parles comme mon père. Comment pourrions-nous donc, nous pauvres humains, qui ne nous comprenons même pas nous-mêmes, concevoir un être aussi immense que Dieu ?

Elle demeura interdite. Ce garçon ne croyait-il pas en Dieu ? Et pouvait-on croire ce qu'on ne concevait pas ? Des questions s'emmêlèrent dans sa tête.

— Mais alors ? murmura-t-elle.

— J'essaie de connaître ses lois. Ainsi puis-je mieux approcher sa sagesse que par des prières vaines.

— Vaines ?

— Que lui demanderais-je, puisqu'il sait mieux que moi ce dont j'ai besoin ? répondit-il avec ce même sourire désarmant.

— Et comment connaîtrais-tu ses lois ?

— En déchiffrant les influences des astres qu'il a créés et qui commandent nos vies.

Elle reprenait pied : il était donc astrologue. C'était le deuxième qu'elle rencontrait dans sa vie, le premier ayant été Jouffroy Mestral, le peintre d'Angers et l'employeur du propre père de Franz-Eckart. La coïncidence était frappante.

— Me donneras-tu un aperçu de ce que tu as trouvé de la sorte ? demanda-t-elle d'un ton plaisant.

Il se leva et fit quelques pas dans l'étude, qui était la salle principale de son pavillon, puis s'immobilisa devant Jeanne.

— J'ai étudié, bien sûr, le ciel de ma naissance. Puis celui de ma mère. Et de mon père. Le jour de ma conception, il est advenu un accident à ma mère. Mars était dans le Taureau. Et il était pour elle en maison céleste huit.

Elle ne comprenait rien.

— Cela signifie, dit-il brutalement, que ma mère a probablement été violée.

Jeanne sentit son cœur palpiter.

— Je ne crois pas que mon père soit de nature à l'avoir fait. Il n'en avait pas besoin, puisque j'ai déjà un frère aîné. Connais-tu mon vrai père ?

Elle ravala sa salive.

— Non, répondit-elle. Je veux dire… Je n'ai pas de raisons de croire que tu n'es pas le fils de François…

Elle s'avisa qu'elle avait commis une bévue, et plus clairement encore quand il sourit.

— L'étude de ma maison céleste quatre m'indique que
mon père est un homme doté de pouvoirs peu ordinaires, ce
qui explique mon amitié avec les animaux.

Elle se rappela le renard qui était passé tout à l'heure.
Puis elle revit le corps nu de l'adolescent Joachim surgir
à l'orée du bois, blanc dans le bleu du crépuscule, derrière la
maison d'Angers, en ce mémorable début de soirée. Il ressemblait à une divinité païenne, magnifique et effrayante.

— Cela n'est guère le portrait de François de Beauvois, dit-il.

Elle s'efforça de rester impassible.

— As-tu parlé de ces doutes insensés à ta mère ?
demanda-t-elle.

— Ma mère ! murmura-t-il en haussant les épaules. Sa
courte vie ne lui aura pas enseigné grand-chose.

Sa courte vie. Les mots frappèrent Jeanne désagréablement.

— Je ne te tourmenterai pas davantage, dit-il. De toute
façon, il viendra.

— Qui viendra ? demanda Jeanne, alarmée.

— Mon vrai père.

— Comment le sais-tu ?

La question même était un aveu, elle s'en avisa trop tard.
Et tout cela était dit avec tant d'assurance !

— Je l'ai lu dans mon propre horoscope.

— Tu ne fais donc que lire ton horoscope ? demanda-
t-elle, avec une pointe d'impatience.

— Non, j'établis parfois aussi ceux des autres.

Elle l'interrogea du regard, tendue, hantée par la possibi-
lité que Joachim vînt à Gollheim semer le trouble dans le
ménage de François.

— Quels autres ?

Il ne répondit pas, cette ombre de sourire flottant toujours sur ses traits.

— Le mien ? demanda-t-elle.

Il hocha la tête.

— Comment l'établirais-tu ?

— Je sais que tu es née à l'avent. En l'an 1435, puisque tu avais quinze ans à la bataille de Formigny. François me l'a dit.

— Et alors ? Qu'as-tu trouvé ?

— Rien que tu ne saches déjà, répondit-il d'un ton qui n'invitait pas à poursuivre la conversation.

D'ailleurs, il baissa les yeux.

— Mais encore ? Peut-être as-tu trouvé des folies ? À force d'interroger les astres…

— Je ne sais pourquoi tu t'alarmes tant, dit-il d'un ton lointain. Les astres n'inventent rien.

Soudain il se tourna vers elle, le regard incandescent :

— Ils n'inventent pas que tu te sois trouvée dans un conflit violent avec quelqu'un de ton propre sang. Et que tu l'aies probablement tué.

Au mot de « sang », elle sentit le sien déserter son visage. Elle dévisagea Franz-Eckart avec un sentiment de crainte et de stupeur mêlées, comme si elle se trouvait en présence d'un archange, précurseur du Jugement dernier. C'était la première fois de sa vie qu'elle affrontait aussi brutalement ce qui adviendrait à son âme après la mort. Aucun prêtre n'avait jamais, de la sorte, éveillé en elle l'idée de ses fins dernières, de sa responsabilité, du Bien et du Mal.

Elle comprit que son émoi la trahissait bien plus que des mots : il était un aveu.

— C'est dans les astres ? finit-elle par demander d'une voix basse, presque rauque.

Elle avait oublié l'horoscope de son frère Denis, qu'elle avait demandé à Mestral et qui l'avait saisie par sa vérité.

— Jeanne, on peut mentir en société, afin de ne pas heurter l'amour-propre des gens, mais il existe un domaine où l'on ne peut échapper à la vérité. Et c'est celui où l'on se trouve quand on est seul sous les étoiles.

Elle baissa la tête, accablée. Elle se sentait tout à la fois petite fille coupable et vieille femme.

— Qu'as-tu vu d'autre ?

— Qu'aux environs de ta seizième année tu as subi le sort de ma mère : tu as été violée, toi aussi. La date coïncide avec la naissance de ton fils François.

Ton fils François ; sa conviction était donc établie ; il ne considérait pas François comme son père. Elle pressentit des orages.

— François et moi partageons le même destin : nous sommes venus au monde comme des cadeaux violents. Le ciel avait ses desseins. François a été l'un des grands propagateurs de l'imprimerie, grâce à laquelle le savoir se répand dans le monde. Quant à moi…

— Quant à toi ?

— Je ne sais quelle mission m'est confiée.

Il soupira.

— Et c'est donc ce que tu fais dans ta retraite ? Fouiller les astres à la recherche de secrets ténébreux ?

Il eut un rire bref.

— Je ne trouve pas que des secrets ténébreux, Jeanne. J'en trouve aussi d'émouvants. Par exemple, un grand amour qui a dominé ta vie, même quand cet homme a disparu.

Jacques, songea-t-elle. Oui, l'amour de Jacques avait dominé sa vie. Elle l'avait arraché aux siens et d'Isaac Stern, l'amant d'ivoire, elle avait fait Jacques de l'Estoille. C'était ce qu'elle avait accompli de plus noble dans sa vie. Elle retint ses larmes.

— Je vois d'autres choses aussi, bien plus considérables. Ainsi, cette année même, le monde ancien découvrira un autre monde, aussi vaste.

— Un autre monde ? s'étonna-t-elle.

— Oui, un autre monde. La terre paraîtra bien plus grande.

— Mais comment ?

— Je ne sais pas, mais j'en suis certain. Les astres ne se trompent pas. Et c'est imminent. On n'y prêtera d'abord pas attention, et pourtant, cela changera tout.

Elle se trouva soudain affreusement lasse. Cet entretien avec Franz-Eckart lui avait été une douloureuse épreuve. Elle se leva et tendit la main au jeune homme.

— Viens quand même au souper de ce soir. Je te le demande, dit-elle en pressant la main chaude et nerveuse posée dans la sienne.

Il hocha la tête. Elle traversa le pré et rentra au château, bouleversée.

Surtout quand elle est longue, une vie paraît courte. La jeunesse ne songe guère au bout du chemin, mais quand on est parvenu au sommet de la colline et que le regard embrasse le paysage, on se dit alors avec surprise qu'on sera bientôt rendu.

À cette perspective mélancolique, piquée des silhouettes des disparus, s'ajoute la vision de ce qu'on eût voulu accomplir et qu'on n'a pu faire.

En 1492, Jeanne Parrish, baronne douairière de Beauvois, baronne douairière de l'Estoille, épouse de l'Estoille, comptait cinquante-sept ans. Elle avait sans doute enterré deux maris, sans parler de deux amants – un gueux charmant et un poète tout aussi gueux mais moins charmant – mais ne souffrait d'aucune de ces douleurs, sourdes mais éloquentes, ni d'aucun de ces malaises qui indiquent aux *cognoscenti* par où la vie sortira du corps. Une raideur dans le genou droit en descendant l'escalier et une appétence désormais modérée pour le vin et les plaisirs du lit ne méritent guère qu'on coure au caveau de famille pour voir où l'on dormira son dernier sommeil.

Le mal dont elle souffrait était celui de toutes les femmes de sa condition : elle avait donné sa vie et son corps à créer et soutenir sa tribu. Car elle avait constitué une tribu, à la fin, contre vents et marées.

Un premier fils, François de Beauvois, né d'un amour déchiré et boueux, mais auquel elle avait donné un nom honorable.

Un second fils, Déodat de l'Estoille, né d'un homme aimé plus qu'aimer se peut, Jacques, mais ravi par les pirates et rendu à l'affection de sa femme quelques moments avant sa mort.

Une cadette, Aube de l'Estoille, fille de celui qui avait été son beau-frère et qui maintenant était son mari, Joseph.

Elle y avait tout sacrifié, allant jusqu'à faire dévorer par des loups celui qui avait été son frère bien-aimé, Denis, parce qu'il avait menacé d'enlever et de tuer François. Elle avait sauvé de la mort Isaac Stern, puis l'avait amené à se convertir pour devenir Jacques de l'Estoille, parce qu'elle savait que cet homme serait son vrai nourricier. Elle avait jeté à l'eau deux hommes qui menaçaient de faire péricliter le projet d'une imprimerie, parce qu'elle devinait que celle-ci deviendrait un trésor de famille. Elle avait assuré la fortune de tous ceux qui lui avaient été fidèles, à l'exception de deux hommes, un poète et un frère dévoyé, qui justement lui avaient été infidèles. Le pauvre Matthieu eût été prospère s'il ne s'était suicidé, mais Guillaumet, Ciboulet et Ythier s'étaient de longue date établis, et ce dernier venait de lui faire parvenir une invitation au mariage de sa fille Cornélie avec un nobliau du voisinage. On devinait vite lequel de Cornélie ou du nobliau faisait la meilleure affaire.

Même anoblie, la petite paysanne était restée bergère.

Elle eût voulu plus. Mais quoi ? Le désir le plus lancinant est celui dont on ignore l'objet. Surtout quand il vous dépasse, comme c'était le cas.

Sa tribu constituée, elle se retrouvait souvent seule, Joseph étant, sauf l'hiver, constamment en voyage, à vendre ou acheter de la soie, du velours, de l'ivoire, du corail, des perles, des plumes et Dieu savait quoi d'autre, le plus souvent en compagnie de Déodat.

Les passions des femmes d'un certain âge se reportent souvent sur les possessions familiales et, d'abord, sur les maisons. Mais de toutes ses maisons de France, elle n'avait gardé que celle d'Angers, car elle n'allait quasiment plus à Paris. Sidonie et son mari occupaient l'appartement de la rue Galande et Guillaumet, la maison de la rue de la Bûcherie. L'hôtel Dumoncelin servait à Joseph, François, Jacques-Adalbert, Déodat et Ferrando de pied-à-terre quand leurs affaires les appelaient dans la capitale. La Doulsade avait été rachetée par Ythier, intendant et métayer. Si elle séjournait à Milan, Jeanne était accueillie au palazzo Sassoferrato et surtout à la villa que Ferrando et Angèle avaient achetée sur la rive du lac Majeur, face aux îles Borromées. Enfin, dans le Palatinat, elle séjournait au château de Gollheim, rude demeure où la visite matinale aux lieux d'aisance exigeait bien de la fortitude ! Les quatre vents, en effet, régnaient en maîtres dans ce réduit appelé justement, avec moquerie, *Vierwindhof*.

Non, Paris ne l'attirait plus : l'éternelle querelle des princes avec le pouvoir royal, sous la houlette d'un Dauphin ou d'un héritier présomptif écervelés devenait lassante : après le Dauphin Louis, puis le duc de Berry, frère du roi, ç'avait été Louis d'Orléans, l'oncle du souverain, qui avait mené la cabale, piteusement terminée en 1487 après trois ans de « Guerre folle ».

Puis la proximité des princes était dangereuse, parce que leurs humeurs variaient selon le succès des armes.

Un glaive tenu par une Fortune aveugle !

Franz-Eckart vint donc au souper. Le comte Gollheim l'assit près de Jeanne, laquelle était à sa droite.

— Tu as donc réussi à l'arracher aux étoiles ! s'écria François.

Le jeune homme sourit sans répondre.

On lui posa les questions prévisibles. Il répondit de façon évasive. Devinant sa contrariété ou son embarras, selon le cas, Jeanne regretta d'avoir insisté pour jouir de sa présence.

— Que disent donc les astres ? demanda plaisamment un compagnon de chasse du comte Gollheim, Aloysius von Breckendorff.

— Que de grands changements sont en cours, messire.

— Lesquels ?

— Le ciel n'est pas un almanach, messire, car ses cadences sont plus vastes que nos pauvres jours.

— Mais encore ?

— Cette année-ci, un pape sera élu dont le fils causera le plus grand tort au pouvoir pontifical.

— Un pape qui aura un fils ? s'écria le comte Gollheim, à demi scandalisé.

— C'est bien ce que j'ai dit, grand-père.

Breckendorff et plusieurs dames rirent sous cape. Chacun savait que la bonne chère rendait les pontifes un peu plus humains qu'ils l'eussent dû.

— Mais notre Saint-Père Innocent VIII se porte comme un charme ! s'écria Breckendorff, goguenard.

— Pas pour longtemps, rétorqua Franz-Eckart.

— Et quoi d'autre ? demanda le comte Gollheim.

— Un monde nouveau sera découvert, et il changera le destin de l'ancien.

Aube couvrait le jeune homme de regards intenses.

— Mais quel monde nouveau ? demanda François. Nous connaissons la Terre depuis tant de siècles que nos ancêtres l'habitent ! Il n'y a rien au-delà des Colonnes d'Hercule[1] et nous connaissons également de l'Asie ce qu'il y a à en savoir.

— Mon noble père, il me déplairait plus que tout de vous contredire, répondit Franz-Eckart, mais dans les cartons de l'imprimerie que vous possédez à Gênes avec mon oncle Ferrando se trouve une carte indiquant le contraire.

François se tourna vers Jacques-Adalbert, qui parut embarrassé.

— Avons-nous imprimé une carte à Gênes ?

---

1. Le détroit de Gibraltar.

— Non, mon père, pas encore. Elle nous a été confiée par un certain Paolo Toscanelli, qui nous a demandé de la graver, puis a changé d'avis. Je l'avais entre-temps fait graver, et j'en ai conservé le bois et l'épreuve d'essai. Toscanelli a repris l'original.

— L'as-tu examinée ?

— Oui, elle montre, en effet, qu'il y aurait des terres au-delà des Colonnes d'Hercule.

Franz-Eckart avait accompagné François à Gênes au cours d'un voyage, et comme il était curieux de tout ce qu'on imprimait et fouinait partout, il avait déniché cette carte dans les archives.

François parut surpris.

— Et les astres indiquent que ces terres seront découvertes ? demanda-t-il à Franz-Eckart.

Sauf Jeanne et Aube, personne n'écoutait plus la conversation, les discours sur les astres et la géographie n'intéressant pas grand monde.

— Cette année-ci, répondit Franz-Eckart.

Il était excédé. Jeanne lui posa la main sur le bras.

C'était le soir de la Saint-Jean.

Après le souper, les convives sortirent regarder les feux de fagots sur les hauteurs, allumés pour célébrer la nuit la plus courte de l'année.

Jeanne, Joseph, François, Jacques-Adalbert, Aube et Franz-Eckart montèrent sur une colline pour regarder ces lumières dans la nuit. Jeunes filles et jeunes gens dansaient pieds nus en chantant autour d'un brasier.

Des miettes incandescentes s'élevaient dans l'air et se changeaient en étoiles. Le ciel était pareil à un manteau de velours piqué d'or et d'argent.

Les humains saluaient le soleil qui déclinerait désormais. Ils rendaient hommage à la vie en lui offrant ce qui était son symbole, le feu.

Le comte aussi avait fait allumer un brasier devant le château au pied duquel les serviteurs et les fermiers vinrent danser. Jeanne les observa du haut de la colline. Elle eut conscience de n'être qu'une étoile filante dans l'histoire du monde. Les larmes lui vinrent aux yeux. Joseph la serra dans ses bras. Les reflets du brasier scintillèrent dans leurs yeux.

— C'est une très vieille fête, dit Joseph. Une fête païenne.

— Qu'importent les noms des dieux, murmura Franz-Eckart.

Jeanne se tourna vers lui, intriguée. Mais il regardait le ciel.

Trois semaines plus tard, Innocent VIII tomba brusquement malade. Un courrier de Rome l'apprit trois jours plus tard à l'évêque de Heidelberg, qui était le cousin germain de la comtesse Gollheim. Le château en fut informé peu de jours après, le 25 juillet 1492, c'est-à-dire à l'heure où le roi temporel et intemporel des chrétiens comparut devant son Créateur.

La nouvelle fut assortie de récits terrifiants sur un médecin juif qui avait tenté de sauver le malade en échangeant son sang usé par celui de trois jeunes gens, qui en étaient morts exsangues. Ce qui fit quatre morts au lieu d'un.

Tout le monde se souvint de la prédiction de Franz-Eckart.

François alla lui rendre visite, bouleversé. Il était midi, une chaleur orageuse pesait sur la région.

— Qu'est-ce qui vous émeut, mon père ? demanda Franz-Eckart. Un pape se meurt, un autre viendra et après celui-là un autre encore, et vous ne verrez pas le dernier de ses successeurs.

François, muet, alarmé, regardait le jeune homme.

— Tu l'as vu dans les astres ?

— Si j'avais prévu que vous en seriez aussi troublé, mon père, j'eusse tenu ma langue. Je vous prie de pardonner mon indiscrétion.

— Il ne s'agit pas de mon trouble, ni de ton indiscrétion présumée, mais des choses que tu déchiffres dans le ciel. Es-tu donc dans le secret de Dieu ?

— Dans sa bonté suprême, il aura sans doute permis qu'une miette de son infini savoir me soit consentie.

— Sais-tu que tu cours le risque de te faire accuser de sorcellerie ?

— Je veux espérer que Dieu ne le permettra pas et que les humains constateront qu'il n'y a dans ma recherche aucune malice.

François demeura silencieux un moment, essayant de percer le masque serein de ce fils en qui il se reconnaissait de moins en moins.

— Mesures-tu le pouvoir que tu détiens ?

— Chacun conviendra que j'en fais un bien modeste usage, répondit Franz-Eckart souriant, indiquant du geste le décor de son pavillon.

— Qu'as-tu vu d'autre ?

— Pour cette année, je l'ai dit hier. Que la papauté souffrira des excès du fils de notre prochain pape. Et que des terres seront découvertes au-delà des Colonnes d'Hercule. Enfin, et pour le proche avenir, qu'après un succès fallacieux la couronne de France se trouvera en bien fâcheuse posture. Ses conquêtes lui seront reprises.

— Quelles conquêtes ?

— Celles qu'elle se propose de faire au-delà des Apennins.

— Es-tu certain ?

Le jeune homme sourit de nouveau.

— Messire mon père, je dis ce que j'ai vu ou cru voir.

François songea alors aux prières pressantes dont Joseph et Ferrando avaient fait l'objet de la part de banquiers lyonnais : ceux-ci levaient des sommes considérables pour permettre à Charles le Huitième de reconquérir le royaume de Naples, propriété perdue de René d'Anjou ; or, ces banquiers avaient déjà dû réunir les quarante-cinq mille écus d'or promis à Henry le Huitième, roi d'Angleterre, pour qu'il se tînt à l'écart de la Normandie et de la Bretagne. Les prévisions de Franz-Eckart entraînaient des conséquences pratiques. Nul n'était assez riche pour risquer de l'argent dans une entreprise désastreuse.

— Je vais de ce pas prévenir Joseph, annonça François en quittant le pavillon.

À la surprise de François, Joseph ne fut pas long à convaincre de la justesse des prédictions de Franz-Eckart ; feu Jacques de l'Estoille, son frère, jadis Isaac Stern, l'avait familiarisé avec ces domaines mystérieux et les lumières que certains hommes pouvaient avoir sur la trame de la Grande Tapisserie. Au terme de leur réunion, les deux hommes convinrent d'adresser une lettre à Ferrando, pour l'assurer qu'en dépit des apparences, la sagesse recommandait de s'abstenir d'avancer de l'argent pour les entreprises militaires de la couronne de France en Italie. Ils le savaient, Ferrando serait surpris et embarrassé : les Sassoferrato étaient vassaux des Sforza, et Ludovic le More Sforza était un allié du roi de France. Mais mieux valaient embarras et surprise que créances impayées.

Au crépuscule, Aube se rendit au pavillon de Franz-Eckart. Les hasards des alliances avaient ainsi fait que la tante et le neveu avaient le même âge ; pourtant, ils se connaissaient à peine. Elle le trouvait beau ; il lui paraissait bienveillant à son égard.

Elle lui apportait un pot de quartiers de fruits confits. Elle fut donc déçue de ne pas le trouver dans son pavillon et s'en retourna à pas lents. Son regard erra dans les parages. Peut-être Franz-Eckart était-il parti en promenade ; mais elle ne le vit pas sur les chemins qui la ramenaient au château de Gollheim. Des croassements obstinés lui firent lever la tête. Des corbeaux qui se querellaient. En redescendant, son regard saisit une silhouette au sommet d'une colline voisine. Elle la détailla. Une chevelure sombre s'agitait dans le vent ; elle fut presque certaine que l'homme là-haut était Franz-Eckart. Elle décida de gravir la colline. Tout occupée à surveiller où elle mettait le pied, haletante, elle ne leva les yeux que trop tard, quand elle fut à une vingtaine de pas du jeune homme. Elle s'avisa alors qu'il était nu. Était-ce lui ? Ou bien un paysan fou ?

Elle s'immobilisa.

Plus étrange encore, elle aperçut devant Franz-Eckart, car c'était bien lui, un animal. Un premier regard, encore troublé par la surprise, lui avait fait croire que c'était un chien. Mais c'était un renard.

Franz-Eckart se leva sans embarras et elle put alors vérifier qu'elle ne s'était pas trompée ; il était bien nu de haut en bas. Il s'était levé pour enfiler ses braies.

Il l'avait vue et c'était pour elle qu'il avait revêtu ce minimum vestimentaire. Elle reprit son chemin, mais d'un pas hésitant, intriguée autant que gênée. Elle se décida finalement à revenir vers lui. Il eût été pusillanime de redescendre. Il l'observait, souriant, les pieds nus dans l'herbe.

Le renard aussi, nullement effarouché, observait Aube, pointant vers elle sa truffe brillante et son regard humide. Elle en fut encore plus décontenancée.

— Bonjour, Aube, dit-il, ne semblant guère gêné par sa tenue. Tu es venue me tenir compagnie ?

Elle expliqua sans grande assurance qu'elle était allée lui porter, au pavillon, le pot de confiseries qu'elle tenait dans les mains. Il le prit, se rassit et l'invita à s'asseoir près de lui.

Le renard était toujours présent ; il s'assit à son tour. Aube eut le sentiment d'être de trop.

— Je te dérange, murmura-t-elle.

— Nullement.

Elle considéra ce torse nu et blanc, et les pieds nus dans l'herbe. Enfin, elle résolut de s'asseoir.

— Est-ce ainsi que tu te distrais de ton travail ? demanda-t-elle.

— J'essaie justement de n'en être pas distrait, répondit-il. Je travaille ici.

Elle chercha alentour un livre ou une plume et n'en trouva pas. Ce garçon était vraiment singulier.

— D'après ce que j'en entends dire, je me demandais si ton travail n'était pas lassant ?

Il sourit.

— Quand un travail est lassant, ce n'est pas lui qui est en cause, mais le travailleur. Et j'ai de la chance. Il faudrait être bien misérable pour se lasser des astres.

— Mais on ne les voit pas, de jour ?…

Il se mit à rire.

— Non, c'est vrai, il en va ainsi de la vérité. On ne la voit que dans les ténèbres.

— Mais alors, à quoi travailles-tu ?

— On travaille dans sa tête, Aube.

C'en était trop. Pourquoi avait-elle ressenti le besoin de voir Franz-Eckart ?

— Ce renard est bien familier, observa-t-elle pour faire diversion.

— Pourquoi ne le serait-il pas ? C'est un ami. N'est-ce pas, Renard, que tu es un ami ? dit-il à l'animal.

Le renard leva la tête. Franz-Eckart tendit la main ; l'animal s'approcha ; Franz-Eckart lui caressa l'échine. L'animal tendit la tête et ferma les yeux, goûtant les délices de la main qui le flattait. L'homme tendit l'index à la bête ; elle le mordilla délicatement, comme pour jouer. Puis elle se coucha sur le dos et se tortilla, les pattes en l'air. Franz-Eckart lui caressa le ventre.

Aube était médusée. Ce garçon nu sur la colline qui caressait un renard ! Son neveu ! Elle eut soudain le sentiment qu'elle ne connaissait pas du tout ce garçon.

— Et la solitude ne te pèse pas ? demanda-t-elle, consciente de la maladresse de ses mots.

— Elle allège, répondit-il en riant. Peut-être devrais-je accrocher à la porte de mon pavillon un panneau expliquant

que je n'éprouve guère les besoins ordinaires de mes semblables. Je goûte la solitude et le travail.

N'eût-elle été sa tante, elle eût pensé que c'était là une
rebuffade.

— Tu es venue me parler de ma solitude ? demanda-t-il,
imperceptiblement ironique.

— Non. Je suis venue afin de mieux connaître Franz-
Eckart de Beauvois, ce garçon qui intrigue tant le château de
Gollheim.

— Et toi.

— Et moi, admit-elle. Je ne suis pas venue te séduire,
Franz, dit-elle. Je sais que deux êtres peuvent se porter de
l'affection sans se mettre au lit pour se le prouver, de même
que le contraire est vrai. Je suis ta tante et je suis promise à
un homme.

— Karl von Dietrichstein, dit-il.

Un jeune homme carré, chevalier et cavalier, neveu du
margrave de Brandebourg, et qui avait à l'évidence passé
plus de temps en compagnie des chevaux que des hommes,
et quant aux femmes… Franz-Eckart l'avait aperçu au château quand il était venu faire, façon de dire, sa cour. Il était
en effet d'âge à se marier.

— Je suis venue te voir pour emprunter un peu de tes
lumières, reprit-elle.

Le jeune homme ouvrit le bocal, le tendit à sa visiteuse
pour qu'elle se servît et goûta à l'un des quartiers de fruits
confits. Il ne répondit pas et jeta un morceau d'abricot confit
au renard, qui le happa et le mâcha, l'œil mi-clos de plaisir.

— Penser, répondit enfin Franz-Eckart, c'est prendre de
la distance. C'est aussi se déprendre de ce qui agite mes
semblables. C'est ma principale activité. Je ne saurais donc

être agréable à une jeune fille aussi charmante que toi, qui aspire à goûter aux délices de la vie plutôt qu'à prendre ses distances à leur égard.

Une fois de plus, elle se trouva déconcertée.

— Les chevaliers, observa-t-elle, considèrent que les femmes sont l'ornement de la vie, mais qu'elles ne sauraient être mêlées à des affaires sérieuses telles que la guerre, et les savants, qu'elles n'ont pas l'esprit assez profond pour participer à leurs réflexions. Puisqu'il m'est déconseillé de penser, me voilà réduite à la compagnie des prêtres, des domestiques et des enfants.

— Voudrais-tu observer les astres ? Ou bien étudier les philosophes ? demanda-t-il, provocateur. Quand tu seras mariée, ton époux en serait marri. Des enfants mal torchés, rien à manger et des toiles d'araignée aux plafonds.

Ils rirent tous les deux.

— Puisque tu es si savant, que dois-je faire ?

— Tu es bien la fille de ta mère ! Oublie les savants et traite les guerriers comme des banquiers et des géniteurs.

La réponse ne parut pas la satisfaire.

— Je serai mariée le juin prochain à un homme charmant, jeune, beau, riche et promis au succès si les armes lui sourient. Il sera absent. Je m'ennuierai et prendrai peut-être un amant.

— Et j'en serai la cause, rétorqua-t-il en souriant. Pour ne lui avoir pas appris à penser, j'aurai fait une épouse infidèle !

Ils rirent de nouveau. Un moment passa. Elle observa du coin de l'œil ce garçon qui, le jour, apprivoisait les bêtes sauvages et, la nuit, observait les étoiles. Adam seul au Paradis.

— Mais que fais-tu donc tout nu sur le sommet d'une colline ? demanda-t-elle.

— J'existe.

— Nu ?

— Les vêtements ! dit-il, haussant les épaules. Je veux bien qu'ils nous protègent du froid et de la pluie, mais quand il fait beau, de quoi nous protègent-ils donc, si ce n'est de notre propre nature et de celle qui nous environne ? Ici, je sens la terre sous mon pied et le soleil sur ma peau entière. Je suis uni à cette nature que je rejoindrai au bout du chemin, avec un linceul pour tout vêtement. Les animaux ne me prennent pas pour un épouvantail. N'est-ce pas, Renard ?

L'animal reconnaissait son nom ; il se tint aux aguets.

— Tout à l'heure, il viendra avec sa renarde et ses renardeaux au pavillon, je leur jetterai les reliefs du repas du soir. Et s'il n'y en a pas assez, il ira faire un sort aux mulots et aux cailles.

Plus l'entretien se poursuivait, et plus Aube se sentait étrangère à son neveu. Elle se leva, empreinte d'une tristesse qu'elle ne s'expliquait pas.

2

Pâques violentes

Le séjour à Gollheim avait persuadé Jeanne que le ménage de François battait de l'aile. Elle persuada à son tour Joseph que sa présence à Strasbourg lui permettrait peut-être de rétablir l'harmonie conjugale et de convaincre Sophie-Marguerite d'un comportement plus conforme à la décence ordinaire. C'était, en effet, à Strasbourg que le couple résidait le plus clair du temps, puisque l'imprimerie strasbourgeoise était la maison mère, les autres étant disséminées à Nuremberg, Lyon, Gênes, Milan et Venise, et que c'était celle qui occupait le plus son fils.

— Cela ne me dérange pas, puisque je voyage souvent entre Nuremberg, Francfort et Genève, répondit-il. Mais tu vas devoir jouer le rôle de la belle-mère, dit-il à Jeanne. Es-tu certaine qu'il te plaise ?

— J'en serai moins malheureuse que de voir François souffrir.

— Les hivers à Strasbourg sont bien plus rudes qu'à Angers, observa-t-il.

— Le froid du cœur est encore plus rude.

Ville d'Empire libre, comptant une vingtaine de milliers d'habitants, Strasbourg dégageait sans doute moins de

37

douceur qu'Angers, mais plus de chaleur. Comme si le froid attisait la compassion dans les cœurs.

Ils franchirent donc le Rhin. Aube demeura à Gollheim, où son fiancé, Karl von Dietrichstein, neveu du margrave de Brandebourg et attaché au service de l'empereur Maximilien, venait brièvement lui faire la cour quand ses affaires lui en laissaient le loisir. Jacques-Adalbert et Déodat suivirent leurs parents.

Jeanne trouva et organisa une vraie maison, sur la Sankt-Johanngass, avec des services de bouche et de linge, une étuve au rez-de-chaussée et autres commodités domestiques qui faisaient cruellement défaut au logis de son fils, à deux pas de là, rue des Magistrats.

Car Sophie-Marguerite se fichait éperdument de ses devoirs de maîtresse de maison. François portait souvent des vêtements déplorablement défraîchis, dormait dans des draps de trois mois et mangeait à la va-vite, son épouse se souciant de la table comme d'une guigne et se contentant de couper une tranche de pâté et un bout de fromage pour souper.

La domestique principale qu'elle avait engagée, Frederica, était une de ces matrones auxquelles on n'en impose pas aisément. Un matin, elle fit face à Jeanne d'un air renfrogné. Jeanne lui en demanda la raison.

— Madame, je vois bien qui vous êtes et j'aurais souhaité que tout le monde fût aussi bien que vous.

Cela fut dit dans un langage moins châtié, le patois alsacien étant dru. Jeanne se garda de demander à qui Frederica faisait allusion ; elle laissa la matrone poursuivre.

— Je ne voudrais pas que madame fût contrariée à la prochaine Pentecôte.

— Pourquoi la Pentecôte ? demanda Jeanne, intriguée.

— Parce que c'est à la Pentecôte que le Rohraff parle !

Jeanne comprit le sens de ces paroles ; elle connaissait le Rohraff ou Singe des Tuyaux : un automate grotesque à l'apparence de manant barbu. Juché sous les orgues de la cathédrale, il débitait des obscénités à tout-va, le jour où les langues de feu étaient censées descendre sur les Apôtres. Une sorte de charivari strasbourgeois. C'était évidemment un indiscret caché derrière l'orgue qui parlait pour lui.

— À la dernière Pentecôte, le Rohraff a donné les noms des langues de feu qui rentrent sous les jupes de certaines ! poursuivit Frederica.

Image éloquente. Autant dire que tout le monde savait que Sophie-Marguerite courait le guilledou et connaissait le nom de ses amants.

— Il a également dit que les langues de feu se transformaient en cornes pour les maris de ces femmes.

Le visage de Jeanne s'empourpra. Frederica comprit qu'on l'avait entendue.

Un rien de surveillance et quelques autres ragots permirent à Jeanne d'apprendre que Sophie-Marguerite avait trois amants qu'elle voyait pendant que François s'échinait à l'imprimerie. Elle était bien ce qu'avait dit François : une ribaude.

Entre-temps, le confort qu'il trouva chez sa mère fit que François emménagea quasiment chez elle. Il y retrouva la douceur et la finesse de Joseph et aussi son propre sourire. Sophie-Marguerite était contrainte de venir prendre ses repas chez sa belle-mère, puisque c'était là qu'elle retrouvait son mari et que d'ailleurs la chère y était bonne.

Jeanne décida de prendre la vache par les cornes. Elle convoqua sa bru et la tança.

— Mon fils est-il un chapon qu'il faille vous farcir le déduit à longueur de journée ?

Elle lui cita les noms de ses amants : Johann Wohlreell le fumiste, Benedikt Golsch le charcutier, Bartholomaeus Monsanct l'apprenti menuisier.

— Vous êtes la risée du quartier ! s'écria Jeanne. Vous déshonorez mon fils, un homme de bien ! Je suis au fait de ce que le Rohraff raconte à tous vents ! Vous n'avez pas honte ?

Sophie-Marguerite fondit en larmes. Puis elle tomba en pâmoison. Jeanne la souffleta et l'autre retrouva ses esprits en hoquetant.

Pendant cet abominable épisode, Jeanne se dit que certaines causes étaient perdues. Elle songea que si elle prolongeait suffisamment son séjour pour que sa bru retrouvât quelque maîtrise de ses sens, elle éviterait le naufrage du ménage. Elle demeura l'automne et, sur ces entrefaites, l'hiver pointa du nez.

Sachant à la fois les bons rapports que Jeanne entretenait avec les comtes de Gollheim et son autorité morale, craignant aussi que sa belle-mère ne déclenchât un scandale qui la ferait enfermer au couvent, Sophie-Marguerite finit par s'assagir, ou du moins le parut. Jeanne, qui la faisait espionner, apprit qu'elle ne voyait plus que Monsanct ; du moins elle se rendait chez lui discrètement deux fois par semaine.

Cela suffisait ; on ne change pas une laie en truie domestique. L'essentiel était que le scandale prît fin.

Pour achever de restaurer l'image écornée de sa famille, Jeanne fit un don généreux de quinze écus pour la construction de la chapelle des Trois Épis, à Niedermorsch-wihr. C'était là que, l'année précédente, se rendant au marché par le chemin de la forêt, le forgeron Dietrich Schoere passa devant le Chêne à l'Homme mort ; l'arbre était ainsi nommé parce qu'un paysan s'y était mortellement blessé plusieurs années auparavant. Une image pieuse avait été fixée à l'arbre et, selon la coutume, Schœre s'était arrêté pour faire une prière pour le repos de l'âme du malheureux. S'apprêtant à repartir, le forgeron avait vu la forêt s'illuminer. Une dame vêtue de blanc, qui n'était autre que la Vierge, s'était avancée vers lui, tenant trois épis dans la main droite et un glaçon dans la gauche. Le glaçon, avait-elle expliqué à Schœre, représentait les malheurs qui s'abattraient sur les impies de la région, et les trois épis, les bienfaits qui récom-penseraient les âmes pieuses et bienfaisantes, *gute Seelen*. Pour finir, elle avait chargé le forgeron de répandre l'avertis-sement au village.

Mais Schœre craignit d'être la risée des villageois. Lors-qu'il se pencha pour reprendre son sac de blé, il le trouva cloué au sol. Il se résolut donc à aller au marché pour racon-ter sa vision.

Et l'on avait décidé de bâtir là une chapelle. Ce fut la confrérie des Loups-Garous, l'une des quatre de la région, qui s'en chargea.

Sur quoi, le 25 mars, soit six jours avant la fin de l'année 1492[1], un incident singulier agita François.

---

1. À l'époque, l'année commençait le 1er avril.

Deux hommes bien mis, des Portugais, étaient venus à l'atelier et avaient demandé à François s'il ne disposait pas d'une grande carte du monde que lui aurait donnée à graver un Italien, Paolo del Pozzo Toscanelli. François avait répondu spontanément non, et les deux hommes avaient paru à la fois sceptiques et déçus. Ils déclarèrent, dans un français malhabile, qu'ils étaient disposés à payer un grand prix pour cette carte. François s'était alors rappelé qu'il connaissait ce nom de Toscanelli, pour l'avoir entendu de la bouche de son propre fils, Jacques-Adalbert, lors d'une conversation à Gollheim sur des terres inconnues au-delà des Colonnes d'Hercule ; mais sa curiosité ayant été piquée, il ne le révéla pas tout de suite.

— Pourquoi ne la demandez-vous pas à Toscanelli lui-même ? répondit-il.

Les visiteurs lui adressèrent un regard qu'il ne parvint pas à déchiffrer ; était-il ironique ? méprisant ? Toujours était-il que ces deux inconnus le fouillaient des yeux avec insistance. Guère habitué à pareilles façons, il s'impatienta.

— Il est mort, répondit enfin l'un des hommes.

— Comment sauriez-vous dans ce cas qu'il m'aurait confié cette carte ?

— C'est son fils qui nous a appris qu'il vous l'avait remise pour la graver et l'imprimer.

Ils maintenaient sur lui ce même regard scrutateur.

— En effet, mais c'était à Gênes. Puis il l'avait reprise, ayant changé d'avis, expliqua François, et nous ne l'avons jamais imprimée.

L'un des Portugais prit un air finaud.

— Ce que vous dites est à la fois exact et inexact, messire, rétorqua-t-il. Vous n'avez jamais imprimé cette carte, en effet, mais l'un de vos artisans l'a gravée avant que Toscanelli ne change d'avis. Il en existe donc un bois gravé, et il est en votre possession. Nous sommes prêts à vous en donner deux mille ducats.

— Messires, si ce bois existe, il n'est certes pas à Strasbourg, mais à Gênes. C'est là qu'il vous faut aller.

— Nous en venons. Ce bois a disparu.

À cette dernière réponse, François fut sincèrement perplexe. Et son trouble s'aggrava au souvenir de la prédiction de Franz-Eckart. Il en fut intuitivement persuadé : la carte qui intéressait les visiteurs devait être celle qui montrait des terres au-delà des Colonnes d'Hercule. Que cachait donc toute cette histoire ?

Pendant ce temps, à deux pas de là, Jacques-Adalbert s'affairait.

— Vous l'ignoriez ? demanda l'autre Portugais.

— Entièrement.

Les deux Portugais n'en parurent pas convaincus.

— Mais voilà bien du foin pour une carte ! s'écria-t-il.

Et il se leva pour signifier la fin de l'entrevue.

— Nous sommes pour trois jours à l'auberge du Cheval d'Or, pour le cas où vous changeriez d'avis, dit l'un des Portugais. Je vous répète mon nom : Manoël de Esteves.

Comment changerait-il d'avis sur une affaire dont il ne savait rien ? L'accusaient-ils de mentir ? Il fronça les sourcils, d'un air de mécontentement. Les deux étrangers s'en furent après lui avoir lancé un regard sombre.

Quand ils furent partis, Jacques-Adalbert dit à son père :

— Je n'ai pas voulu intervenir dans la conversation, mais ce bois est en ma possession.

Il revenait de Gênes, justement. François fut stupéfait.

— C'est toi qui l'as ?

Jacques-Adalbert hocha la tête.

— Ces deux individus ne m'inspiraient pas confiance, dit-il.

— À moi non plus.

— Et cela d'autant moins que notre atelier de Gênes a été cambriolé il y a quelques jours. Ce n'est certainement pas une coïncidence. Comme tu sais, le chef de l'atelier dort à l'étage au-dessus. Il a été réveillé une nuit par les aboiements furieux de son chien, resté en bas. Lorsqu'il est descendu, il a trouvé un homme en train de fouiller l'atelier. Ils se sont battus au couteau. Heureusement le fils du contremaître est accouru à la rescousse et ils ont maîtrisé le cambrioleur. C'était un Portugais, lui aussi. Mais ce n'est pas un malfrat ordinaire ; il est instruit et semble aisé. Il est en prison, mais il a refusé de révéler ce qu'il cherchait dans l'atelier.

— Mais comment l'as-tu deviné, toi ?

Jacques-Adalbert hésita un instant avant de répondre :

— Je me suis rappelé ce qu'avait dit mon frère. Il a parlé de cette carte.

François s'assombrit.

— Crois-tu que Franz-Eckart en ait révélé l'existence à d'autres ?

Jacques-Adalbert secoua énergiquement la tête.

— Pas du tout ! Les terres dont il avait parlé ont bien été découvertes.

— Comment ? s'écria François.

Son fils hocha la tête.

— Nous l'avons appris à Gênes, mais il semble qu'on l'ignore encore partout. Un navigateur espagnol, Christophe Colomb, est parti vers l'ouest, bien au-delà des Colonnes d'Hercule, et il a découvert des îles habitées, dont il a pris possession au nom du roi Ferdinand d'Espagne et de la reine Isabelle.

François ne parvenait pas, dans sa stupéfaction, à faire la part de celle que lui valait la nouvelle de terres habitées au-delà des Colonnes d'Hercule et de l'étrange prescience de Franz-Eckart. Quand il fut quelque peu remis, il demanda :

— Mais en quoi cela peut-il intéresser les visiteurs qui viennent de partir ? Les terres sont découvertes…

— D'après ce que j'ai entendu dire, l'affaire est beaucoup plus complexe, lui expliqua son fils. On prétend que ce ne seraient pas seulement des îles, mais tout un continent qui se trouve au-delà des mers. Et que ce continent abonde en or, en perles, en pierres précieuses et en richesses de toutes sortes. Ce Colomb aurait donc découvert une route par l'ouest, beaucoup plus courte, vers les Indes. C'est dire qu'elle assurera à l'Espagne une fortune considérable, tandis que le Portugal va perdre son monopole, par la route qu'il suivait en contournant l'Afrique. À mon avis, ce sont des marchands ou des émissaires des marchands portugais qui sont venus te voir. Ils veulent disputer aux Espagnols cette nouvelle route des Indes.

La journée de travail s'achevait ; les deux hommes allèrent se laver les mains au savon et au sable, afin d'enlever les traces collantes laissées par l'encre grasse. La conversation se poursuivit sur le chemin de la maison.

— Et où est cette carte, à présent ? demanda François.

— Le bois, veux-tu dire. À la maison, en sécurité. Veux-tu le leur vendre ?

— Non, répondit François. Ils m'ont paru de mauvais aloi. Tu m'apprends qu'ils seraient de surcroît mêlés à un cambriolage. Et l'épreuve qu'avait vue Franz-Eckart ?

— Elle est à la maison aussi.

Tout le souper fut occupé par la nouvelle qu'apportait Jacques-Adalbert. Jeanne ne cessait de songer que c'était la deuxième prédiction de Franz-Eckart qui se réalisait. Joseph s'interrogeait à haute voix sur cette carte de Toscanelli et les questions qu'elle posait. Était-il concevable que Toscanelli seul eût eu connaissance d'une nouvelle route des Indes ? Et sur quelles bases ? Il se souvint alors qu'il avait rencontré à Nuremberg, quelques années plus tôt, le fils d'un marchand de cette ville, un certain Martin Behaïm, géomètre et mathématicien, qui avait réalisé le premier globe terrestre et qui lui avait déjà assuré, sous le sceau du secret, qu'il était possible d'atteindre les Indes par l'ouest. Mais comment Martin Behaïm lui-même le savait-il ?

Jeanne écoutait la conversation.

— Ce sont des intérêts immenses qui semblent en jeu, dit-elle : ceux de deux empires, l'espagnol et le portugais. Nous n'avons pas fini d'entendre parler de cette affaire.

Sophie-Marguerite, elle, s'ennuyait à mourir. De fait, elle dépérissait, contrainte à la vertu conjugale comme elle l'était depuis l'arrivée de Jeanne à Strasbourg, Et vraiment, elle ne comprenait rien à ces affaires de cartes, d'empires et de route des Indes.

Ce qu'elle voulait, c'était un bal. Mais il n'y en avait guère à Strasbourg. Surtout aux approches de Pâques.

Trois jours plus tard, le Jeudi saint, Jeanne fit préparer le dernier repas digne de ce nom avant le dimanche. François arriva à l'heure habituelle, la septième après none, accompagné de Jacques-Adalbert. Déodat aussi était là, puisqu'il devait repartir pour Genève quelque temps après avec Joseph. On attendit Sophie-Marguerite ; elle était en retard, fait exceptionnel, car Jeanne lui inspirait une terreur sacrée.

François décida d'aller la chercher à la maison, à trois pas. Il revint bouleversé. Elle n'y était pas. Les domestiques l'avaient vue sortir vers six heures, pour se rendre comme à l'accoutumée chez sa belle-mère, avaient-ils cru ; il était sept heures et demie.

Avait-elle fait une foucade ? C'était peu probable, puisqu'elle était sortie de chez elle à l'heure habituelle où elle se rendait chez sa belle-mère. Avait-elle été victime d'un malandrin ? Mais la distance était trop courte entre les deux maisons pour qu'elle n'eût pas pu s'enfuir, appeler au secours, que sais-je.

Les hommes arpentaient la pièce, Jeanne était assise, les domestiques étaient consternés.

Peu après le coup de huit heures, on tira la clochette à la porte du bas. Tout le monde courut. On ne trouva sur le seuil qu'un billet :

> *François de Beauvois, si tu veux revoir ta femme vivante, dépose la carte de Toscanelli à minuit à l'endroit où tu auras trouvé ce billet. Point de ruse, sans quoi nous enlèverons une autre personne de ta famille, jusqu'à ce que tu aies compris notre détermination.*

— Les Portugais ! cria François. À l'auberge du Cheval d'Or !

La nuit était tombée.

— Alertez d'abord la prévôté, conseilla Joseph.

— À cette heure ! s'écria François.

Trois hommes s'élancèrent dans la nuit, François, Déodat et Jacques-Adalbert.

Non sans appréhension, Jeanne les avait vus glisser des dagues à leur ceinture. Elle et Joseph s'assirent pour grignoter un bout de pain et un bol de soupe, qu'on fit réchauffer.

Les trois hommes revinrent penauds, une heure plus tard. Les Portugais étaient partis le matin.

— Bien, dit Jacques-Adalbert. Nous laisserons-nous ainsi réduire en sujétion par des brigands ? Car ce sont des brigands !

— Que veux-tu faire ? demanda Jeanne.

— Nous déposerons à minuit un rouleau ressemblant à la carte qu'ils demandent. Dans l'obscurité, ils n'y verront que du feu. Nous nous tapirons dans l'ombre et, quand ils viendront prendre la carte, avec ma mère nous nous jetterons sur eux.

— Ils sont sans doute armés, eux aussi, observa Jeanne.

— Je vais chercher Aloysius et son fils, dit François. Cinq hommes auront bien raison de ces malfrats.

Jeanne revécut tous ensemble quelques-uns des pires moments de sa vie. L'attaque contre le chariot qui les emmenait, elle et son premier mari, Barthélemy de Beauvois, à Beauté-sur-Marne. L'attaque contre son deuxième mari, Jacques de l'Estoille. Et bien d'autres épisodes affreux.

Aloysius et son fils, tirés de leurs lits, vinrent sans récriminer et même, pressés d'en découdre. À la onzième heure, tous les hommes sortirent. Jeanne attendit seule dans la maison.

Une heure d'attente angoissée s'écoula.

Les douze coups de minuit cloutèrent le ciel noir.

Peu après, des cris éclatèrent. Interjections, bruits sourds, jurons, chocs. Un choc en particulier, celui d'un corps jeté contre la porte.

Jeanne, un bougeoir à la main, alla regarder par le judas et ne vit rien. Finalement, n'y tenant plus, elle ouvrit la porte. C'était au moment même où François y introduisait la clef.

Elle compta des yeux les hommes devant elle : les cinq qu'elle connaissait et deux autres, solidement maintenus, que François poussait sans ménagement. Mais Sophie-Marguerite n'était pas avec eux.

Les deux inconnus n'étaient pas les Portugais. Deux pâles voyous ordinaires, qu'Adalbert s'empressa de ligoter à des chaises dans la cuisine. Les domestiques, réveillés, étaient accourus, en chemise et pieds nus.

On interrogea les captifs.

Deux étrangers les avaient priés d'aller prendre un document à la porte de la maison et de le leur rapporter. Après quoi, ils devaient accompagner une femme à la même porte. Ils s'indignèrent : ils n'avaient rien fait de mal !

Le comble était qu'ils avaient raison.

— Où devais-tu ramener ce document ? demanda François.

— Devant la cathédrale. Ils m'y attendaient.

Autant dire qu'ils ne l'y attendaient plus.

On patienta jusqu'à l'aube, à SanktJohanngass, avant d'aller quérir les sergents à verge. Ils furent prompts. Leur capitaine connaissait déjà son gibier. On lui raconta l'affaire. L'enlèvement de l'épouse d'un notable, le baron de

Beauvois, chef de l'imprimerie des Trois Clefs, ce n'était pas rien. Il promit de fouiller la ville. Deux Portugais et une prisonnière, ce ne devait pas être invisible, diantre !

Pourtant, les heures passèrent et les archers ne trouvèrent rien ni personne.

À six heures, un caillou heurta une fenêtre de l'imprimerie. Un billet y était attaché.

François de Beauvois, tu es un traître. Nous sommes tout-puissants. Nous sévirons. Ta femme est toujours entre nos mains. Nous enlèverons les tiens, un par un, jusqu'à ce que nous ayons ce que nous voulons. Laisse-nous un billet après la minuit pour nous dire la somme que tu demandes.

Bien entendu, quand Jacques-Adalbert alla voir dans la rue, il n'y avait personne. François donna l'ordre à ses hommes de ne jamais circuler seuls, mais par deux ou par trois et de s'armer de dagues ; il s'en expliquerait avec la prévôté. Lui-même ne sortit qu'accompagné de Jacques-Adalbert et de Déodat.

Quand il rentra, il montra le billet à Jeanne.

On soupa des restes de la veille. Les mines des hommes autour de la table ressemblaient à celles de brigands.

On se barricada pour la nuit. Aucun autre billet ne vint. Aucun non plus ne fut laissé sur le seuil.

Dans le lit, où Joseph s'était enfin endormi, Jeanne remua des idées noires. Et rouges.

Les hommes se rendirent à l'atelier. Joseph et Déodat décidèrent de surseoir à leur voyage pour Genève, jusqu'à ce qu'on eût retrouvé Sophie-Marguerite.

Elle examina attentivement le document, dont Jacques-Adalbert lui avait montré la cachette. Des profils déchiquetés, un réseau de lignes droites mystérieuses, de petits bateaux, des chiffres partout ; elle s'avisa qu'elle n'y comprendrait rien. Sinon qu'une très grande île était effectivement dessinée bien au-delà des Colonnes d'Hercule, avec de nombreuses petites îles devant.

Cela intéressait des navigateurs. Des marchands. Tout cela était une affaire d'argent.

Elle songea soudain au mépris que lui portait Franz-Eckart.

Et à l'avidité de Denis.

Mais l'heure n'était pas à la philosophie. Elle remit la carte dans la cachette et descendit à la cuisine. Elle s'empara du grand bocal de poivre et, à la surprise du cuisinier, en versa une bonne quantité dans un cornet de papier fort qu'elle referma à la manière des marchands de friandises.

Puis elle remonta dans sa chambre, fouilla dans son coffre, en tira la longue dague au manche d'agate bleue, qui avait appartenu à Jacques de l'Estoille, toujours dans le fourreau de la ceinture de cuir clouté que portait Jacques en voyage. Elle attacha la ceinture sous son justaucorps, de telle sorte qu'elle pût tirer la dague en un instant si besoin en était. Elle fourra le cornet de poivre dans la poche de sa cape et sortit.

Ces Portugais du diable voulaient un autre otage. Le chef du clan, c'était elle. Et ce serait elle qu'ils tenteraient d'enlever.

Sans doute des sbires à leur solde observaient-ils les allées et venues de la maisonnée. Mais après la mésaventure advenue aux deux malandrins, les sinistres Portugais en trouveraient-ils d'autres qui consentiraient à se faire bastonner et, de surcroît, envoyer en prison ? Car l'affaire avait fait le tour de la ville. En tout cas, le fait qu'ils demandassent une réponse sur le pas de la porte démontrait qu'ils n'étaient pas loin. Elle sortit donc, ostensiblement seule, pour aller choisir des volailles. Elle rentra sans qu'il lui fût rien advenu.

Elle fut quelque peu dépitée. Joseph lui fit observer qu'elle était imprudente. Elle haussa les épaules.

Le soir, au souper, force fut de s'avouer que les archers n'avaient rien trouvé. Pas plus de Portugais que de beurre en branches.

Le lendemain, elle ressortit. La rue était déserte. Elle entendit des pas derrière elle. Elle eut à peine le temps de se retourner qu'une cape s'abattit sur elle. Elle connaissait le coup. La dague au poing, elle fendit la cape en moins de temps qu'il n'en faut pour couper une pomme en deux. Les agresseurs, manifestement surpris, poussèrent un cri. Elle s'était dégagé la tête et faisait face à un homme qui la maintenait à bras-le-corps. Elle lui enfonça la dague dans l'estomac d'un coup furieux, jusqu'à la garde. L'homme hurla et s'écroula. L'autre essaya de la bâillonner et de lui immobiliser le bras. Elle tenait déjà le cornet de poivre dans sa main libre. Elle lui en lança le contenu au visage. Il cria et lâcha prise. Elle lui décocha un coup de poing dans le foie. Puis un coup de genou dans les parties. L'homme recula encore, aveuglé, saisi par la douleur au foie et à l'aine. Elle ne voulait pas le tuer, car c'eût été perdre toute chance de retrouver Sophie-Marguerite. Elle le jeta contre un mur, aveuglé, étourdi. Saisissant l'une des moitiés de la cape qui traînait encore entre eux, elle en fit un capuchon et lui enserra la tête. Des cris étouffés en sortirent. Elle lui décocha un autre coup encore plus violent dans les parties.

L'autre agresseur agonisait sur le pavé, dans son sang.

L'homme encapuchonné titubait contre le mur, essayant d'arracher sa cagoule.

Elle s'approcha de lui, la dague à la main :

— Encore un geste et je t'enfonce la dague dans le cœur ! cria-t-elle. Immobile ! Ou je te tue sur-le-champ ! Comme l'autre !

Il comprit.

Ils étaient à cinquante pas de la maison.

Elle pointa la dague dans son dos.

— Marche !

Il fit quelques pas trébuchants.

— Marche ! ordonna-t-elle en lui assénant un coup violent de la tranche de la main sur la nuque.

Un gémissement sortit de la cagoule.

Elle enfonça la pointe de la dague dans le dos. Il se cambra et avança en tortillant, sachant que cette voix de femme ne plaisantait pas.

— Avance !

Ils arrivaient à la maison. Elle ouvrit la porte et le poussa.

Elle appela les domestiques. Ils accoururent, stupéfaits.

— Ligotez cet homme !

Ils s'exécutèrent. Elle l'assit de force sur une chaise avant de défaire le capuchon à la pointe de sa dague.

Un visage barbu apparut. Un bourgeois. Peut-être un chevalier. Il clignait désespérément des yeux. Le capuchon avait conservé le poivre à l'intérieur. Il toussait. Il reniflait et happait l'air.

— Voilà donc ce noble marchand qui s'en prend à des femmes ! Ah voilà un homme courageux !

Elle lui asséna une gifle d'une folle violence.

Il gémit.

— Où est la femme que tu as enlevée, chien ?

Il la regarda, épouvanté. Le masque pâle de cette femme exprimait une haine sans faille.

— Réponds !

Elle lui balafra la joue avec la dague. Le sang perla et s'écoula sur son col blanc.

Les trois domestiques assistaient à la scène, terrifiés.

— Appelons les sergents, madame !

— Pas avant qu'il ait répondu ! Où est cette femme ?

Elle n'avait même pas avisé Joseph, qui se trouvait avec Déodat, au deuxième étage, et qui n'avait sans doute rien entendu. Elle voulait leur épargner cette scène.

L'homme ravala sa salive, mais ne répondit pas.

— Fort bien, dit-elle.

Toujours de la pointe de la dague, elle déchira les chausses. Puis les braies. Le sexe de l'homme était à découvert.

— Écoute, moins que chien, tu as vu que je suis déterminée. Je te le jure, je te castre ici devant mes domestiques !

Elle posa la pointe de la dague sur le sexe.

— Madame…, intervint Frederica, horrifiée par l'idée d'assister à la castration d'un homme.

— Cette créature qui se dit homme a enlevé ma bru, une femme sans défense. Alors je vais le réduire à l'état de chapon…

L'homme hurla. Se débattit. Puis il fondit en larmes.

— Elle… est… morte…

Un silence noir s'abattit dans la pièce, coupé par les gémissements de l'homme.

Les domestiques, déjà secoués par la violence de la scène à laquelle ils avaient assisté, furent consternés par la nouvelle.

— Morte? répéta Jeanne d'une voix basse.

Il hocha la tête.

— Morte comment?

— Elle a voulu s'enfuir… Elle s'est étranglée dans la corde que nous lui avions passée au cou…

— Appelez les sergents, dit-elle. Et messire François à l'atelier. Donnez de l'eau à ce criminel, en attendant.

Elle alla s'asseoir dans la grande salle du rez-de-chaussée.

Elle n'avait pas pu défendre son clan. Elle avait voulu protéger son fils. Une défaite. Ce fut alors qu'elle monta et appela Joseph.

— Tu l'as piégé, n'est-ce pas? demanda-t-il avec douceur.

Il lui posa la main sur l'épaule. Il la connaissait.

Une soirée de cauchemar, parce que les larmes en étaient exclues. L'horreur avait desséché les yeux autant qu'éteint l'instinct de vengeance.

Reconnaissant l'un de ses deux visiteurs, agonisant sur le pavé, François était accouru comme un fou. À la vue de l'autre visiteur, ligoté et mal en point, et de sa mère vivante, son visage s'éclaira, mais l'expression accablée de Jeanne brida son soulagement.

— Que s'est-il passé?

Elle secoua la tête et ne retrouva le chagrin qu'en pensant à celui de son fils.

— Sophie-Marguerite ? demanda-t-il.

Jacques-Adalbert avait tout compris à l'expression hagarde de sa grand-mère.

— Elle est morte, répondit Jeanne.

Les sergents arrivèrent. Leur capitaine écouta Jeanne. Il écarquilla les yeux.

— C'est vous qui avez tué l'autre homme ? Et vous avez maîtrisé celui-ci ?

Elle hocha la tête. Cet étonnement des hommes devant une femme qui savait se défendre, elle le connaissait déjà. Les sergents regardaient Jeanne avec des yeux émerveillés et secouaient la tête d'incrédulité.

— Cette femme, c'est le diable ! s'écria le captif, pendant que les sergents chargeaient le macchabée sur une charrette.

Ils avaient l'habitude : tous les matins dans toutes les villes d'Europe, on trouvait des cadavres, plus ou moins frais, selon l'heure et le temps qu'il faisait ; à Paris, la moyenne était de quinze ; à Strasbourg, de six. C'était Milan qui, paraît-il, battait les records : vingt !

— Le diable, c'est vous ! rétorqua le capitaine. Vous finirez à la potence.

L'autre ne parlait pas le patois alsacien ; le ton du capitaine ne lui laissa toutefois pas de doutes sur l'aménité de ses paroles.

— Qu'il dise d'abord où se trouve le corps de la pauvre Sophie-Marguerite, s'écria Jeanne avec fureur.

C'était dans une grange à l'autre bout de la ville, sur la route de Marlenheim. Ils s'y rendirent tous, même les domestiques, même les ouvriers de l'imprimerie, éclairés par deux sergents à verge qui portaient des torches. Ils ramenèrent le corps de l'infortunée baronne de Beauvois sur une charrette empruntée à des paysans, que ce cortège aux flambeaux avait d'abord alarmés et qui partagèrent ensuite sa consternation. Ils n'auraient jamais pensé que les deux étrangers qui venaient de louer la maison fussent des brigands.

La baronne douairière de l'Estoille n'ayant rien fait d'autre que défendre sa vie, le capitaine des sergents ne songea évidemment pas à lui tenir rigueur d'avoir dépêché un homme au trépas et d'avoir porté une dague, ce qui, en principe, n'était pas autorisé aux habitants de la cité libre de Strasbourg.

On ramena le corps à SanktJohanngass. Toute la maison le veilla. À l'aube, Jacques-Adalbert alla quérir le curé de Saint-Wandrille pour bénir la dépouille de sa mère. Il fallut insister pour que François quittât le chevet de celle qui avait été sa femme. Tous ses griefs s'étaient consumés dans la flamme des chandelles funèbres.

Jeanne en conçut un autre chagrin, qu'on eût pu qualifier de secondaire, mais qui n'en était pas moins vrai. Aucun être humain ne méritait la mort misérable de Sophie-Marguerite. Écervelée et ribaude sans doute, mais ce n'était là qu'un effet de son immaturité et non d'une malice fondamentale. Sophie-Marguerite faisait partie du clan ; comme telle, on lui devait le respect.

Elle mena le convoi jusqu'à la cathédrale, ensemble avec François et les parents de la défunte, ainsi que Jacques-Adalbert et Franz-Eckart, informé en urgence et venu de même.

Elle écoutait l'éloge de la défunte, que le prêtre prononçait en chaire, quand elle fut soudain piquée par un souvenir. Parlant de sa mère, à Gollheim, Franz-Eckart avait dit : *sa courte vie.* Avait-il donc prévu cette fin affreuse autant que prématurée ?

Au cimetière, elle l'observa par-dessus la fosse tombale.

Les larmes coulaient silencieusement sur le visage du jeune homme. S'il avait prévu la mort de sa mère, cela ne changeait rien à son émotion.

Les humains ne sont pas seulement les victimes des princes ; ils le sont aussi des seigneurs célestes.

Il fallut ensuite écouter le rapport de la prévôté.

Comme le démontrait l'interrogatoire du Portugais survivant, les deux visiteurs n'étaient nullement des brigands de profession, mais des bourgeois ambitieux prêts à tout pour se procurer la carte de la nouvelle route des Indes, qu'ils voulaient offrir au roi Jean II. Le Portugais, Manoël de Esteves, était armateur dans son pays. Lui et son collègue avaient à l'évidence espéré obtenir mission d'une expédition qui damerait le pion aux Espagnols et qui aboutirait, elle, à la découverte de la grande île aux trésors où Christophe Colomb n'avait pu aborder, car il en avait, disait-il, été empêché par une tempête.

L'armateur eut certaines paroles dont le greffier de la prévôté ne comprit pas le sens, mais qu'il rapporta quand même. Par exemple, que sa détermination avait été suscitée par le comportement du navigateur nommé Christophe Colomb, dont le greffier n'avait jamais entendu parler. Ce comportement avait été empreint de traîtrise, car revenant de son voyage de découverte, il avait fait escale à Lisbonne au lieu de se rendre directement en Espagne. Il avait été reçu par le roi Jean II et lui avait fait miroiter les merveilles qu'il avait découvertes, mais avait refusé d'en dire plus, ce qui avait exaspéré le roi[1].

Le greffier ne savait évidemment pas qui était Christophe Colomb, ne voyait guère de rapport entre un navigateur espagnol et l'enlèvement et la mort d'une dame de bien à Strasbourg et n'avait rien compris à ce qu'il tenait pour des embrouilles.

Jeanne lut cependant la déposition avec attention, y déchiffrant un fil de raison.

Ayant appris par des marchands génois que Colomb s'était servi d'une carte que l'atelier génois de François de Beauvois et du marquis Ferrando Sassoferrato avait été chargé d'imprimer, les Portugais s'étaient mis en tête d'obtenir ce document inestimable. Ils s'étaient d'abord rendus à Gênes où ils avaient demandé à acquérir la carte. Ayant fait chou blanc, et persuadés que le précieux document était dans l'atelier, ils avaient voulu s'en emparer par la force, ou plutôt par effraction. Nouvel échec, où les Portugais avaient perdu leur secrétaire, désormais en prison. Ils s'étaient alors dit que la carte devait se trouver à l'imprimerie de Strasbourg. Mais leurs démarches n'avaient pas été plus fructueuses. Ils s'avisèrent à ce moment que le sieur de Beauvois connaissait la valeur du document et qu'il en voulait des sommes extravagantes, ou bien qu'il était de mèche avec des Français, des Espagnols, des Génois, des

---

1. L'escale de Christophe Colomb à Lisbonne, au retour de sa découverte des Antilles, et son entrevue avec le roi Jean II de Portugal, auquel il réserva la primeur de son récit, sont un point historique dont on débat encore. Jean II était le rival de Ferdinand d'Aragon, qui avait pourtant commandité l'expédition, et auquel revenait ce privilège. L'indiscrétion de Colomb demeure énigmatique, sinon suspecte, surtout au regard de la personnalité ambiguë du navigateur.

Vénitiens, que sais-je, pour explorer lui-même cette route. Ils avaient voulu lui forcer la main. L'affaire avait mal tourné. Le tribunal décida que le survivant serait pendu, quoiqu'il se prétendît de noble naissance. Un enlèvement contre rançon était en soi-même un crime ; qu'il aboutît à la mort de l'otage ne pouvait que l'aggraver.

Aussi Sophie-Marguerite avait-elle été la victime d'ambitions conjuguées d'armateurs et de monarques dont elle n'avait pas l'idée la plus ténue.

François enragea.

Il ignorait que sa mère enrageait aussi. Elle songeait que ses parents avaient été égorgés dans une guerre où ils n'avaient rien à voir non plus.

Tout pouvoir est meurtrier, elle l'avait appris au cours de sa vie. Par exemple, lors de la lutte féroce du Dauphin contre son père Charles le Septième, quand elle avait été enlevée et qu'elle avait manqué être assassinée.

L'affaire prit un tour encore plus déconcertant quand le grand échevin de la ville informa François qu'Anne de Beaujeu avait demandé par faveur spéciale qu'on lui livrât le prisonnier pour l'interroger.

Le Portugais allait-il donc échapper au châtiment ?

L'ancienne régente, assura l'échevin, s'était engagée à respecter les décisions de justice de Strasbourg.

On se creusa la tête pour trouver la raison de l'intérêt qu'Anne de Beaujeu portait à cet armateur égaré. On ne la trouva pas. On ignorait que, trois ans auparavant, elle avait accueilli le propre frère de Christophe Colomb, Bartolomeo, venu défendre le projet d'une exploration de la route des Indes par l'ouest. Lequel avait d'abord été rejeté par Henry VII d'Angleterre, qui l'avait trouvé délirant.

Pour Jeanne, ces péripéties ne changeaient rien à la situation présente : François était veuf. À quarante-deux ans, il était bien trop jeune pour s'accommoder de la solitude. Un homme est comme le bois exposé aux intempéries : il se durcit et se fendille. Elle devrait lui chercher une nouvelle épouse.

Et la sagesse de la Providence, si ce n'était un mythe, était bien cruelle : elle avait, d'un coup fatal, tranché dans un ménage qui, prolongé, n'aurait fait que mener un homme à l'amertume et une femme à la déchéance.

3

Fantômes exotiques

Des jours et des semaines durant, François, Joseph, Jacques-Adalbert, Déodat et bientôt Ferrando, qui venait d'arriver de Milan, débattirent du mystère de la carte. Jeanne regretta que Franz-Eckart, qui était retourné dans son pavillon de Gollheim, n'assistât pas aux discussions.

On ne comprit rien. Le document convoité par les Portugais n'était certes pas la carte que Toscanelli avait fait imprimer à Gênes et dont Joseph s'était procuré un exemplaire. Le profil de la grande île à l'ouest, entourée d'un chapelet de petites îles, était très différent de celui qu'avait décrit Toscanelli. Ainsi, ce dernier avait figuré l'île d'Antilia tout près des Canaries ; le géographe inconnu, lui, l'avait placée beaucoup plus loin. Toscanelli avait figuré une grande île appelée Cipangu devant la grande île à l'ouest ; elle était absente de la carte du géographe inconnu.

La menace d'une épidémie de peste, de l'autre côté du Rhin, vint pour ainsi dire à leur secours.

Joseph apprit que parmi les habitants fuyant Nuremberg se trouvait Martin Behaïm, qu'il connaissait de longue date ; le réfugié faisait étape à l'auberge du Cheval d'Or. Joseph l'invita à souper.

Behaïm était accompagné de sa femme, une Flamande aux grands yeux souriants. Élève du grand mathématicien Regiomontanus, il jouissait d'une réputation flatteuse dans toutes les cours d'Europe, lesquelles étaient bien conscientes que le savoir représentait bien souvent le pouvoir et partant, la richesse. C'était un homme replet, au visage fin et pâle où s'agitait un regard qui semblait toujours en quête d'un objet introuvable.

Joseph, Ferrando et François lui soumirent l'énigme de la carte d'auteur inconnu. Jacques-Adalbert suivit l'entretien d'un œil attentif.

Behaïm soudain s'anima. Il paraissait en proie à la contrariété. Il mit un certain temps à trouver ses mots.

— La route par l'ouest existe ! s'écria-t-il. J'ai tenté d'en convaincre Jean de Portugal ! Il s'est contenté de celle de l'est, qui dure seize mois, parce qu'elle contourne l'Afrique, et qui est dangereuse !

Son regard noir erra sur le plafond. Ses hôtes l'observaient, silencieux, n'osant l'interrompre. Peut-être possédait-il la clef de l'énigme pour laquelle Sophie-Marguerite avait payé de sa vie.

— Oui, reprit-il, la route de l'ouest existe. Mais je ne suis pas certain qu'elle mène aux Indes.

— Mais où mènerait-elle donc ? demanda Joseph.

— Je ne sais pas.

On lui soumit la carte mystérieuse. Sa contrariété s'accrut.

— Je n'en connais pas l'auteur ! dit-il. Mais il a des informations privilégiées ! Il a raison ! Il a raison ! Il y a probablement à l'ouest d'autres terres que nous ne connaissons pas.

Une fois de plus, Jeanne songea à la prédiction de Franz-Eckart.

— Pourquoi Toscanelli n'en a-t-il pas tenu compte ? demanda François.

— La carte qu'il a tracée et que vous connaissez est ancienne. Il n'était pas certain de la justesse de celle-ci, si tant est qu'il la connût.

— Comment « si tant est qu'il la connût » ? demandèrent presque en même temps François et Ferrando. Mais c'est lui qui nous l'a apportée !

Behaïm parut surpris.

— C'est lui qui vous l'a apportée ? Il y a combien de temps ?

— Environ dix mois, répondit Ferrando.

Behaïm les considéra d'un œil moqueur.

— Toscanelli est mort il y a huit ans, dit-il.

Ce fut à leur tour d'être surpris. Ferrando se tapa sur les cuisses.

— Son fils, alors ?

— Il doit avoir douze ou treize ans.

La stupéfaction plongea l'assistance dans un silence givré.

— Qui aurait pu avoir cette carte à sa disposition ? Et qui aurait voulu en faire imprimer plusieurs exemplaires ? demanda Jeanne.

— Je l'ignore, répondit Behaïm. Comment était l'homme qui l'a apportée ?

— Grand, plein d'assurance et peu causant, répondit Ferrando.

— Vous avez eu affaire à Christophe Colomb lui-même.

Ils se dévisagèrent, interloqués.

— Mais pourquoi aurait-il joué cette comédie ? demanda François.

— J'ai connu Colomb, dit Behaïm. Nous avons même entretenu des relations que je croyais amicales. Mais l'ambition prête plusieurs masques à cet homme. C'est un dissimulateur anxieux et aventureux.

— Et pourquoi aurait-il changé d'avis ?

— Sans doute parce qu'il voulait conserver le secret de cette carte pour lui seul, dit Behaïm.

— Mais comment les deux Portugais qui ont enlevé ma femme ont-ils eu connaissance de cette carte ?

Behaïm resta un moment sans répondre.

— Je l'ignore, répondit-il enfin. Sans doute par un espion. Colomb est espionné par tout le monde. En tant que Génois, il n'est déjà pas tenu en confiance par les Espagnols. Et son double jeu avec le roi de Portugal ne l'aura pas mis en odeur de sainteté dans ce pays-là non plus. Quelqu'un aura appris qu'il s'était rendu à votre imprimerie à Gênes avant votre voyage, pour faire copier une carte.

Il agita la main.

— Écoutez, dit-il, on raconte une aventure si prodigieuse que peu de monde lui prête foi. Il y a près d'un demi-siècle, un navire portugais qui longeait la côte de l'Afrique a été pris dans une violente tempête et entraîné vers l'ouest. Quatre jours plus tard, il a abordé à une grande terre, un continent, peuplé de gens vivant nus parmi une végétation extraordinaire, des oiseaux comme personne n'en a jamais vu et des serpents capables d'avaler un mouton entier. Ce n'étaient pas les Indes, car nous les connaissons depuis longtemps, et les descriptions des marins ne leur correspondaient pas. Ces sauvages ont accueilli nos marins comme des êtres surhumains. Ils les ont nourris et ils les ont aidés à réparer leur bateau. Mais quand ces marins sont revenus à Lisbonne, personne n'a voulu les croire et l'on a déclaré qu'ils étaient fous, parce que leurs récits paraissaient trop extravagants.

Les assistants demeurèrent plongés dans leurs réflexions.

— Ce sont eux qui auraient dessiné cette carte ? demanda enfin François.

— Non, répondit Behaïm. Regardez : les côtes dessinées représentent plusieurs centaines, voire milliers de milles et d'innombrables îles. Ces marins n'auraient pas eu le temps de reconnaître toutes ces terres. Cette carte a été dessinée d'après des documents chinois que j'ai moi-même vus.

— Chinois ? s'étonna Jacques-Adalbert.

— Oui. Ce sont de grands navigateurs. Ils sont allés jusqu'au sud de l'Afrique, c'est-à-dire dans la Grande Mer, bien au-delà des Colonnes d'Hercule. Et, naviguant toujours vers l'ouest, ils ont approché ce continent.

— Quel intérêt présenterait ce continent ? demanda Jacques-Adalbert.

— Il regorge d'or ! répondit Behaïm. L'on parle de sept cités splendides contenant plus d'or qu'il n'y en a dans toute l'Europe.

Jeanne écoutait, de plus en plus songeuse. Les moucherons qui dansaient autour des chandelles évoquaient pour elle les humains qui s'agitaient autour des mirages de l'or.

— La partie me paraît maintenant perdue ! se lamenta Behaïm. Les Espagnols sont maîtres de la route des Indes ! Ils vont s'enrichir jusqu'à en crever. Jean de Portugal ne comprendra son erreur que lorsqu'il constatera leur fortune.

Il paraissait amer. Il vida son gobelet de vin. François aussi était amer. Les deux Portugais qui lui avaient rendu visite n'avaient été que des rêveurs cupides et des assassins involontaires.

— Qu'allez-vous faire de cette carte ? demanda-t-il.

Personne ne sut lui donner de réponse.

— Conservez-la bien, dit-il, mais elle n'aura bientôt plus qu'une valeur historique. Les Espagnols dresseront des cartes bien plus précises.

La nuit s'était avancée. Behaïm et sa femme partaient le lendemain pour Naples. Ils prirent congé de leurs hôtes en les remerciant chaleureusement de leur hospitalité.

L'évocation de ces voyages lointains et de ce continent mystérieux laissa comme un cortège de fantômes exotiques dans la maison de la rue de la Cigogne, des ombres de gens nus entourés d'oiseaux de couleur. Cela exaltait l'imagination comme les épices, le palais.

4

Le roi-linotte

Jacques-Adalbert se mit en tête de convaincre le roi de France Charles le Huitième d'aller disputer la route des Indes aux Espagnols. Il tint des discours enflammés à Jeanne. Il ignorait que, la veille, Manoël de Esteves avait été renvoyé par Anne de Beaujeu à Strasbourg, sous la garde de ses archers. Elle avait interrogé le coupable, jugé ses propos incohérents et fous et décidé qu'elle n'importunerait pas son frère le roi de ces billevesées qui avaient inspiré un crime.

De même que Bartolomeo Colombo, pourtant, Esteves avait défendu la thèse d'un accès maritime vers les Indes en une semaine au lieu de huit mois. La vérité était que, tout compte fait, l'ancienne régente avait trouvé le projet trop coûteux. Sans doute Christophe Colomb avait-il découvert quelques îles perdues dans l'Atlantique, habitées par des païens et recelant quelques onces d'or, mais le jeu n'en valait pas la chandelle.

On offrait donc à la couronne de France un nouveau continent ; elle préféra le royaume d'Italie.

L'armateur Manoël de Esteves fut pendu.

Jacques-Adalbert supplia Joseph de tenter une démarche auprès de Charles le Huitième, par l'intermédiaire d'un des banquiers qui finançaient les expéditions d'Italie.

Joseph y consentit sans grand entrain. Le banquier choisi pour cette mission de confiance, le Lyonnais Guilbert Courtemont, l'accepta cependant avec plus d'intérêt. La découverte de la route des Indes par l'amiral Christophe Colomb commençait d'être connue dans les capitales d'Europe. Mais on se demandait ce que le navigateur génois avait bien découvert.

Jacques-Adalbert de Beauvois partit pour Paris, accompagné de son jeune oncle Déodat de l'Estoille et de Joseph lui-même. Et de Jeanne, qui n'avait pas remis les pieds à Paris depuis plus d'un an. François avait jugé le voyage inutile. Tout ce monde descendit à l'hôtel Dumoncelin. Le lendemain, Courtemont, accompagné de Jacques-Adalbert, alla demander audience à l'hôtel des Tournelles, résidence royale ordinaire, les monarques n'ayant toujours pas de goût pour ce Louvre qui leur paraissait bien froid. Comme il prêtait au roi, on le fit patienter quelques moments au lieu de le renvoyer au lendemain ou à la semaine suivante. Ils étaient arrivés à la neuvième heure ; ils furent reçus à la onzième ; encore était-ce un privilège.

Jacques-Adalbert n'avait jamais vu le roi ; début discutable. Il vit d'abord un long nez et des yeux tristes, au-dessus d'une bouche gourmande. À l'exception de l'éperon osseux du nez, le tout semblait modelé dans du massepain trop mou. Le monarque écouta d'un air dolent la présentation de Courtemont, tout en regardant Jacques-Adalbert, qui faisait belle figure avec son pourpoint de satin blanc brodé et sa cape de drap bleu fourrée de vair.

Trois personnages se tenaient debout derrière le roi, aux aguets. Venait-on demander une faveur ?

Jacques-Adalbert fut autorisé à parler. Il le fit d'une voix claire et en peu de mots, comme sa grand-mère le lui avait conseillé : l'amiral génois Christophe Colomb avait démontré l'existence de terres au-delà des Colonnes d'Hercule. Il pensait que c'étaient les Indes ; certaines évidences, dont une carte géographique qu'il possédait, lui, Jacques-Adalbert de Beauvois, indiquaient le contraire. Au-delà des îles découvertes par Colomb se trouvait probablement un continent. Ces terres abondaient en or et autres matières précieuses. La couronne de France pourrait s'enrichir en organisant un voyage qui lui assurerait l'accès vers cette nouvelle source de richesses.

Le roi se tourna vers un conseiller barbu ; ils débattirent à mi-voix un moment, puis le roi se tourna vers ses visiteurs. Les Espagnols, répondit-il, étaient jaloux de leurs prérogatives, et si les terres découvertes étaient si riches que le disait le sire de Beauvois, ils en seraient encore plus farouchement jaloux. Leur disputer la nouvelle route des Indes reviendrait à leur faire la guerre sur mer. Cela n'était pas opportun. Quant aux richesses, s'il y en avait tant, les marchands français verraient bien comment en tirer parti.

Et voilà.

Jacques-Adalbert s'inclina, Courtemont aussi. D'autres visiteurs attendaient à la porte.

Quand il fut sorti, le jeune homme dit au banquier :

— J'ai l'impression d'avoir parlé à un habitant de la Lune.

— Il ne pense qu'à l'Italie, répondit Courtemont. Il veut le royaume de Naples.

Dangereuse lubie : il y avait belle lurette que le royaume de Naples était aux mains des Aragon. Pis, le roi de Naples, Ferdinand, fils bâtard d'Alphonse le Magnanime, était lié à la Sicile, à la Sardaigne et à l'Aragon, puisque ces territoires appartenaient à son frère Jean. Attaquer Naples revenait à se mettre à dos l'Espagne, et ce n'étaient pas les cadeaux que le roi de France avait concédés aux Espagnols, le Roussillon et la Cerdagne, qui persuaderaient Ferdinand de se laisser évincer de Naples. Un garçon de sept ans l'eût compris, mais Charles le Huitième avait le cerveau d'un enfant de six.

Linotte couronnée, Charles le Huitième projetait donc d'attaquer les Espagnols sur terre, mais pas sur mer, où ses chances étaient pourtant bien plus grandes et l'enjeu autrement plus considérable que le royaume de Naples.

Jacques-Adalbert et Courtemont rentrèrent mortifiés à l'hôtel Dumoncelin. La nouvelle de l'échec ne surprit guère Joseph. Ni Jeanne, quand elle rentra, bien plus tard. Elle s'était rendue avec Déodat au cimetière de Saint-Séverin et s'était recueillie sur la tombe de Barthélemy, puis elle était allée faire une visite à Guillaumet, qui l'avait reçue avec une joie qui lui chauffait encore le cœur. Le fils de la volaillère, dont elle avait fait la fortune, ainsi que celle de sa sœur, lui présenta sa femme et ses trois enfants, dont l'aîné comptait quinze ans. Il offrit à ses visiteurs des échaudés aux noix et un verre de vin.

Elle revit soudain son passé. L'étal de la rue de la Montagne-Sainte-Geneviève, devant le collège des Cornouailles. Matthieu. Villon. Agnès Sorel… Ses yeux se mouillèrent.

— C'est ici que j'habitais autrefois, dit-elle à Déodat.

Il regarda la maison, ému lui aussi.

L'écho du mot « autrefois » résonnait encore dans la tête de Jeanne.

Guillaumet lui présenta le fils de Donky, également nommé Donky, car le fidèle compagnon était mort, comme elle l'avait souhaité, à la campagne et, plus exactement, à La Doulsade, chez Ythier. Elle caressa l'héritier du nom et les larmes lui jaillirent des yeux.

— Tant de souvenirs, n'est-ce pas ? murmura Guillaumet.

Elle hocha la tête.

— Puis-je vous embrasser ? demanda Guillaumet.

Elle lui ouvrit les bras. Avait-elle tant souffert, se demanda-t-elle, que l'accolade d'un employé lui fût un réconfort ?

Elle fut distraite de sa mélancolie par la déconvenue de Jacques-Adalbert. Au fond, elle se félicitait que le roi eût envoyé promener son petit-fils. Fille de marin, le pauvre Matthew Parrish, elle se souviendrait toujours des imprécations paternelles contre cette « mégère bleue ». Jacques-Adalbert n'avait vu la mer qu'à Gênes, et encore, depuis la terre. Alors, une expédition au-delà des Colonnes d'Hercule, pensez ! Mais elle s'alarma d'une phrase que le dépit avait arrachée au jeune homme :

— Il ne me reste plus qu'à me mettre au service des Espagnols et à embarquer sur le prochain voyage de ce Colomb.

Jeanne et Joseph se récrièrent. Il n'était pas marin, ne parlait pas l'espagnol, et les Espagnols ne lui réserveraient certes pas un accueil chaleureux.

— On n'a rien sans rien, rétorqua Jacques-Adalbert. C'est parce qu'ils ont osé que les Espagnols ont réussi.

Déodat le regardait avec des yeux brillants. On le voyait bien, l'oncle et le neveu se fussent élancés sur la première barcasse venue pour courir au-delà des Colonnes d'Hercule.

— Encore faut-il ne pas lâcher la proie pour l'ombre, observa Joseph.

De retour à Strasbourg, Jeanne décida de se consacrer à François.

Et pour la première fois de sa vie, alors qu'elle le connaissait depuis quarante-deux ans, elle l'observa. Non plus comme une mère, mais comme une femme, espéra-t-elle, sans être dupe cependant, car elle savait que toutes les mères sont femmes et l'inverse. Il parlait peu et se suffisait. Le fils du poète débordant de jactance, de sarcasmes et de reproches semblait ne goûter que le mot imprimé : son âme passait dans la fabrication des livres ; quand il avait achevé d'en imprimer un, il le caressait, en examinait chaque page, le lisait, observait certains détails à la loupe, puis il en caressait le dos et le plat avec sensualité.

Caressait-il de la sorte les femmes ? Façon de parler, car Jeanne ne lui en avait connu qu'une, la sienne. Sa sensualité n'avait pas dû être excessive, à en juger par les débordements infidèles de la pauvre Sophie-Marguerite.

Elle l'observa à table. Il avait le palais fin, certes, comme en témoignaient sa recherche des bons vins et quelques commentaires çà et là sur la robe et le détail du bouquet, sur la façon dont un vin tenait ou non en bouche ; mais il mangeait peu et buvait de même ; elle ne l'avait jamais vu se resservir, et deux verres de vin au souper étaient son ordinaire ; jamais, au grand jamais, elle ne l'avait vu pris par les vapeurs de l'alcool. Il n'était donc pas détaché des plaisirs de la chère, sinon de la chair, à l'instar de Franz-Eckart, qui vivait trois jours de la même volaille et finissait par en sucer philosophiquement les os. Il était simplement tempérant, ce qui était rare. Jeanne n'avait connu que deux tempérants, Isaac et Joseph Stern. Aussi étaient-ce deux mystiques juifs, capables de se contenter de pain et de soupe pour toute pitance. Matthieu bâfrait. Philibert donnait sans effort dans le vin et François Villon, lui, faisait effort pour ne pas y sombrer. Barthélemy mangeait sans peine sa livre de bœuf. Enfin, Jacques-Adalbert n'était pas convive à se contenter d'une soupe, tout de même que le propre fils de Jacques et de Jeanne, Déodat.

Méprisait-il le corps, alors ? Non pas ; dans l'étuve installée rue de la Cigogne, comme à l'hôtel Dumoncelin et dans la maison d'Angers, il s'étrillait soigneusement au crin et au savon et ne dédaignait pas les eaux de senteur. Un jour qu'elle était entrée dans sa chambre, elle avait été surprise par le soin avec lequel il limait les ongles de ses orteils.

Un homme qui se contenait ainsi rêvait donc. Mais à quoi ?

Et quelle femme pouvait bien lui convenir ?

En désespoir de cause, elle adressa à Franz-Eckart la date de naissance de François en lui demandant de bien vouloir commenter en langage clair et sans allégories savantes le caractère d'un homme né à cette date.

Elle sourit en se représentant l'absurdité de la situation : une grand-mère qui demandait conseil à son petit-fils !

La réponse ne tarda pas :

> *Ma chère Jeanne, le travail que tu me demandes était déjà fait, puisqu'il s'agit de mon père. Étant né sous le signe des Poissons, c'est un homme qui tient à son quant-à-soi. Il n'est pas enclin à la confidence et, considérant que le monde change sans cesse, il répugne à des paroles qui pourraient se trouver démenties promptement.*
>
> *Je suppose que tu t'inquiètes du veuvage de François ; ce nouveau célibat risque, en effet, de se prolonger, s'il ne trouve une âme qui répondra à ses*

ambitions autant qu'à son besoin d'amitié. Car cet homme a plus besoin d'amitié et de soutien dans ses projets que d'une servante chrétienne et d'agitation entre les courtines.

Il nourrit, en effet, des projets d'une ambition considérable et je ne doute pas, comme les astres l'annoncent, que son destin croisera bientôt celui de princes et de gens puissants.

Je devine les questions que tu te poses : un être humain est-il maître de son destin, ou bien est-ce le contraire ? Je me la suis posée déjà et mon sentiment est qu'un être humain est pareil à un cavalier : il mène son cheval d'autant mieux qu'il le connaît. Tu m'as dit une fois, avant que je t'en démontre la justesse à ton propre sujet, que l'astrologie est une superstition. Mais les superstitions sont les filles de la peur, et tel n'est pas mon motif dans l'étude des astres.

Je suppose que tu auras remarqué la justesse des prédictions célestes : notre nouveau pape, le Borgia, a en effet un fils, qui s'appelle César.

Je songe toujours à toi avec affection et souvent à nos trop rares entretiens.

Ton fidèle serviteur,
Franz-Eckart

à Gollheim, le 12 juillet de l'an de grâce 1493.

François n'avait donc pas changé, songea-t-elle. Il ne s'était avisé de sa nature d'homme, jadis, que lorsqu'il avait été quasiment violé par Sophie-Marguerite. Faudrait-il qu'il se fasse violer de nouveau ? Et par qui, grand ciel ? D'ailleurs, une femme capable de cette audace n'en serait sans doute pas à son coup d'essai et ferait une fois de plus une épouse volage.

De plus, elle, Jeanne, n'était pas la régente de son clan. Elle poussa un soupir de résignation.

Qu'il était donc difficile de voir ce qu'on avait sous les yeux !

Et plus encore ce qu'on n'avait pas sous les yeux.

5

Le chant des esprits sur les eaux

La pleine lune est déjà redoutable. On sait communément qu'elle fait monter le niveau des mers, agitant les cloches des cités englouties. On sait moins qu'elle fait aussi monter la surface des terres. Et sonner d'autres cloches dans les têtes des jeunes filles.

Mais de surcroît celle de ce juillet-là s'accompagnait d'une belle chaleur. Et la brise dolente qui peignait la cime des hêtres et des chênes autour de Gollheim n'incitait pas plus au sommeil.

Aube de l'Estoille s'agita dans son lit et tira tout à fait les courtines, pour avoir plus d'air. De ce fait, elle eut encore plus de lumière. Les comtes de Gollheim n'étant ni très riches ni dépensiers, seules les fenêtres du rez-de-chaussée étaient garnies de carreaux de verre ; celles des étages se suffisaient de papier huilé. Ces carreaux-ci, éclairés de plein fouet par la lune, donnaient l'illusion qu'il y avait au dehors une fête.

Elle alla ouvrir la fenêtre, qu'elle tenait close la nuit par crainte des pipistrelles, et huma l'air humide et tiède, ce qui changeait de l'odeur des draps, toujours proche de celle du renfermé, et de la cire des chandelles.

Elle vit là-bas le pavillon de Franz-Eckart. Obscur. Il dormait certainement. À moins qu'il ne fût encore nu sur sa colline.

Cette énigme humaine était, depuis quelque temps, le seul objet de son intérêt. Karl, son fiancé, lui apparaissait comme une huche ouverte, comparé à ce coffret précieux et clos qu'était Franz-Eckart.

Vêtue de sa seule chemise de nuit, elle chaussa des mules et descendit dans le noir. La maison dormait. De quelque part venait le bruit d'un ronflement régulier. L'escalier était de pierre, et donc discret. Elle glissa d'un pas de souris sur les dalles et sortit par la porte de l'office, moins lourde et grinçante que l'autre. Elle se retrouva sur la pelouse folle devant l'office. Et contourna la maison, dans la direction du pavillon.

Elle traversa la grande clairière, dans une clarté d'eau glauque. Au fur et à mesure qu'elle approchait du pavillon, elle ralentissait le pas, tentant de distinguer une lumière dans la masse noire du bâtiment. Mais non, tout était obscur. Peut-être dormait-il en effet.

Elle parvint au seuil. Le renard était couché en rond, comme un chien de garde ; à son approche, il leva le museau, étonné. Elle s'arrêta et se pencha sur lui, murmurant :

— Alors, tu te prends pour un chien ?

Mais il ne bougea pas. Elle l'enjamba et poussa la porte, puis la referma derrière elle.

Un gisant d'ivoire dormait nu dans le désordre des draps et la clarté lunaire, légèrement incliné sur le côté. Elle le contempla longuement. La respiration lourde et régulière l'informa que Franz-Eckart dormait profondément.

Enfin, elle approcha d'un pas léger, prenant garde de ne rien toucher sur son passage, afin d'éviter tout froissement révélateur. Mais il la perçut quand même ou bien dérangea-t-elle l'harmonie ténue du monde autour de lui.

Il remua, sans ouvrir les yeux et, dans un mouvement fluide et rapide, se plia en chien de fusil. Ce faisant, il laissait un espace devant lui. Elle posa d'abord la main dessus ; la surface était dure. Seule une couverture séparait le drap du bois. Le dormeur avait à l'évidence renoncé au confort d'un matelas de paille. Elle s'assit et regarda le jeune homme de près. Elle fut presque effrayée : sans l'animation du regard, ce masque lisse, couronné d'une crinière sombre, évoquait un animal inconnu.

Son cœur battit violemment : il venait de se retourner et maintenant lui tournait le dos. Elle disposait d'espace pour s'allonger, ce qu'elle fit.

Un autre geste brusque et une rupture dans la respiration lui signifièrent que Franz-Eckart était réveillé. Il se retourna encore et une main se posa sur le corps de la jeune fille. Elle frémit, comme au contact d'un fer trop chaud.

La tête à peine dressée, il se tourna vers la jeune fille, les yeux grands ouverts. Il ne dit rien. Il se tourna tout à fait vers elle, et dans un long soupir, reposa sa tête et avança son bras.

Elle frémit. Elle espéra que la chaleur de ce corps contre le sien l'apaiserait. Elle remua imperceptiblement, pour trouver plus de confort. Le bras l'enserra. Elle se tourna face à lui. Leurs visages étaient si proches que leurs souffles se mélangeaient.

Le bras du jeune homme remonta vers le visage d'Aube. Il le saisit par le menton et, penché sur lui, y appliqua ses lèvres. Un cri échappa à la jeune fille. Elle étreignit le corps du jeune homme dans un violent baiser. Elle ne parvenait pas à détacher sa bouche de la sienne. La main resserrée sur sa nuque, elle pressait contre elle Franz-Eckart pour que le baiser ne prît jamais fin.

Il la caressa sous sa chemise, elle recommença à frémir. Il lui palpa les seins et les titilla, elle fut près de crier. Il glissa la main entre ses cuisses, elle crut perdre la raison. Il la caressa encore, elle saisit le membre et le dirigea vers son sexe.

Après, les yeux clos, elle ne vit plus rien.

Une tempête la secoua. Elle était mangée, transpercée et mélangée, un genou greffé à l'épaule, un sexe à la place du cœur, une double bouche au visage.

Le temps se déchiqueta. Les étoiles explosèrent pour se résoudre en liquides brûlants. Criblée de météores, la lune éclata et disparut du ciel.

Elle ouvrit les yeux, épouvantée. Puis elle se serra contre Franz-Eckart. Il l'enlaça.

Un peu plus tard, tout recommença. Ce garçon la créait. Il lui avait insufflé une nouvelle âme.

Ils n'avaient pas dit un mot, durant ces deux cérémonies muettes.

La lumière lunaire déclina.

Elle s'assit, naufragée rejetée sur la terre ferme. Elle le regarda. Elle éprouva un sentiment étrange : elle s'était donnée non pas à un homme, mais à un monde immense.

Elle enfila ses mules et, après un dernier regard, ouvrit la porte, enjamba le renard et sortit.

Elle n'alla pas le revoir le lendemain matin.

Elle était consciente d'avoir commis une faute impardonnable : elle s'était donnée à un homme de son propre sang. Un inceste, c'était comme cela que ça s'appelait. Toutes les fautes se payaient. Quel serait le prix de celle-ci ?

Mais, dans l'après-midi, elle entendit sa voix en passant devant l'office. Il venait se réapprovisionner en pain et en fromage. Elle était dans la pièce voisine, s'efforçant de lire des poèmes. Elle maîtrisa un sursaut. Elle alla à la porte, dans l'espoir de l'apercevoir. En sortant de l'office, en effet, il regarda autour de lui et leurs regards se croisèrent. Il lui sourit et sortit.

Un peu plus tard, elle n'y tint plus et se rendit au pavillon.

Il l'accueillit par une caresse sur le visage. Elle fut lacérée. Était-il donc immoral ?

— Il n'y a pas lieu de te tourmenter, dit-il calmement, nous ne sommes pas du même sang.

Elle demeura sans voix. Il expliqua :

— Je ne suis pas le fils de François.

Elle s'assit, défaillante.

— Je suis le fils d'un magicien auquel ma mère s'était donnée, à Angers.

Soudain, la différence entre Franz-Eckart et Jacques-Adalbert, qu'elle avait remarquée sans lui accorder d'importance, lui sauta aux yeux. Elle ravala sa salive.

— François le sait-il ? demanda-t-elle enfin.

— Je crois qu'il s'en doute. Mais Jeanne, elle, le sait.

Elle mit un temps à appréhender la situation.

— Un magicien ? demanda-t-elle, un peu égarée.

— Je ne sais quel mot employer pour définir mon père. Il commande aux animaux. Il lit dans le cœur des gens. Il entend la voix des esprits.

Idées effrayantes. Elle refusa d'en savoir davantage.

— C'est lui qui t'a enseigné ton savoir ?

Il secoua la tête.

— Évidemment non, puisque je n'ai pas été élevé par lui. De surcroît, il est muet.

— Quand as-tu su qu'il était ton père ?

— Il y a environ deux ans, quand j'ai appris à dresser correctement un horoscope.

— On lit cela dans les astres ?

— Si l'on sait lire, répondit-il en souriant.

— Et ce père, l'as-tu jamais vu ?

— Hier.

— Hier seulement ?

— Il a retrouvé ma trace quand il a appris la mort de ma mère. Il a été réveillé la nuit par son apparition.

Elle eut la chair de poule. Quelle étrange famille.

— Je l'ai installé chez un ami, non loin d'ici.

Elle ne lui connaissait pas d'amis.

— Un moine solitaire, expliqua-t-il, comme s'il avait deviné la question qu'elle se posait. Dieter Librator. Il viendra me voir cet après-midi.

Il s'appuya des deux mains au dossier de la chaise, derrière elle. Elle se retourna, lui prit la main et la pressa contre sa joue.

— Tu m'as créée, dit-elle.

— Nous nous créons sans cesse, dit-il.

— C'est l'amour.

— Ne nomme pas les sentiments, dit-il, tu leur coupes les ailes.

L'observation la laissa songeuse, sinon contrariée.

— Nommer l'amour, c'est lui couper les ailes ?

— Oui, parce qu'il n'est plus alors que cela, l'attraction entre deux êtres.

— Mais qu'est-ce alors, pour toi ?

— Bien plus, répondit-il en souriant derechef.

Elle remarqua la blancheur nacrée de ses dents.

— Franz-Eckart ! s'écria-t-elle. Dis-moi !

— Je ne vis pas chez les hommes, Aube. Du moins pas seulement chez eux.

— Où donc ?

Il fit un geste vague. Elle sonda ses yeux bruns : une eau sous un ciel noir.

Cette nuit-là, pourtant, il fit jaillir en elle les étoiles. Elle monta au ciel, pour donner naissance à la Voie lactée. Il tenait des planètes dans les mains. Ils tournoyaient tous deux bien au-dessus des nuages.

Ils ne disaient rien, mais des sons infinis parcouraient le monde. Elle partait sans un mot, laissant l'herbe lui caresser les talons nus.

Franz-Eckart était le premier homme de sa vie. Elle n'aurait d'existence qu'avec lui. Comment se donnerait-elle jamais à Karl von Dietrichstein ?

Fin août, elle attendit ses règles. En vain. Elle n'en souffla mot. Et sa mère qui était à Strasbourg ! Elle était déjà anxieuse quand il lui dit un matin :

— Je ne te verrai pas la nuit prochaine.

— Pourquoi ?

— Je travaille avec Dieter et mon père.

Un travail ? La nuit ?

Elle ne posa pas de question, mais la curiosité s'installa et crût au fur et à mesure que le jour déclinait. Il était sa drogue. Elle ne concevait pas la nuit sans les mains de Franz-Eckart pour l'habiller de caresses, sans ses mains à elle sur la peau de Franz-Eckart, pour le déshabiller jusqu'au cœur.

La nuit venue, sous le ciel noir, elle sortit. Elle observa le pavillon de loin et distingua un lumignon qui rougissait la fenêtre. Quel secret la chandelle éclairait-elle donc ?

Elle s'engagea sur le chemin que ses pieds avaient déjà tracé dans l'herbe, en tant de nuits déjà. Son cœur battait à se rompre. Elle commettait une faute en se montrant aussi curieuse. Mais la lumière rougeâtre derrière les carreaux de papier huilé l'attirait irrésistiblement. Et si Franz-Eckart voyait une autre femme ?

À vingt pas du pavillon, elle s'immobilisa. La nuit était douce, et pourtant sa respiration semblait se condenser dans l'air et dansait en formes imprécises. Tout à coup, la condensation devint excessive. Aube regarda autour d'elle. Ce n'était pas une condensation, c'était de la brume, une brume fine, étonnamment blanche.

Ce n'était pas de la brume, car elle avait un visage.

Aube étouffa un cri. Plusieurs visages se formèrent autour du premier. Des formes liquides oscillèrent doucement dans l'air. Plusieurs d'entre elles se dirigèrent vers le pavillon.

Elle demeura figée, égarée. Les paroles de Franz-Eckart résonnèrent dans sa tête : *Je ne vis pas chez les hommes, Aube.*

Avait-elle commis le péché de chair avec un démon ?

Une forme se tenait devant elle, au lieu de rejoindre le pavillon. Le visage la regardait, effrayant. Il sembla à Aube qu'il lui adressait un reproche muet.

Elle savait la raison de ce reproche. Elle était enceinte alors qu'elle était promise à un autre. Elle était perdue, vouée à la damnation.

Elle s'enfuit vers les arbres. Le spectre la poursuivait-il ? Hagarde, folle, elle courut. Elle arriva à une mare. Elle la contempla un bref instant, tremblante d'égarement. Qui avait placé là cette mare ? Quelle autre volonté que celle qui émane des ténèbres et qui l'invitait à mettre fin à ses jours ?

Elle se jeta dans l'eau glacée, la tête pleine de cris. À ces cris, d'autres répondaient, venus de la forêt et glissant sur la surface de la mare, aussi sombre que les yeux de Franz-Eckart.

Elle perdit connaissance.

Un homme la souffleta. Elle ouvrit les yeux et distingua un visage barbu penché sur elle. Quelqu'un la portait dans ses bras. L'homme qui possédait ce visage. Le ciel était toujours noir. Elle referma les yeux. Que n'était-elle morte !

Elle délira pendant un temps indéfini et de temps en temps le visage du spectre lui arrachait un cri perçant.

Elle reconnaissait quelques visages bien vivants, pourtant. La comtesse Gollheim, d'abord. Le comte. Les domestiques. Mais à leur vue, elle battait des cils, comme effarée.

Puis Franz-Eckart. Franz-Eckart ? Lui ? Elle gémit.

La comtesse déconseilla au jeune homme éploré de se montrer au chevet de la jeune fille.

Enfin Jeanne arriva. Elle parla à sa fille, mais celle-ci la regardait comme si elle ne la comprenait pas.

Le monde sembla tout blanc, spectral. Aube ne délirait plus, et les suées violentes déclenchées par une décoction amère avaient chassé la fièvre, mais un silence lourd l'enveloppait. De temps en temps, elle levait la tête, comme pour écouter quelque chose. Le chant des esprits sur les eaux.

Jeanne la regardait sans mot dire. Elle la ramena à Strasbourg.

Tout laissait craindre qu'Aube eût perdu la raison.

6

L'enfant du secret

L'évidence était là : Aube était enceinte.

Extraordinairement, l'enfant avait survécu dans son ventre, en dépit de l'épreuve que sa mère avait subie. Le ventre d'Aube grossissait de semaine en semaine. Restait à savoir si la grossesse parviendrait à terme et si l'enfant serait normal.

La future mère passait de longues journées muette, allongée sur un faudesteuil devant la cheminée, ne se levant que pour vaquer à ses besoins et faire sa toilette avec le secours vigilant de Frederica. Elle se nourrissait d'un air absent, sans paraître reconnaître le goût des aliments. Parfois, elle descendait souper avec les autres, Joseph, François, Jacques-Adalbert, Déodat quand il était là. Elle tournait la tête quand on lui parlait, mais sans plus.

Nul doute : elle avait perdu la voix et la raison.

Tout le monde fut désolé autant que perplexe, ignorant ce qui s'était passé et sans remède aucun. Tout ce que la comtesse Gollheim avait rapporté à Jeanne se résumait à peu : avant l'aube, un homme avait ramené Aube dans ses bras à la porte du château. On n'avait pu interroger l'homme, car il était muet. Franz-Eckart avait dit que c'était un voyageur qui passait par Gollheim, un ami du moine

Dieter. Nul ne savait pourquoi Aube s'était trouvée en chemise près d'un étang avant le lever du jour, ni ce que faisait ce prétendu voyageur près de l'étang à la même heure, mais en tout cas, il l'avait sauvée de la noyade. Puis, délirante et secouée de frissons, Aube était entrée dans une forte fièvre, la comtesse s'était alarmée et avait convoqué Jeanne en urgence.

Jeanne, et elle seule, pouvait reconstituer certains points de l'affaire. Le muet était presque certainement Joachim, le père de Franz-Eckart.

Aube était tombée amoureuse, et il y avait fort à parier que c'était de Franz-Eckart. Telle qu'elle était, elle ne se serait jamais donnée à aucun homme sans passion. Mais Jeanne avait été trop occupée à sauver sa fille de la mort pour aller interroger le jeune homme. Tout au plus avait-elle accepté la décoction mystérieuse qu'il avait remise à la comtesse pour Aube et qui avait fortement fait baisser la fièvre.

La tenue d'Aube ne correspondait aucunement à celle d'une promenade nocturne. La jeune fille avait quitté son lit pour se rendre probablement à un rendez-vous. Mais pourquoi s'était-elle aventurée jusqu'à l'étang ?

Et que faisait Joachim à l'étang ? Quel instinct providentiel l'avait-il mené là ?

Aube ne sortant guère de sa stupeur et ne pouvant donc répondre à ces questions cruciales, Jeanne décida d'écrire à Franz-Eckart. Elle le suppliait, au nom de la justice céleste, de lui expliquer ce qui s'était passé et à la suite de quoi Aube avait perdu voix et raison. Elle lui jura qu'elle ne révélerait rien de ce qu'il lui apprendrait.

Elle reçut la réponse suivante :

Ma chère Jeanne,

Aube s'est éprise de moi et elle est venue une nuit et maintes autres ensuite me rejoindre dans mon lit. Je me suis aussi épris d'elle. L'enfant sera le mien.

Une nuit que je l'avais priée de me laisser seul, elle est quand même venue. Peut-être me soupçonnait-elle d'infidélité. Avec Joachim, mon père, et Dieter Librator, nous étions réunis chez moi pour interroger les esprits. Ils sont venus par la forêt. Je soupçonne qu'Aube les aura vus dans les parages du pavillon. Elle aura été effrayée et sa raison aura chancelé. Il faut, en effet, une âme bien trempée pour soutenir ces rencontres.

J'ignore pourquoi elle s'est jetée dans l'étang. Mais je sais qu'à un certain moment, cette nuit-là, Joachim a griffonné sur un papier : « Il y a une âme en détresse » et il est sorti en hâte de mon pavillon. Il est coutumier de ces prémonitions. Il a ainsi quitté Angers pour venir me voir quand le spectre de Sophie-Marguerite lui est apparu en songe. Et c'est ainsi qu'il a pu sauver Aube.

Je ne possède hélas pas la science pour arracher Aube à sa stupeur. Je ne connais pas non plus de philtre qui le puisse. Je crains un choc qui la secourait trop brutalement si elle me revoyait. Ma présence à son chevet lui arrache déjà des gémissements. Si Joachim connaît un remède, il viendra de lui-même te le remettre. C'est un homme bon.

Mieux vaut brûler cette lettre.

Ton fidèle Franz-Eckart.

Jeanne jeta la lettre au feu et la regarda se consumer, se demandant si un spectre n'allait pas s'échapper de sa fumée. Le jeune homme parlait de sa fréquentation des esprits comme d'une chose naturelle. Toujours était-il que lui et son père avaient été fatals aux femmes avec lesquelles ils avaient eu commerce. Non, elle ne voulait pas que lui ou son père revissent Aube.

Jour après jour, heure après heure, elle attendit néanmoins que Joachim vînt lui remettre un philtre qui mettrait fin à la stupeur d'Aube. Mais il ne vint pas.

Les fiançailles avec Karl von Dietrichstein furent rompues, sous prétexte d'une grande langueur qui avait saisi la promise. Un point était sûr : Aube ne retournerait jamais à Gollheim. Et Jeanne se déprit également de la résidence du Palatinat. Elle eût volontiers quitté Strasbourg pour emmener Aube à Angers, n'était François. La maladie d'Aube lui avait considérablement assombri l'humeur, et c'eût été folie que de lui parler de son célibat dans ces circonstances.

Un mois exactement avant la fin de l'an 1493, au matin du 1er mars, Aube poussa un cri perçant. Jeanne et Frederica accoururent. Aube se tordait dans son faudesteuil. Jeanne fit mander la sage-femme, et elle et Frederica transportèrent la future accouchée dans son lit.

La délivrance dura cinq heures. Les cris d'Aube, d'abord incessants, finirent par faiblir.

À la quatrième heure de l'après-midi, la sage-femme délivra l'enfantelet, un garçon.

À la cinquième, Aube était morte.

Personne n'avait prévenu Franz-Eckart ; il fut cependant présent à l'office funèbre, à Saint-Pierre-le-Vieux, puis au cimetière. Seul Joseph avait été mis par Jeanne dans la confidence. Les autres, François, Jacques-Adalbert, Déodat, Ferrando jugèrent touchante la compassion du jeune homme.

Trop accablés, Jeanne ni Joseph ne savaient que penser du jeune homme. Il semblait lui-même profondément éprouvé. Il n'était certes pas coupable de la folie, puis de la mort d'Aube. La vérité était sans doute plus étrange : comme les seigneurs temporels, il appartenait à un monde trop puissant et semé de périls, dans lequel on ne pouvait pénétrer impunément. Il n'eût cependant pas dû, se dit Jeanne, laisser Aube approcher trop près de lui.

Elle tenta de se représenter la scène : oui, Aube avait été irrésistiblement attirée par le mystère du jeune homme, comme Sophie-Marguerite, jadis, avait été attirée par celui de son père.

Puis elle aperçut dans le bas-côté de l'église un inconnu qui semblait pétrifié. Son visage était à peine visible dans la lumière des chandelles. Que faisait-il là ? Et soudain, un échange de regards entre Franz-Eckart et l'inconnu la renseigna : c'était Joachim, celui qui avait tiré Aube de l'étang. Le pâle adolescent de jadis était devenu cet arbre broussailleux.

À la sortie, elle murmura à Franz-Eckart :

— Emmène ton père au souper. Mais ne dis pas qui il est.

Il hocha la tête.

L'une des rançons d'une longue vie est de conduire bien des êtres chers au cimetière et de jeter sur eux la première pelletée de terre. Elle est déjà cruelle. Mais survivre à un enfant et qui plus est, une jeune mère dotée de la fraîcheur tendre qu'on se plaît à prêter à la jeunesse est sans doute la plus amère. Jeanne s'alarma du chagrin de Joseph ; elle craignit de devoir revenir bientôt au même cimetière. Aube était le seul enfant qu'elle eût eu de Joseph et le dernier de sa vie féconde. Elle dut le soutenir physiquement ; le moral viendrait plus tard, elle le pressentait.

Les mortailles furent étranges.

Le père Stengel, qui avait célébré l'office, fut inspiré. Après avoir béni le repas, cet homme noueux trouva des mots simples : à la même heure, dit-il, les anges du Paradis se réjouissaient d'accueillir une âme qui n'avait connu que l'amour et qui était plus faite pour les félicités célestes que pour les fêtes terrestres. Elle était chez le Père et, pour le réconfort de ceux qu'elle avait quittés, elle leur avait laissé un enfant. Pouvait-on espérer plus de grâce ?

Frederica, qui assistait au repas comme toute la domesticité, à la façon alsacienne, pleura.

Le père Stengel leva son verre.

— Buvons à l'amour, mes enfants. Car il n'est d'amour que céleste. Le reste est dérisoire.

Les yeux de Joachim, au bout de la table, étaient mouillés. L'on mangea et l'on but dans un mélange de rires, de larmes et de prières.

Avant de se retirer, Joachim glissa dans la main de Jeanne un galet poli d'une couleur verte. Son œil souriait, à défaut de sa bouche.

— C'est de la malachite, expliqua Franz-Eckart, une pierre de longue vie.

La nourrice donna le sein à l'enfantelet sans nom.

Jeanne tituba d'épuisement. Une longue vie ? Elle en avait déjà vécu trois. Elle entrait dans l'irréalité. Non, Aube n'était pas morte, tout cela était un cauchemar.

Quand on se met au lit au terme de pareilles journées, on songe que la mort doit être, en effet, ce qu'on dit : un repos. Joseph la rejoignit derrière les courtines. Elle l'entendit pleurer doucement jusque tard dans la nuit, puis il se lova contre elle, comme un enfant.

Le paysan qui regarde son champ dévasté par l'orage participe à l'histoire du monde. Il affronte les résultats des incompréhensibles colères divines. Il apprend lentement les rites d'évitement. Tout être humain qui veut éviter d'être le jouet des fureurs séniles d'un vieillard chargé de millions d'années d'existence devient ainsi un sorcier. Ou une sorcière.

S'éveillant le lendemain des funérailles de sa propre fille, Jeanne dressa une liste des désastres qu'elle avait endurés. Avec cette froideur matinale, qui n'est pas encore atténuée, altérée, adultérée par les commentaires d'autrui. Ses parents. Ses enlèvements. La mise à mort de Denis. Matthieu. François. Barthélemy. Jacques. Sophie-Marguerite. Et maintenant, la douce, la pauvre oiselle tombée du nid, Aube.

Il suffit de vivre assez longtemps, se dit-elle, pour devenir athée.

Joseph, terrassé, dormait d'un sommeil qui la rassura. Elle l'avait cru, la veille au cimetière, aux portes de la mort. Elle alla aux lieux, but un grand verre d'eau et descendit aux cuisines se faire chauffer du lait. Franz-Eckart était là et le lait était déjà prêt. Ils étaient seuls.

Ils échangèrent des regards de naufragés.

— Qui t'a prévenu ? demanda-t-elle.

— Joachim.

— Ton père ?

Il hocha la tête.

— Comment l'a-t-il su ?

— N'as-tu pas lu ma lettre ? Il devine quand il y a une âme en détresse. Il a su qu'Aube était morte, comme il a su que ma mère était morte.

Elle trempa les lèvres dans le bol de lait. L'évidence même ne parvenait pas à la convaincre.

— Il m'a écrit sur un papier : « Aube est morte. »

Elle se le redit pour la vingtième fois : personne n'avait avisé Franz-Eckart. Il disait donc la vérité, aussi déconcertante que fût celle-ci.

— Elle a été la première femme à laquelle j'ai fait l'amour. Et j'étais le premier homme de sa vie. Elle a manqué de confiance. Elle est venue, cette nuit-là. Peut-être a-t-elle cru qu'ils lui adressaient des reproches ou la persécutaient. Je ne sais. Sans doute est-ce pourquoi, possédée par cette illusion, elle s'est alors jetée dans l'étang. Les esprits n'avaient aucun reproche à lui faire. Aube était claire comme l'eau de pluie.

Jeanne essaya de se représenter la scène : Aube soudain confrontée à des spectres. Il eût fallu un cœur bien trempé pour soutenir ce spectacle ; elle ne l'avait pas. Et que faisait donc Franz-Eckart avec des spectres ? Qu'apprenait-il dans cette compagnie sinistre ? Elle se promit de lui poser la question une autre fois.

— Savait-elle qu'il n'existait pas entre vous de lien du sang ? demanda Jeanne.

Peut-être s'était-elle sentie coupable d'avoir pris son neveu comme amant.

— Je le lui ai dit.

— Et tu l'aimais ?

— Je ne me sers pas de ces mots, Jeanne. Dans votre langage à vous, oui, c'était sans doute de l'amour. Mais c'était bien plus.

Dans votre langage à vous.

— Vous vous aimez de façon misérable, petite, possessive. Aube et moi, c'était le mariage de deux morceaux d'univers.

Quelle passion imprégnait sa voix ! Et toujours, cette façon de parler des autres comme de sauvages, voire d'animaux.

Elle trempa un morceau de pain dans le lait chaud.

— On ne se sépare jamais des gens qu'on a aimés, Jeanne.

C'était vrai, elle ne s'était jamais séparée de Jacques. Ni de Barthélemy. Ni même de François Villon.

— On meurt et le lien demeure.

L'aube délayait l'encre de la nuit.

— Je vis et je vivrai avec Aube.

Frederica arriva, encore ensuquée de sommeil. Après avoir marmonné quelques aménités, elle attisa le fourneau. La conversation s'interrompit. Tout avait été dit.

Jacques-Adalbert descendit à son tour faire chauffer du lait. Il avait dû partager son lit avec Franz-Eckart, car la maison n'était pas si grande qu'elle pût accueillir tant de monde. Il avait, dit-il, mal dormi, car il avait eu l'impression que la chambre était peuplée d'autres que lui et son frère.

Restait la question de la paternité, du nom et de l'avenir de l'enfant.

Le père Stengel témoigna d'une humanité à la mesure des circonstances.

— C'est votre petit-fils, madame, et comme nous ignorons qui en est le père, c'est à vous qu'il revient de l'élever chrétiennement. À moins que l'un de vos deux autres enfants se marie et veuille l'adopter.

Il lui prit la main :

— Je sais que vous serez une bonne mère.

— Nous l'appellerons Joseph, dit Jeanne à son mari, quand elle le retrouva, au souper.

Les yeux de Joseph s'embuèrent.

— C'est notre petit-fils et c'est un enfant de plus.

La nouvelle parut lui rendre un peu du goût de vivre que les derniers mois de la vie d'Aube avaient si cruellement altéré. Son nom et le sang qu'il avait mêlé à celui de Jeanne survivraient.

Restait à prévenir Franz-Eckart.

— Tu n'as ni le foyer ni les dispositions pour élever l'enfant, lui dit Jeanne. Tu ne pourrais même pas lui donner un nom. Joachim a-t-il un nom de famille ?

Franz-Eckart secoua la tête. Non, à l'évidence, Joachim n'avait pas de nom et, de ce fait, Franz-Eckart n'en avait pas non plus. Ils étaient nés du hasard d'une race magique où l'on se suffisait comme identité d'un visage et d'un prénom.

— Nous adoptons donc l'enfant, Joseph et moi. Et nous lui donnerons le prénom de Joseph.

Le ton n'invitait guère à la réplique. Le jeune homme hocha la tête. Peut-être connaissait-il un secret concernant sa propre race : les pères n'y élèveraient pas les fils.

Le baptême eut lieu dix jours après l'enterrement d'Aube. Ce fut Joseph qui tint l'enfant sur les fonts baptismaux, à Saint-Pierre-le-Vieux. Franz-Eckart ne détachait pas ses yeux de l'enfant. Il passait, d'ailleurs, le plus clair de ses journées dans la chambre de la nourrice, qui avait fini par s'en étonner.

François prit dans ses bras l'enfant du secret, son neveu. Il observa l'angelot qui gazouillait et soudain parut rongé par un souci obscur.

— Il a les yeux noirs, dit-il. Comme Franz-Eckart.

Huit jours plus tard, Franz-Eckart reprit le chemin du Palatinat. Joseph le vit partir avec soulagement.

Entre-temps, une de ses prédictions se réalisait : César Borgia lacérait les pourpres et les ors du prestige papal. Né des œuvres de son père alors que celui-ci était encore cardinal, nommé lui-même cardinal, César n'illustrait guère les vertus chrétiennes : c'était un homme de guerre, voire un soudard dont la cruauté défrayait la chronique. De surcroît, on lui prêtait une liaison avec sa propre sœur, Lucrèce.

Ces rumeurs contrariaient visiblement François.

7

Le drap et la soie

En juin 1494, à son retour du Milanais, Jacques-Adalbert de l'Estoille épousa Simonetta Rocca degli Orsi, âgée de dix-sept ans, fille d'un banquier de Ludovic Sforza, dit le More. Rien ne pouvait faire plus de plaisir à Jeanne, que Simonetta conquit par sa beauté rousse et sa douceur rêveuse. La promptitude avec laquelle le jeune homme avait décidé ces noces donnait à penser, mais qui s'en fût plaint ? Cela faisait déjà longtemps que Jeanne, à son gré, n'avait pas entendu de cloches nuptiales. Elle s'employa à faire de ce mariage l'égal de la fête qu'avait été celui de François.

La vie recommençait donc. Rien ne permettait de penser que les nuages qui avaient assombri l'année précédente se prolongeraient jusqu'au crépuscule de sa vie.

Le jeune Joseph de l'Estoille apprenait alors à marcher avec l'aide de son grand-père homonyme, sous les yeux attendris de la nourrice.

— Je veux une maison avec des enfants et des nourrices ! s'écria Jeanne. Il n'y a jamais assez d'enfants !

Moins enchanteresse était la jeune femme que François ramenait aussi d'Italie : une esclave mauresque achetée à Naples. Quand elle la vit, Jeanne resta songeuse. Capturée l'année précédente, à quinze ans, Leïla était fluide et mince et son visage allongé, d'ambre pâle, s'ornait d'yeux bruns en amande. François l'avait habillée en paysanne du Milanais. L'image était plausible, à ce détail près que Leïla parlait un peu d'italien, mais guère plus.

Pourquoi François l'avait-il donc achetée ?

— J'ai pensé qu'elle risquait de finir plus mal qu'en ma possession, dit François, en guise d'explication.

Fort bien. Mais encore ?

Et comme pour chasser des questions que sa mère aurait pu se poser, il ajouta :

— Elle est vierge.

Fort bien. Mais ce n'était certes pas elle qui lui préparerait une poularde farcie à la saucisse et au girofle.

Toujours fut-il que François ranima sa maison de la rue des Magistrats. Absorbée par les préparatifs du mariage, Jeanne n'eut pas le temps de s'attarder sur la question. De toute façon, elle n'aimait pas les maisons désertées, comme l'avait été celle de François depuis la mort de Sophie-Marguerite.

Ferrando arriva à Strasbourg avec sa femme Angèle et leurs enfants, devenus si grands que Jeanne les reconnut à peine. Les parents de la mariée vinrent aussi, avec deux sœurs et un frère de Simonetta. Puis les amis de la famille. Et les domestiques. Les deux maisons de SanktJohanngass et de la rue des Magistrats se trouvèrent soudain pleines à ras bord. Les deux auberges de Strasbourg également. Il fallut engager des domestiques. Les mariés habitèrent le premier étage de la maison de François.

Franz-Eckart vint également. Après tout, Jacques-Adalbert était son frère aîné selon la loi.

Les cloches de la cathédrale ébranlèrent le ciel. Les orgues dorées emplirent l'espace. La foule se massa sur la place devant le sanctuaire.

La fête dura trois jours. Le premier soir, il faisait affreusement chaud, et Jeanne décida qu'on dresserait les tréteaux dans la rue. Un maçon fixa des embrasses de fer aux murs et l'on y planta des torches. Les voisins assistaient au souper de leurs fenêtres. Personne ne voulut plus supporter l'enceinte des murs, ni la température caniculaire qu'entretenaient les pierres chauffées toute la journée par le soleil. On chanta tous les soirs. Des musiciens vinrent aussi faire leurs sérénades. Des danseurs multiplièrent les cabrioles, des jongleurs firent tournoyer des balles enflammées. Les voisins finirent par descendre et se joignirent à la fête. On dansa dans la rue. Jeanne aussi dansa, avec Joseph, avec François, avec le père de la mariée et des voisins un rien concupiscents. Au matin, les caniveaux étaient jonchés de fleurs et de bouteilles. Mais on recommencerait le soir.

Dieu, que la vie était douce quand on savait rire !

Au cours de ces fêtes, Jeanne surprit Leïla riant aux éclats, gagnée par la liesse. Elle s'attendrit. Tout le monde la traitait comme une servante et, esclave, elle ne s'en offensait pas. Sauf François, et désormais Jeanne. Elle l'adopta.

Elle commença par tancer Franz-Eckart, qui dévisageait la Mauresque :

— Tu ne touches pas à l'esclave de François, ou je te tue !

Il éclata de rire et la prit dans ses bras, puis, la tête sur son épaule :

— Jeanne, tu oublies que je suis marié à Aube.

Elle l'écarta et le tint à bout de bras :

— Aube est morte.

Il secoua la tête.

— Tu as oublié ce que je t'ai dit. Je vis et je vivrai avec Aube.

Elle fut désorientée.

— Tu es jeune et beau. J'ai aimé Jacques. Il était jeune et beau. Mais j'ai épousé son frère. Nous sommes des êtres de chair et de sang. Vivras-tu toute ta vie dans ce veuvage fou ?

À dix pas de là, deux danseurs se livraient à une pantomime indécente.

Franz-Eckart rit.

— Voilà, ils t'ont répondu pour moi, dit-il.

— Et ma vie, à tes yeux, c'était cette pantomime ?

— Non, Jeanne, parce que tu y étais corps et âme.

Elle soupira.

— La seule personne, Jeanne, parmi les vivants, avec laquelle je ferais ce que j'ai fait avec Aube, c'est toi.

Elle demeura sans voix.

— Va danser, lui dit-elle. Va danser. Oublie tes spectres, va danser !

Le mois suivant, Charles le Huitième lança la chevalerie française à l'assaut de l'Italie. Il voulait Naples, il l'aurait, que diantre.

Le comble fut qu'il l'eut. Les États italiens étaient dans un autre état : ils somnolaient. Florence était en bisbille avec Milan, Rome avec Florence. Naples avec Milan. Et tous inquiets de ce que mijotait Venise. Et par-dessus le marché, tous en turbulences intestines. Ils intriguaient à qui mieux mieux. Avec l'Angleterre, l'Espagne, Maximilien d'Autriche, et le diable n'aurait pas eu assez de têtes pour en donner partout.

Un moine agité, comme le sont souvent les moines dès qu'ils s'avisent que le monde extérieur n'est pas la Jérusalem céleste, Girolamo Savonarola, avait prédit qu'un roi français occuperait Florence. La prédiction s'était réalisée ! Le Seigneur avait accordé à son serviteur le don de prophétie ! Quand le Français occupa la ville, les Florentins entrèrent en effervescence. Savonarola, alors dictateur de Florence, osait attaquer dans ses prêches fameux Alexandre VI lui-même, dont il détaillait les crimes un par un, et Dieu sait que ce pape n'avait pas perdu son temps ! Le Borgia essaya par la ruse de l'attirer à Rome, en agitant le hochet d'un chapeau de cardinal : peine perdue. Savonarola se plaça sous la protection du roi de France. Les Florentins placardèrent des injures inouïes sur le chef de la chrétienté, son fils et sa fille. Trois ribauds sanguinaires. Dont un au moins, César, était défiguré par la vérole.

Les chevaliers entrèrent dans Florence. Puis dans Rome. L'entrée fut magnifique. Le pape prit la fuite. La tentation était forte chez les Français de le démettre.

Enfin, les Français occupèrent Naples.

— Je me demande si nous n'avons pas eu tort de ne pas nous joindre aux banquiers lyonnais, murmura Joseph.

— Rappelle-toi que les prédictions de Franz-Eckart se sont réalisées jusqu'ici, dit Jeanne. L'affaire n'est pas finie : le roi de France sera chassé d'Italie.

Joseph lui lança un regard sceptique ; allait-on régler ses affaires sur les vaticinations d'un nécromant qui avait exercé une si désastreuse influence sur Aube ?

Jeanne ne répliqua pas et Joseph commença de se lamenter sur son absence de la coalition de banquiers lyonnais, ceux qui avaient puissamment financé l'expédition d'Italie ; mais peu de jours plus tard, une lettre de Ferrando le fit changer d'avis, bien à contrecœur. Les États italiens du Nord venaient, à l'instigation de l'Espagne et des Habsbourg, de former une ligue et se préparaient à bouter le Français hors de la Péninsule.

Pour commencer, ils tentèrent de l'y capturer : alors que, en juillet 1494, l'armée royale reprenait le chemin de la France, les forces de la ligue de Venise résolurent de verrouiller le passage des Apennins. Une bataille désespérée s'engagea à Fornoue et ce fut de justesse que, le 6 juillet, Charles le Huitième parvint à rentrer dans son pays.

Ce ne serait certes pas à lui qu'il faudrait parler de la route des Indes.

Le petit Joseph avait alors deux ans. Il en aurait cinq quand les dernières garnisons françaises de Naples seraient contraintes de capituler. Mais cela, personne ne le savait encore.

Entre-temps Ythier vint à Strasbourg rendre compte à Jeanne de l'état de ses affaires : les sept fermes étaient prospères au-delà de toute espérance, et non seulement elles suffisaient largement à approvisionner les pâtisseries de Paris, mais encore Jeanne figurait parmi les principaux fournisseurs de grain du marché des Halles. Les vignes de trois fermes avaient été tellement bonifiées que les grands marchands de Montluçon, de Châteauroux et même de Poitiers en achetaient régulièrement le vin. Elle avait réservé à Ythier par contrat devant notaire la septième part des bénéfices ; il était un homme de bien et elle était riche.

Autrefois, elle eût été immensément riche ; mais l'on donnait aujourd'hui cinq sols pour la poularde qu'autrefois un sol eût payée.

— Il faut cinq livres tournois pour acheter la valeur d'une seule il y a quinze ans, disait volontiers Joseph à François et à Jacques-Adalbert, qui écarquillaient les yeux.

Le roi, en effet, frappait monnaie pour ses entreprises. Et il y allait !

Jeanne, elle, s'était prémunie contre la dévaluation générale grâce à ses habitudes d'économie, acquises au temps où elle confectionnait des échaudés devant le collège des Cornouailles. Baronne de Beauvois ou de l'Estoille, peu lui chalait, un sou était un sou, et elle n'allait certes pas faire comme ces grands seigneurs qui s'installaient sur la Grand-Rue dans des maisons six fois grandes comme la sienne et croyaient briller en gaspillant ce qu'ils n'avaient pas. Frederica, qui avait servi dans une de ces maisons, le savait bien et le lui rapportait : le mot même d'« économie » faisait horreur à ces gens.

L'Alsace et la Lorraine, comme le reste du royaume d'ailleurs, abondaient en familles de nobliaux qui avaient connu leurs heures de gloire dans une guerre ou une autre, depuis les Croisades jusqu'au règne de Charles le Septième. Leurs fondateurs avaient alors reçu, en paiement de leurs services, quelques milliers d'arpents ici ou là, ensemble avec les serfs qui travaillaient dessus. Ils s'y étaient fait construire des forteresses, où ils vivaient avec leurs familles, leurs lieutenants et leurs chevaux. De là, ils commandaient tant d'oies ou de poulardes, de beurre et de grain et de bois coupé, et, pour la monnaie, taxaient leurs métayers pour la concession des champs et des bois qui leur appartenaient en titre. Les aînés héritaient le titre et le domaine et les cadets entraient dans les ordres et tentaient d'obtenir, par faveur royale, quelque abbaye ou évêché qui leur assurerait une prébende.

Jacques de l'Estoille, le deuxième époux de Jeanne, avait ainsi reçu sept fermes et le titre de baron, les premières en remerciement pour les services que Jeanne avait rendus à Charles le Septième et le second, pour le prêt au roi que Jacques avait négocié. Jeanne elle-même avait cédé quelques mois à la tentation seigneuriale, en restaurant le manoir de La Doulsade. La Providence avait voulu que son commerce parisien et la mort de son frère Denis la détachassent de ce domaine.

Mais les temps avaient changé pour les seigneurs. D'abord, l'unification progressive du royaume les avait dépouillés de toute utilité. À l'exception de quelques grands duchés comme la Bretagne ou la Bourgogne, ces nobliaux ne représentaient plus aucun pouvoir. Jeanne l'avait appris incidemment : les Beauvois, qui l'avaient accueillie avec hauteur quand elle avait épousé Barthélemy, tiraient maintenant le diable par la queue. Elle avait fait adresser par Joseph un subside à sa hautaine belle-sœur, sans esprit de retour.

Ensuite, ils n'auraient pas pu lever une armée de quinze hommes : ils n'en avaient pas les moyens et les hommes faisaient défaut.

Enfin, les guerres avaient dévasté leurs terres. Faute de bras, leurs fermes avaient périclité ; elles ne rapportaient plus rien. C'était bien ce que la petite paysanne pâtissière avait rapporté au roi au terme du voyage qui les avait menés, elle et Barthélemy, à Beauté-sur-Marne. Pour dire vrai, et Charles le savait bien, lui le premier, les fermes qu'il avait offertes dans un geste de munificence étudiée n'étaient que des ruines plantées sur des champs en jachère. Elle se souvenait parfois, en frémissant, de la nuit où elle et les sergents Ythier et Matthias avaient été assiégés dans une de ces fermes par une horde de loups.

Bref, la société féodale avait scié la branche sur laquelle elle était perchée : elle avait elle-même ravagé les terres dont elle tirait sa subsistance.

Menacés de mourir d'ennui et de froid dans leurs donjons, perclus de rhumatismes en toute saison et las de chier aux quatre vents, les beaux seigneurs décavés étaient donc partis se réfugier dans les villes, après avoir monnayé leurs dernières fermes et leurs écuries auprès des métayers. De là, ils allaient quémander avec superbe un prêt auprès des banquiers, dont Joseph de l'Estoille. Le plus souvent en vain, car Joseph s'informait toujours prudemment de la garantie de l'emprunt. Et quand on lui citait « la parole d'Untel », il s'enquérait discrètement des biens d'Untel, lequel n'était qu'un cousin ou un parent par alliance, autant dire un fauché de la même botte et qui avait dilapidé ses fermages avant de les avoir touchés.

Sur quoi, ayant refusé le prêt, il se faisait traiter de juif, ce qui le jetait dans des accès d'hilarité.

Telle était d'ailleurs la raison pour laquelle ni Jeanne ni lui n'étaient invités aux soupers fins du nouveau cardinal-archevêque, qui se piquait de bon ton à l'italienne : elle n'était qu'une bourgeoise, terme infamant, voire – et elle l'entendait assez aux échos de certains ragots – une fermière parvenue, une ancienne pâtissière des rues. Aussi la privait-on des accords de théorbe et de clavicorde importés d'Italie.

Affreuse privation ! Encore n'en avait-on pas fait une ribaude.

La seule fois où les époux de l'Estoille et François de Beauvois avaient été conviés à l'archevêché, en compagnie des nouveaux déclassés, ils avaient été horrifiés : ces gens, pour la plupart illettrés, et certains sans même de linge de dessous, se grattaient partout avec des ongles cernés de noir, bâfraient affreusement et se barbouillaient le museau de sauce, dédaignant le bassin rince-doigts rempli d'eau et d'esprit-de-vin posé devant eux. Quelques dames firent, en plein repas, appeler leurs valets qui leur apportèrent le pot, et elles se soulagèrent à trois pas de là, au vu et à l'ouï des convives. Quant à leur conversation, ce n'était que noms illustres, souvenirs de chasse et projets de mariage.

À la fin du souper, le sol de la salle à manger ressemblait à une porcherie.

Mais il est vrai que ce n'était guère mieux à Paris.

En tant que ville libre d'Empire, dotée à ce titre d'une constitution passablement compliquée, Strasbourg avait, en effet, recueilli elle aussi son lot de seigneurs dédorés. Et pour cause, c'était un havre et un observatoire : géographiquement à mi-chemin du royaume et des principautés d'outre-Rhin, notamment des Habsbourg qui inquiétaient si fort le roi de France, Strasbourg leur permettait de suivre les jeux politiques, dans l'espoir de grappiller ici ou là une miette du pouvoir perdu.

À vrai dire, ces blasonnés évoquaient les vautours perchés sur le Fleckenstein, scrutant le paysage d'un œil morose, à la recherche d'une carcasse de cheval ou de voyageur pour leur repas.

La réalité de la ville était bien différente de ce théâtre d'ombres.

C'était un lieu de commerce et de travail. Vignerons, corroyeurs, tailleurs de pierre, ferronniers, drapiers, papetiers, commerçants. Et imprimeurs. L'imprimerie des Trois Clefs était l'une des plus anciennes d'Europe et l'une des plus prospères. Toute la ville en était fière. Et ce d'autant plus qu'en dépit de sa fortune, le clan des Beauvois et L'Estoille s'était rangé du côté des « gens », *die Leute*, et non des « grands », *die Hocharschen*, les culs hauts. D'où le choix du quartier honnête, mais discret de la SanktJohanngass ; d'où aussi que ses membres parlaient le patois alsacien et non pas seulement le francien pointu.

— Toute la ville sait que c'est vous qui préparez de vos mains le pâté de lapin, dit un jour Frederica à Jeanne, en riant.

Pour tant de marques de simplicité et d'économie, les bourgeois passaient donc aux Beauvois et aux L'Estoille l'extravagant caprice d'une étuve et des frais en savons de Gênes et de Venise, évidemment inouïs pour des gens qui n'avaient pas acheté un seul savon de leur vie et allaient une fois l'an à l'étuve municipale.

Ce respect n'était ni universel ni entièrement gracieux : les bourgeois prêtaient à Jeanne, en effet, une fortune extravagante et chuchotaient que Joseph était un usurier. Quant aux hobereaux, ils crevaient d'envie que ces ladres et radins de L'Estoille, cousus d'or comme ils l'étaient, galvaudassent quelques centaines de livres pour donner un festin où les chevaliers en chausses de soie se fussent gobergés.

Le clergé, qui savait où son intérêt résidait, n'était pas dupe. Il le voyait bien : l'argent qui lui tombait dans l'escarcelle venait plus souvent des Strasbourgeois vêtus de drap – et des Beauvois – que des premiers rangs habillés de soie. Ce qui ne manquerait pas d'avoir son importance par la suite.

François, Jacques-Adalbert et Déodat étaient soigneusement informés de ces mômeries. Rien pour le paraître. Les réjouissances sociales étaient réservées aux mariages et naissances de la famille et des intimes. Ils s'étaient pliés sans rechigner à la consigne, pénétrés du fait que c'était à l'économie de Jeanne qu'ils devaient leur fortune.

Jeanne et Ythier se comprenaient depuis longtemps au quart de mot. Quand il vint à Strasbourg, il se suffit d'un regard sur la rue et la maison pour comprendre qu'elle n'avait pas perdu la tête.

— J'ai racheté deux fermes au nord de La Doulsade, lui dit-il. Elles avaient été abandonnées et personne ne voulait plus y travailler, mais le nom de Beauvois a attiré la main-d'œuvre.

Jeanne se mit à rire : Ythier s'était servi de son nom pour faire prospérer ses entreprises.

Une lettre vint du Palatinat ; elle était signée de la comtesse Gollheim : le comte son époux était mort. Une attaque l'avait foudroyé en quelques minutes. Les funérailles avaient déjà eu lieu. Joseph et François adressèrent chacun à la comtesse une lettre de condoléances.

Jeanne se demanda si l'on aurait des nouvelles de Franz-Eckart, mais il n'en parvint pas. Sans doute poursuivait-il ses études et sa nécromancie dans son pavillon, dans la compagnie des renards et même des loups.

8

Te absolvemus aliquem peccato...

Quand François était à l'imprimerie, Jeanne instruisait Leïla. Elle s'était d'abord attendue à ce que l'esclave devînt enceinte, si elle ne l'était déjà. Jolie comme elle l'était, elle ne pouvait pas manquer d'éveiller les esprits animaux de François. Jeanne se résignait donc à la naissance d'un bâtard supplémentaire. Et qu'importait, d'ailleurs, si c'était un enfant de plus ! Elle aspirait à voir des enfants de son sang, c'étaient pour elle des moissons bénies.

Mauresque ou Moldave, Leïla était pour elle une terre en friche. Elle était certaine que François ne manquerait pas d'y faire des semailles. Car l'esclave était jolie.

Mais les mois passèrent et Leïla restait aussi mince ; Jeanne en fut perplexe. Elle brûla d'envie d'interroger son fils, puis Leïla et, après maintes réflexions, jugea préférable de tenir sa langue et d'assimiler la Mauresque dans le clan.

Elle lui apprit d'abord à tenir la maison, balayer, faire la chasse aux rats, souris, cancrelats et araignées, veiller au linge et aux odeurs et faire la cuisine. Comment dépiauter le lièvre et le lapin pour faire du pâté, comment ôter au gibier son odeur de sauvagin en ajoutant du vinaigre et du laurier à l'eau de cuisson, et les différentes sortes de farces qui donnaient du goût au poulet, le sarrasin aux raisins, le porc haché au romarin et mélangé au panais, l'épeautre aux noix pilées.

Puis elle lui apprit le français et, quand Leïla eut maîtrisé les rudiments du francien – le patois alsacien n'ouvrant guère beaucoup de portes dans le royaume –, Jeanne se mit en demeure de lui apprendre à lire et à écrire, comme l'avait jadis fait pour elle François Villon. À sa surprise, puis son ravissement, Leïla se montra mieux que docile : empressée. Sous les soins attentifs de Jeanne, elle se découvrit une autre personne, et cela l'enchantait. En six mois, elle apprit à lire correctement et commença à tracer des lettres.

François manqua de tomber de son long quand, rentrant un soir de l'atelier, il trouva l'esclave mauresque en train de lire à la chandelle un almanach des fêtes et dictons paysans.

— Mais qui t'a appris ?
— Jeanne.

Il alla s'en entretenir avec sa mère.

— Pourquoi as-tu acheté cette esclave ? demanda-t-elle.
— Pour t'alléger le travail, par compassion et parce qu'elle avait un visage plaisant.
— Son visage ne te paraît-il plus plaisant ?

Ils se regardèrent et se comprirent à mi-mot. François fut pris d'un de ses accès de rire, trop rares au gré de sa mère.

— Elle dort à un autre étage que moi. Je n'allais pas faire un enfant à une Infidèle et grossir le nombre de bâtards de la famille.

Jeanne jugea préférable de remettre à plus tard l'examen de ces derniers mots.

— Eh bien, j'ai trouvé l'esclave douée et je ne doute pas qu'avec le baptême, elle fera une excellente chrétienne, répondit-elle. De surcroît, instruite comme elle est en train de le devenir, elle fera un parti dont plus d'un garçon serait enchanté.

— Tu veux baptiser Leïla ?

— Le père Stengel en serait comblé.

Il parut surpris.

— Tu en ferais ta bru ? demanda-t-il.

— N'en voudrais-tu pas comme épouse ?

Il sourit gauchement, décontenancé.

— Je n'aurais jamais pensé…

Se tournant vers sa mère, il affronta ce regard bleu qui parfois prêtait de la dureté au beau visage de Jeanne Parrish. Et il s'en fut, pensif.

Ce qui contraria Jeanne fut justement qu'il n'y eût pas pensé. Poussée jusqu'à ce point, la continence devenait un vice !

Trois mois plus tard, Jeanne trouva à Leïla un air soucieux. Elle avait le geste maladroit et l'expression affligée.

— Qu'avez-vous ? lui demanda-t-elle. Vous ressemblez à une bourse vide ces derniers jours.

— Madame… Je crains d'être enceinte, répondit-elle, proche des larmes.

Jeanne la prit dans ses bras.

— Je trouve la nouvelle merveilleuse, Leïla ! s'écria Jeanne, qui prit la jeune femme dans ses bras.

Celle-ci fondit en larmes.

— Vous ne me chasserez pas ? balbutia-t-elle.

— Leïla, voulez-vous être des nôtres ? lui demanda Jeanne, en lui tenant les épaules à bout de bras.

La Mauresque ne comprit pas.

— Voulez-vous être chrétienne ? redit Jeanne.

— Je suis une fidèle du Prophète…

— Ma fille, tous les prophètes parlent de Dieu. Vous êtes loin des vôtres et, avec l'enfant que vous portez, vous vous enracinez dans cette terre.

— Comment deviendrais-je chrétienne ?

— Demandez à être baptisée.

— Baptisée ?

— Mettez votre cape et votre fichu et suivez-moi.

Elles sortirent dans le grésil et longèrent les façades à colombages de la Grand-Rue, barres noires sur fonds crépis, comme si elles traversaient une vaste partition musicale. Jeanne prit la direction de Saint-Pierre-le-Vieux. Elles entrèrent au presbytère et trouvèrent le père Stengel le dos au feu, un pilon de poulet en main, devant un bocal de cornichons. Il leva les sourcils, ébahi.

— Mon père, je vous demande d'écouter cette jeune femme.

— Je demande à être baptisée, articula la Mauresque.

Le religieux était de plus en plus ébahi.

— Maintenant ? demanda-t-il, considérant son repas interrompu.

— Le plus vite fait, mon père, sera le mieux, dit Jeanne. Et le tronc de vos bonnes œuvres s'en portera mieux, lui aussi.

Il connaissait la générosité de Jeanne. Il s'essuya les doigts sur une serviette.

— Venez avec moi, dit-il en se levant.

Elles le suivirent dans l'abside, où régnait un froid tombal. Il consulta le calendaire et marmonna :

— La Providence a de ces intuitions…

— Que voulez-vous dire ?

— C'est aujourd'hui la Sainte-Odile, patronne de l'Alsace. À moins que vous ayez un autre prénom en tête. Venez vous confesser, ma fille, dit-il à Leïla.

Elle ignorait le sens du mot.

— Vous direz toutes les fautes que vous avez commises. Le père vous aidera, expliqua Jeanne.

Ces Infidèles ne se confessaient-ils donc pas ?

Les aveux furent sans doute laborieux, car Jeanne demeura un bon moment seule à se transir dans l'abside. Un robuste nabot en robe de bure traversa le lieu en direction du clocher ; quelques instants plus tard, onze coups firent vibrer les murs ; le nabot était donc le sonneur. Au loin, la cloche de la cathédrale sonna simultanément, semblant lui faire écho.

Enfin, le religieux revint, suivi de Leïla. Il lança un bref coup d'œil à Jeanne, signifiant sans doute qu'il avait compris la raison de la hâte. Il saisit sur une table un flacon dans une rangée d'autres, identiques, et dirigea Leïla vers les fonts baptismaux.

— Penchez la tête au-dessus.

Elle s'exécuta. Il déboucha le flacon et lui en versa lentement le contenu sur la tête :

— *In nomine patris et filii et spiritus sancti, te absolvemus aliquem peccato et accipimus te hic et nunc in nostra Santa Ecclesia Catholica sicut filia Soli Dei Creatoris et te nominamus Odile…*

Elle haletait sous l'eau glacée qui lui dégoulinait sur la nuque. Étrange façon d'entrer dans la communauté chrétienne. Il lui toucha l'épaule.

— Relevez-vous, Odile, dit Jeanne.

Le nabot annonça d'une voix de stentor qu'il allait déjeuner et sortit.

La Mauresque releva sa tête détrempée et regarda Jeanne, le prêtre, puis le nabot qui assistait à la scène, l'air de dire : c'est tout ?

— Voilà, c'est fait, dit le père Stengel, reposant le flacon sur la table. Il faut maintenant inscrire sur le registre ce baptême, dont vous avez été témoin.

Il s'empara sur une étagère d'un gros et lourd livre relié de cuir fauve et garni de ferrures avant de le poser sur la table. Puis il alla chercher un encrier et une plume. Un signet lui permit d'ouvrir le volume à la page du jour. Le père Stengel agita vigoureusement l'encrier, se pencha, le déboucha et y plongea sa plume. Il écrivit quelques mots d'une main rapide et se tourna vers Leïla :

— Votre nom, ma fille ?

— Leïla, répondit-elle en s'essuyant la nuque avec son fichu.

Des vents de coulis assassins couraient dans les coins. Leïla éternua.

— Nom de famille ?

— Mansour Emad el-Dine.

Le père Stengel parut perplexe : comment orthographier ce nom inconnu ?

— Attendez, dit Jeanne. Leïla, que signifie ce nom, le sais-tu ?

Elle hocha la tête avec un sourire.

— Clément, le Pilier de la Foi.

— Mon père, écrivez : Clément Pilier.

Le religieux semblait interloqué.

— Pour les bans, expliqua-t-elle.

Tout à coup il comprit. Il se pencha de nouveau sur le vélin, épelant à haute voix :

— … Odile, fille de Clément Pilier… Témoin, Jeanne, baronne de l'Estoille. Veuillez signer ici, madame.

Odile avait suivi la scène d'un air amusé. Jeanne signa.

— Doit-elle signer aussi ?

— Si elle sait écrire…

La nouvelle Odile se pencha sur le livre, saisit la plume et, sous les yeux incrédules du père Stengel, écrivit son nom : Odile Pilier.

— Qui lui a appris ? demanda-t-il.

— Moi, répondit Jeanne.

Il secoua la tête. Ils retournèrent à l'étude où les deux femmes avaient interrompu le repas du religieux. Jeanne dénoua sa bourse, en tira cinq livres tournois et les posa sur la table. Il haussa les sourcils ; un baptême se payait dix sols, avec office, vingt-cinq.

Il hocha la tête.

— Elle sera donc baronne de Beauvois ? demanda-t-il, un rien rêveur.

Jeanne sourit.

— Ne l'ai-je pas été ? répondit-elle.

Un éclair de malice parcourut les yeux du religieux.

— Ma fille, dit-il à Jeanne, je vous autorise à interrompre mon repas tous les jours, déclara-t-il en raccompagnant les deux femmes à la porte de l'église.

Ils rirent en se quittant dans les tourbillons de grésil.

9

Voyages

Il est des grossesses par procuration, mentale tout au moins. François s'était marié six mois après son fils, dans les froidures de décembre. Comme c'était un remariage, il fut célébré discrètement, à Saint-Pierre-le-Vieux, en présence de Jacques-Adalbert, de sa femme et de Déodat, plus le maître d'atelier, les deux premiers artisans et, bien sûr, Jeanne, Joseph, le jeune Joseph et Frederica. François annonça la nouvelle par courrier à Franz-Eckart, arguant du mauvais temps qui sévissait de part et d'autre du Rhin pour ne pas l'avoir convié au mariage.

Dans les semaines qui suivirent, quelques confidences permirent à Jeanne de calculer qu'en dépit de la hâte avec laquelle Jacques-Adalbert s'était marié, Simonetta n'avait pas été enceinte au moment de ses noces : elle ne l'était devenue, selon son appréciation, qu'au début d'octobre.

En foi de quoi, les deux épouses accoucheraient quasiment en même temps.

Jeanne ne se tenait plus d'impatience. Elle allait de Simonetta à Odile et d'Odile à Simonetta pour s'assurer que le feu était nourri, les vents de coulis interdits par des bourrelets et la nourriture, saine. Elle avait ainsi réduit les épices et le gibier de poil, qui échauffent, au bénéfice des courts-bouillons de poisson, des viandes blanches et des laitages. Elle faisait en permanence brûler des herbes aromatiques pour purifier l'air. Et se souvenant des doutes de Charles le Septième sur les causes réelles de la maladie qui avait emporté la dame de Beauté, elle faisait tremper les salades et les fruits dans des baquets d'eau vinaigrée. Les linges bouillis étaient empilés.

— Maîtresse, on croirait que c'est vous qui allez accoucher ! observa Frederica.

D'une certaine manière, c'était vrai. Jeanne brûlait de voir enfin pousser les nouveaux rameaux.

Le 20 juin 1495, après le souper, Odile ressentit les premières douleurs. François envoya alerter sa mère, qui accourut, suivie d'un domestique éclairant le chemin avec une torche, et elle manda Frederica pour tirer la sage-femme de son lit, suivie du même domestique.

À la troisième heure après minuit, la sage-femme trancha le cordon ombilical et le noua. Et elle présenta l'enfant à François, éperdu : c'était une fille.

— Le ciel rend ce qu'il a pris, dit Frederica.

Jeanne en sueur regarda son fils ; il souriait, pour la première fois depuis bien longtemps. Il alla baiser le front d'Odile, exténuée par son premier accouchement et, quand la mère et l'enfant furent lavés, il alla s'asseoir au chevet de sa femme. Jeanne rentra peu avant l'aube, accompagnée par Frederica.

Elle était à peine remise de ses émotions que, six jours plus tard, ce fut au tour de Simonetta de ressentir les premières contractions, à la huitième heure après minuit.

Ce fut le même branle-bas, sans les torches.

Simonetta avait mis au monde un garçon.

Dans la même semaine, François s'était trouvé père et grand-père. Il avait changé de visage.

Tout le monde décida que les deux enfants seraient baptisés le même jour. La fille fut appelée Françoise, et le garçon, Jean.

Jeanne organisa un grand souper dans la rue, comme pour les noces de Jacques-Adalbert.

François, d'ordinaire taciturne, se leva avant qu'on servît. Il demanda que tous les convives levassent leur verre à Jeanne de l'Estoille, dont la ténacité et l'amour avaient permis de créer l'objet de la fête. Tout le monde cria des vivats. Les voisins mirent le nez aux fenêtres et agitèrent aussi les bras.

Jeanne pleura de joie dans les bras de Joseph.

Personne n'avait plus reparlé de la carte mystérieuse, ni de la route des Indes, ni de Colomb. Puis un soir, au souper, Ferrando qui était de passage et que ses collègues génois tenaient informé du monde, évoqua le sujet.

Colomb était reparti, le 23 septembre 1493, cette fois avec dix-sept vaisseaux et quinze cents hommes. Le 30 janvier suivant, il avait fait expédier en Espagne un vaisseau appelé *Santa Maria*, comme le premier, commandé par Antonio de Torres et chargé de l'équivalent de trente mille ducats en bijoux d'or, confisqués aux malheureux indigènes sur l'île d'Hispañola.

Mais la situation était moins riante qu'il n'y paraissait. D'abord, l'autorité de Colomb sur les îles découvertes était de plus en plus contestée par les hommes qu'il avait emmenés avec lui, Castillans, Aragonais, Catalans et Génois.

Ensuite, l'amiral n'avait découvert que des îles et non un continent. Or, ce continent semblait bien exister, et les

Espagnols et les Portugais en attendaient impatiemment la découverte ; ils se querellaient même à son sujet.

Les Espagnols en effet, et de façon bien prématurée, s'étaient fait attribuer par le pape Alexandre VI toutes les terres situées au-delà de cent lieues à l'ouest des Açores. Guère suspect d'un excès de connaissances géographiques et surtout désireux de plaire au Roi Très Catholique de l'Espagne, le pape avait ainsi tracé une ligne verticale allant du nord au sud, sur une carte qui ne représentait évidemment pas l'ouest, sans même savoir ce qu'il départageait. S'il fallait croire que c'était l'Asie que Colomb avait découverte, le grand geste papal faisait de Ferdinand II d'Aragon et Castille le roi de Chine, du Japon et des Indes. Fou de rage, Jean II de Portugal avait protesté et, comme le Borgia ne voulait rien entendre, il avait décidé de négocier directement avec les Espagnols. Portugais et Espagnols s'étaient donc retrouvés à Tordesillas et Jean II avait obtenu que la fameuse ligne de partage fût portée à deux cent cinquante lieues, toujours à l'ouest des Açores.

— Des plans sur la comète ! commenta Ferrando. Ni les Espagnols, ni les Portugais, ni le pape, ni Colomb ne savent quelles terres se trouvent à cent ou à mille lieues des Açores. De toute façon, je serais bien surpris que les uns ou les autres respectent leur traité.

Jacques-Adalbert s'essuya les doigts et alla chercher la fameuse carte que Behaïm avait dit inspirée par les Chinois et qu'il avait jusqu'alors cachée, car elle rappelait à tous de bien pénibles souvenirs.

— Tu penses donc, toi aussi, observa Joseph, que ce ne sont pas les Indes que Colomb a découvertes, et qu'il reste encore un continent à trouver ?

En guise de réponse, Ferrando indiqua la carte.

— Crois-tu qu'une expédition qui partirait plus au nord trouverait ce continent ? demanda Jacques-Adalbert.

— Je l'ignore, je ne suis pas navigateur, et même si je l'étais, je ne connaîtrais pas les vents. Toute ma science se fonde sur les rapports des autres. Je sais ainsi que le voyage dure environ quarante jours. Lors de sa deuxième expédition, Colomb, parti le 23 septembre, a accosté le 2 novembre dans cette île qu'il appelle la Dominique, c'est-à-dire que son voyage a duré trente-neuf jours, et au retour Torres, reparti le 30 janvier, est arrivé à Cadix le 11 mars, soit quarante jours plus tard.

La bise qui soufflait dehors prenait des airs de tempête marine. On eût cru sentir des embruns et voir des vergues pencher vers les vagues écumantes.

Jeanne, Simonetta et Odile écoutaient la conversation avec inquiétude, craignant que l'un de leurs hommes ne se lançât dans une de ces expéditions maritimes où le pire n'était pas le moins sûr.

— Quelle que soit la découverte que l'on ferait, observa Joseph, elle ne servirait à rien du point de vue matériel, puisque les Rois Catholiques se sont arrogé la propriété des terres à l'ouest.

Ferrando haussa les épaules.

— Le traité de Tordesillas n'a été signé que par deux pays, objecta-t-il. Il n'engage qu'eux. Ni les Vénitiens, ni les Flamands, ni les Anglais n'ont rien signé. Je serais bien étonné que le roi d'Angleterre se sente lié par une décision du pape. De plus, Alexandre Borgia n'est pas éternel.

Une lueur fixe brillait dans les yeux de Jacques-Adalbert. Déodat semblait rêver.

— Combien coûterait une expédition pareille ? demanda Jacques-Adalbert.

— Je l'ignore aussi, répondit Ferrando. Cela dépend évidemment du nombre de navires de l'expédition. Et du nombre d'hommes qu'il faudra payer.

— Partirais-tu ?

— J'ai fait tant de voyages ennuyeux que je serais ravi d'en faire un qui m'apprenne l'existence d'un nouveau monde.

— Même s'il ne te rapportait rien ? demanda Joseph.

— Tu le sais bien, Joseph, on ne vit pas que pour le profit.

— Nous voilà veuves ! s'écria Jeanne.

Tout le monde éclata de rire.

— Pour quarante jours, douce Jeanne, répondit Ferrando. Bien des épouses seraient enchantées de voir leurs hommes prendre congé quarante jours.

— Pas moi ! s'écria Odile. Même pas quarante heures.

François lui adressa un long regard souriant.

— Nous ne sommes pas encore partis, dit Ferrando.

En réalité, pensa Jeanne, ils l'étaient déjà.

L'allégresse suscitée par la naissance presque simultanée de Jean et de Françoise de Beauvois était déjà ternie par la perspective de ce voyage fou d'un fils et d'un petit-fils vers un continent inconnu, dont on ne savait quand ni comment il se ferait.

Elle le fut encore plus par la santé déclinante de Joseph. À soixante-trois ans, le puîné de Jacques, premier mari de Jeanne, souffrait de défaillances cardiaques. Sa tête, disait-il, se vidait par moments. Il était contraint de s'asseoir et devenait blême. Ces incidents se répétaient et s'accusaient.

— Pardonne-le-moi, mais je crains de devoir partir le premier, Jeanne, lui dit-il un jour, après une crise qui s'était quasiment achevée dans une perte de conscience.

Elle rassembla son courage.

Elle le rassura, argua des fatigues qu'il s'était imposées et conseilla le repos.

— Jeanne, tous les sabliers se vident, lui dit-il en souriant.

Un conjoint qui se prépare à partir est en lui-même un *memento mori*. Au chagrin qui s'annonce s'ajoute le renoncement inévitable à sa propre vie.

— J'ai mis mes affaires en ordre. Ferrando et François veilleront à ce que les œuvres vives, telles que les créances en cours, se poursuivent à ton bénéfice et que les biens réalisables te soient remis. Je crois que Déodat commence à s'instruire assez pour prendre ma succession sous leur houlette. Jacques-Adalbert est trop absorbé par les imprimeries.

Elle écouta en dépit de sa répugnance, parce que le bien que les époux avaient amassé n'était que provisoirement le sien ; elle devait le transmettre à François et à Déodat. Lesquels le transmettraient à leur tour à ses petits-enfants. Joseph. François. Jean. Une part de la fortune personnelle de Joseph devrait, de surcroît, être versée à Angèle, sa sœur, l'épouse de Ferrando.

Son âge n'était pas avancé ; il eût pu espérer dix ou quinze ans de plus. Mais elle le savait, la mort de son frère, puis celle de la seule enfant qu'il avait eue d'elle, Aube, l'avaient éprouvé plus qu'on n'eût su dire.

— Je sais que je te fais de la peine, dit-il, mais il faut savoir l'affronter eu égard à ceux que nous laisserons derrière nous.

Ainsi, tout le monde se préparait à un long voyage.

Les jours suivants, la vie se poursuivit comme avant. Jeanne espéra contre l'évidence.

La même semaine où la dernière prédiction de Franz-Eckart se réalisa et où les garnisons françaises de Naples capitulèrent devant les troupes de la ligue du Nord, Jeanne monta comme chaque matin porter un bol de lait chaud à son mari.

D'habitude, il se redressait en entendant son pas. Il ne le fit pas. Elle posa le bol de lait et se pencha vers lui. Il était extrêmement pâle.

— Joseph ? dit-elle.

Elle lui prit la main et la reposa. Elle ne cria pas. Elle s'assit et pleura longuement.

Ce fut Frederica qui, ne la voyant pas revenir à la cuisine, monta à sa chambre, saisie d'appréhension. Elle la trouva effondrée et pleurant encore, par à-coups.

10

La voix du sang

Tout le monde vint et s'en retourna. Mais le premier arrivé ne repartit pas. C'était Franz-Eckart. Jeanne était trop engluée dans son chagrin pour s'interroger trop longuement sur la façon dont il avait été informé si promptement. Par ses spectres, sans doute. Pareilles questions se situaient au-delà de la raison ordinaire. Elle conservait l'image du jeune homme au cimetière. Vêtu de noir, stoïque sous l'orage qui faisait ruisseler les capes, devant la fosse où Joseph, nommé Stern devant le Dieu d'Abraham et désormais Joseph de l'Estoille devant le Dieu de Jésus, descendrait dormir d'un sommeil sans fin. Joseph était un juste : c'était la consolation qu'il offrait à ceux dont la pluie lavait les larmes.

Le tonnerre avait brouillé le latin du père Stengel. Dieu n'entendait-il donc que le latin ?

Franz-Eckart était reparu au souper, sous le regard surpris de François. Où habitait-il donc ? À l'auberge sans doute.

Jeanne prit un bol de soupe pour tout repas. Les rares fois où elle leva le visage vers les convives, c'était pour montrer un regard vitreux. Assis près d'elle, Franz-Eckart remplit son verre de vin à moitié, ajouta de l'eau et le lui tendit :

— Il ne reste plus d'eau dans ton corps. Bois un peu.

Elle avala quelques gorgées. Elle serait remontée dans sa chambre, mais elle savait que ce ne serait que pour affronter seule un chagrin sans mots. Car l'une des horreurs du deuil est qu'il est sans mots. Elle demeura donc assise et ne fit entendre sa voix que pour dire au jeune Joseph, consterné, qu'il n'avait pas fini ce qu'il avait dans son assiette. Tout le monde avait aimé Joseph et personne n'avait grand-chose à dire.

Enfin, elle se leva, suivie par Odile et Frederica.

Le lendemain, quand François, Jacques-Adalbert et Déodat allèrent vaquer à leurs affaires, Franz-Eckart revint. Il trouva Jeanne, assise dans la grande salle du premier étage, devant le feu. Il lui prit la main et la baisa. C'était pour elle un réconfort que la présence du jeune homme ; il était instruit comme peu de contemporains et, bien qu'on n'eût pu sans audace coiffer son savoir du nom de sagesse, il était un homme de recours.

— Songe aux chênes dans la tempête, dit-il.

Elle esquissa un sourire. Oui, les chênes aussi passaient de mauvais moments.

— Comment est la vie à Gollheim, depuis la mort du comte ? demanda-t-elle.

— La comtesse est partie vivre à Nuremberg, chez sa sœur. Son fils Wolf ne veut pas entendre parler du château, qu'il tient pour un nid à hiboux et qui a été fermé. Il m'a dit que je pouvais conserver le pavillon si je le voulais. Mais je n'y trouverais même pas la place pour faire cuire la soupe l'hiver.

Jeanne rumina ces informations. De plus en plus de châteaux étaient abandonnés, non seulement en France, mais dans l'Europe entière. Ces bâtisses guerrières étaient difficiles à chauffer et il y fallait une domesticité ruineuse, donc impossible. Il n'était pas rare, quand on voyageait, de voir quelque chevalier porteur d'un nom illustre, qui ahanait en coupant du bois pour faire cuire sa soupe et se chauffer.

— Où habites-tu donc à Strasbourg ?

— Dans une grange.

— Mais comment te nourris-tu ?

— J'ai besoin de peu, tu le sais. Le souper chez toi me suffit. La comtesse m'a donné de petits bijoux de ma mère, que j'ai vendus pour payer le voyage et quelques vêtements.

Elle s'avisa soudain que Franz-Eckart n'avait pas de moyens d'existence et qu'il avait dépendu de la bourse de François. Et sans doute ce dernier ne l'avait-il pas beaucoup desserrée pour son fils ces derniers temps. Elle fut tentée de mettre sur-le-champ la main à la sienne, mais craignit d'embarrasser le jeune homme.

— Tu as donc définitivement quitté Gollheim ? dit-elle.

— J'ai surtout quitté le seul ami que j'y avais, un moine. Et mes livres.

— Et ton renard.

— Et mon renard, convint-il, l'œil espiègle.

— Mais que vas-tu faire ?

— Mon Dieu, Jeanne, répondit-il en souriant, je ne suis pas réduit à la famine. Comme il fait chaud pour le moment, je me lave et je dors sans avoir froid. Je suppose qu'il y aura bien à Strasbourg quelque bourgeois qui voudra enseigner à son fils les rudiments de l'arithmétique, le latin, l'astronomie ou la philosophie et qui me versera de quoi vivre. Je suis moins dans le besoin que toi.

— Je suis dans le besoin ? releva-t-elle, surprise.

— Dans le dénuement, même, dirais-je.

Elle attendit qu'il s'expliquât.

— Joseph est parti. François et Jacques-Adalbert sont absorbés par leur imprimerie et quand il leur reste quelque loisir, le soir, il est dévolu à leurs épouses. Déodat repart, si j'ai bien compris, sur les pas de Joseph et sera souvent en voyage. Il te reste la compagnie de Frederica et celle du petit Joseph.

Il n'ajouta pas : mon fils. Pas dans un premier entretien. Il devait savoir qu'elle savait.

— Et la mélancolie, ajouta-t-il.

Elle fut saisie par la clarté de l'exposé. De fait, elle était seule, après avoir tant œuvré pour la pérennité de son clan. Elle était bien dans le dénuement moral.

— Je n'y avais pas songé, convint-elle. Et tu es venu me tenir compagnie, c'est cela ?

— Je suis venu parce que j'avais envie de venir, répondit-il en se levant.

Il arpenta la pièce et s'arrêta devant les portraits d'Aube et de Déodat qu'avait jadis peints le protecteur de Joachim, Mestral, à Angers ; ils étaient accrochés de part et d'autre d'un meuble d'apparat, un coffre espagnol monté sur pieds et s'ouvrant par le devant et le dessus. Il les examina sans rien dire.

— Franz-Eckart, dit-elle, cette maison est grande. Elle compte quatre étages. Je dors à celui-ci et la nourrice au-dessus avec Joseph. Il en est deux d'inoccupés. C'est absurde que tu dormes dans une grange alors qu'il y a des lits ici.

Elle s'avisa immédiatement de l'étrangeté de la situation : elle vivant avec le père et le fils sous le même toit, et tous deux affublés d'identités d'emprunt. Mais elle ne pouvait faire autrement. D'abord pour des raisons d'humanité, puis par fierté, car il eût été inconvenant de laisser un garçon qui était officiellement son petit-fils dormir dans une grange. Franz-Eckart appartenait malgré tout à son clan. Enfin il y avait une troisième raison, mais si confuse qu'elle renonça à l'éclaircir pour le moment. Sans doute le besoin d'une présence, en effet, puis celui de Franz-Eckart lui-même.

— Tu pourras enseigner les rudiments de ton savoir à Joseph. Ton fils.

Il la considéra un moment.

— Je suis heureux de ton offre, répondit-il enfin. Mais je ne veux pas m'imposer au nom de la charité.

— La charité n'y est pour rien, rétorqua-t-elle.

— Je ne suis pas sûr que François en sera heureux.

Avec sa finesse habituelle, Franz-Eckart avait perçu la réserve, sinon la froideur caractérisée de celui qui passait pour son père. Depuis la mort d'Aube, François tenait Franz-Eckart en méfiance.

— Je ne suis pas l'obligée de François, répondit-elle. Va chercher tes affaires et reviens.

François fut bientôt avisé de la situation. Ce soir-là, il avait demandé à Jeanne s'il pouvait souper chez elle, Odile étant indisposée.

En voyant Franz-Eckart à la table, il lui demanda froidement :

— Tu ne rentres donc pas à Gollheim ?

— Gollheim est fermé, répondit Jeanne. Franz-Eckart habitera ici.

La contrariété se peignit instantanément sur le visage de François.

— La nouvelle ne semble pas te faire plaisir, dit Franz-Eckart.

— Non, après ce qui est advenu à Aube... Après ce que tu as fait à Aube... Crois-tu donc que je sois un benêt ?

— Qu'ai-je donc fait à Aube ?

— Tu as séduit ta tante ! s'écria François, en colère. N'as-tu donc aucune décence ?

Un silence orageux se fit dans la salle.

— Franz-Eckart n'était pas le neveu d'Aube, dit calmement Jeanne. Il n'y avait aucun lien de sang entre eux.

François, stupéfait, posa sa cuiller.

— Aube était ma demi-sœur… commença-t-il.

— Et Franz-Eckart n'est pas ton fils, déclara Jeanne sans se départir de son calme. Je ne te l'ai pas révélé tant que Sophie-Marguerite était vivante, afin d'éviter le naufrage de ton foyer. Et d'ailleurs, tu en avais l'intuition, tu me l'as toi-même dit.

François s'adossa, abasourdi. Il regarda Franz-Eckart, qui demeurait impassible.

— Mais tu l'as quand même séduite ! dit-il d'un ton accusateur en tendant le cou vers le jeune homme, la main serrée sur son couteau.

— Je ne sais ce qu'est la séduction, répondit Franz-Eckart. Si elle consiste à être rejoint dans son lit au milieu de la nuit, alors qu'on dort d'un sommeil profond, par une jeune femme en chemise, alors oui, j'ai séduit Aube.

— Quoi ?

— Ne te prive pas de souper pour une affaire à laquelle tu ne peux rien, dit Jeanne à son fils.

François secouait la tête, au comble de l'ahurissement.

— Pourquoi ne m'as-tu rien révélé de tout ça ? demanda-t-il à sa mère.

— Parce que ta réaction était prévisible et que ni Joseph ni moi n'avions besoin d'une scène pareille au cœur de notre chagrin.

— Aube m'aimait et j'aimais Aube, dit lentement Franz-Eckart, mais s'il y a eu quelqu'un de séduit, ce fut moi.

François se passa les mains dans les cheveux.

— Qu'est-il advenu cette nuit-là ? demanda-t-il.

— Je l'ignore. Je travaillais avec Dieter, ce moine qui est mon ami. Il n'était pas convenu qu'elle vienne. Elle est quand même sortie de sa chambre et du château. Elle aura vu quelque chose dans la nuit qui l'aura effrayée.

— Et le petit Joseph est donc ton fils, dit-il en s'adressant à Franz-Eckart.

Celui-ci hocha la tête.

— Et c'est pour cela que tu es revenu.

— Non, rectifia le jeune homme. Pas seulement pour cela. Je suis revenu par amitié pour Jeanne. Et parce qu'elle est seule, désormais. Parce qu'elle ne s'appelle pas seulement de l'Estoille, mais qu'elle porte aussi une étoile sur son front.

Il versa du vin à François.

— Il y a d'autres réalités dans le monde que celles qu'on croit voir, dit-il. Ce que tu avais pris pour un inceste était une histoire d'attirance sans rien d'incestueux. Le coupable n'en était pas un, la victime non plus.

— Et il y a un enfant dont il ne faut pas troubler l'avenir par ces querelles, dit Jeanne.

Un long moment passa. François grignota un peu, trop absorbé à assimiler ces révélations.

— Veux-tu conserver le nom de Beauvois ? demanda-t-il à Franz-Eckart.

— Je n'en ai pas d'autre, et il me paraît honorable. À moins que tu veuilles me le retirer.

— Te le retirer ? Moi ? demanda François.

Un temps qui parut infini s'écoula. Le feu crépita.

— Et moi ? demanda François à sa mère. Qui suis-je ?

Elle mit un temps à répondre :

— Tu devrais t'appeler François de Montcorbier, c'est-à-dire François Villon.

— François Villon ? s'écria-t-il. Mais quelle est cette vie ?

— Ce jour-là à Angers, il y a bien des années, dit Jeanne, quand un vagabond est venu mourir devant la maison, François, pourquoi t'es-tu si longuement penché sur lui ?

Il ne répondit pas. Ses yeux bruns regardaient à l'intérieur.

— Tu veux dire que je le savais ? murmura-t-il.

Après un moment il demanda à Jeanne :

— Mais comment ?…

— Non, répondit-elle. Je n'ai pas été infidèle à ton père. J'ai été violée, avant le mariage. Ton père était un vagabond sans feu ni lieu, voleur de surcroît et plus d'une fois promis à la potence. Il était irrécupérable. Et il a disparu. Je me suis trouvée dans l'obligation de donner un nom et un père à l'enfant que je portais en moi.

— Tu n'avais rien dit à Barthélemy ?

— Non. L'orgueil des hommes ne les incite guère à la compassion pour un enfant qui n'est pas de leur sang. Tu le sais bien, François, ajouta-t-elle. Barthélemy a cru que tu étais son fils. Pourquoi le désenchanter ? dit Jeanne.

Un peuple de phalènes dériva au-dessus des flambeaux, comme des spectres minuscules, frivoles et charmants.

— Et tout cela, tu le savais et tu ne voulais pas le savoir, dit Franz-Eckart. Il en va ainsi de nous tous. Nous en saurions bien plus, en faisant un petit effort, que nous le voudrions.

— Mon Dieu, dit François, quelle soirée !

— Nous n'avons fait que regarder l'envers de la tapisserie, pourtant, dit Franz-Eckart en souriant. Restons-nous amis, maintenant ?

Les deux hommes se levèrent. François prit le jeune homme dans ses bras et l'étreignit, les larmes aux yeux.

Jeanne était interdite. Si c'était là une tapisserie, c'était bien la plus singulière qu'elle eût jamais vue. Elle ressemblait à ces soies moirées qui paraissent bleues à la lumière et rouges à l'ombre.

— Maintenant, dit-elle, peut-être voudras-tu donner à Franz-Eckart la part d'héritage qui lui revient de Sophie-Marguerite.

François se retint de sourire.

— Et je ne crois pas, ajouta-t-elle, qu'il faille mettre Jacques-Adalbert ni le reste de la famille dans la confidence. Du moins pas tout de suite.

Cette femme conservait toujours le sens des réalités. Et du clan.

Le lendemain, Jeanne fit monter un lit au quatrième étage, celui qu'avait choisi Franz-Eckart, balayer et garnir la cheminée. Le jeune homme ramena de la grange où il avait gîté deux coffres, principalement remplis de papiers. Elle l'observa tandis qu'il dressait la lunette à la fenêtre et se dit qu'il ne disposerait plus que d'un bien petit bout de ciel à la SanktJohanngass.

— Tu peux monter la lunette au grenier, dit-elle. De cette fenêtre-ci, tu n'aurais qu'un lopin de ciel.

Il se tourna vers elle et sourit.

— Tu auras aussi besoin d'une table et d'étagères, pour-suivit-elle, considérant les tas de livres et de manuscrits.

Étrange garçon dont toute la fortune consistait en papiers.

— Et j'en ai laissé beaucoup à Gollheim. Je pourrai mainte-nant écrire à Dieter de me les faire parvenir par la malle-poste.

— Ce n'est pas la peine qu'il t'expédie tes renards avec.

Il éclata de rire. Elle se surprit à rire aussi. C'était la pre-mière fois depuis la mort de Joseph.

Était-ce le talent du père ou l'instinct de l'enfant?

Le cheval devine son cavalier rien qu'à la manière dont il l'approche.

Quand, le lendemain, le jeune Joseph trouva Franz-Eckart assis dans la grande salle où se tenait sa grand-mère, il l'observa un bref instant, puis il s'élança vers lui. Franz-Eckart le prit dans ses bras, l'assit sur ses genoux et le gar-çonnet posa sa main sur la poitrine du jeune homme dans un geste qui signifiait à la fois une prise de possession et un pacte de confiance.

— Tu restes, n'est-ce pas? demanda-t-il.

Franz-Eckart hocha la tête. L'enfant lui enlaça le cou.

Jeanne fut saisie. Qu'est-ce que la voix du sang?

— Aujourd'hui, dit Franz-Eckart, nous allons nous pro-mener dans la forêt.

Joseph battit des mains.

Quelques instants plus tard, ils étaient partis.

Jeanne demeura songeuse. Elle n'aurait pu rêver meilleur père pour Joseph que son géniteur. Elle attendit leur retour.

Ils revinrent pour le souper. Ils rayonnaient. Franz-Eckart emmena l'enfant se laver les mains.

— Qu'avez-vous vu ? demanda Jeanne.

— Un loup ! répondit Joseph.

Jeanne posa sa cuiller. Elle interrogea Franz-Eckart du regard ; il hocha la tête.

— De loin, j'espère ?

— Non, le loup, dit Joseph, il est venu jusqu'à nous. Il s'est couché devant Franz. Je l'ai caressé.

Jeanne ravala sa salive.

— J'ai appris à Joseph à ne pas avoir peur, parce que la peur donne une mauvaise odeur, expliqua Franz-Eckart de cet air détaché qu'il avait quand il racontait des choses graves. J'ai parlé au loup et j'ai prié Joseph de lui parler. Je lui ai dit de lui parler comme on parle à un ami. Il a très bien compris. Il a parlé au loup. Le loup est venu nous faire soumission. Il a allongé les pattes devant nous et s'est incliné, puis il s'est couché. Je lui ai caressé l'échine. Joseph aussi.

— Mon Dieu, Franz, tu n'as pas eu peur ?

— C'était justement ce dont il fallait se garder, répondit le jeune homme en souriant.

— Ça sent pas bon, un loup, dit Joseph.

— Il faut apprendre à parler aux loups, dit Franz-Eckart.

— Que vas-tu faire de cet enfant ! s'écria Jeanne avec appréhension.

— Un être humain. Il faut savoir parler à toutes les créatures quand on est humain.

— Et les autres aussi ? Celles de l'au-delà ? s'écria-t-elle, alarmée.

— Elles sont proches de nous, répondit le jeune homme avec douceur.

Joseph ne comprenait pas : quelles autres créatures ?

Elle se ressaisit. Elle-même, songea-t-elle, ne s'était-elle pas servie des loups sous l'ordre de la voix du sang, un jour lointain à La Doulsade, quand François avait été menacé d'enlèvement et de mort ?

11

La Ribaude aveugle

Les Grecs anciens, qui ne furent pas moins sots que les autres, puisqu'ils étaient humains, avaient eu cependant la sagesse de se méfier des puissances célestes et s'étaient gardés, paradoxalement, de les diviniser, c'est-à-dire de les idéaliser. C'est ainsi qu'ils avaient représenté Mercure, dieu du commerce, comme un voleur, Vénus, déesse de l'amour, comme une épouse adultère, et la Fortune, comme une folle aveugle. Et ribaude !

Une ribaude aveugle, beau ragoût dont même les coquillards des Halles n'eussent pas voulu !

La même année 1496, elle joua deux coups pendables à ses mignons de la veille, pour ainsi dire.

Par l'intermédiaire de la ligue de Venise, qui rassemblait les États du Nord, elle annihila les conquêtes françaises en Italie, au grand dam de Charles le Huitième et, par la même occasion, des banquiers lyonnais et milanais qui l'avaient lancé dans cette équipée d'écervelés. Plus rien ! La gloire militaire française ne valait pas plus qu'une pelure d'orange dégringolant sur les pentes du Vomero vers les eaux déjà troubles de la baie de Naples.

Puis elle humilia et ridiculisa Cristoforo Colombo, hier découvreur de la route des Indes par l'ouest, amiral de la flotte espagnole et vice-roi des Indes. La manière erratique et brutale dont il gouvernait ses « Indes », pendant à tout-va qui lui déplaisait et distribuant des domaines au premier venu comme s'il les possédait en son nom propre, avait fini par agacer. Madrid envoya un enquêteur, Juan Aguado. Celui-ci signifia au vice-roi qu'il était mandé au rapport à Madrid. Arrivé en juin, Colomb découvrit qu'il n'intéressait plus personne. La cour ? Elle était à Burgos pour le mariage de Philippe le Beau, fils de l'empereur Maximilien de Habsbourg et de l'infante Jeanne. L'Autriche et l'Espagne s'alliaient, c'était bien plus important que les histoires de ce reître des mers, vice-roi de carnaval et régnant sur des sauvages nus qui, à ce qu'on disait, copulaient au vu et au su de tous. Il se croyait propriétaire de l'or de Cuba ? Fadaises ! Et les traités signés entre lui et le pouvoir royal ? Torchons !

Ferrando, lors de ses visites à Strasbourg, rapportait les informations des Génois, aux premières loges à Cadix, à Burgos, à Madrid, à Lisbonne, bref partout où il fallait être. Franz-Eckart les interprétait pour Jeanne. Comme il avait aussi la langue pendue, il la faisait se tordre de rire.

Non contente de ces exploits, la Ribaude aveugle s'acharna.

Le 8 avril 1498, au château d'Amboise, Charles le Huitième passa sous une porte basse sans s'aviser qu'elle l'était. Il se heurta le crâne si fort qu'il en mourut quelques heures plus tard.

Quatre mois plus tard, abordant le golfe de Paria, à l'embouchure de l'Orénoque, le plus grand fleuve de ce qui allait s'appeler l'Amérique du Sud, et constatant qu'il entrait dans une grande masse d'eau douce, Christophe Colomb s'imagina que c'était le paradis terrestre et, peut-être de peur d'y rester, refusa d'accoster. Néanmoins, on l'apprit plus tard, il écrivit que c'était là une terre immense, inconnue jusqu'alors.

Mais pourquoi diantre n'y avait-il pas mis le pied ?

Entre-temps, il s'était fait couper l'herbe sous ce pied-là. Giovanni Caboto, navigateur génois devenu vénitien, puis sujet anglais sous le nom de John Cabot, tout pénétré par les légendes d'une grande île de braise nommée évidemment « Braisil » et des sept cités légendaires, avait convaincu le roi Henry VII d'Angleterre de financer une expédition vers l'ouest. Parti de Bristol le 2 mai 1497 sur une caraque nommée *Mathew*, avec un équipage de dix-huit hommes, Cabot avait contourné l'Irlande et atteint cinquante-deux jours plus tard le promontoire d'une terre inconnue, qu'il avait appelé cap Découverte, Cape Discovery.

Comme l'avait prédit Ferrando, le traité de Tordesillas avait fait long feu : Cabot avait pris possession de ces terres au nom du roi d'Angleterre. Il venait de rentrer à Bristol et avait été reçu par le roi, qui lui avait fait le don royal de dix livres sterling pour le récompenser et lui avait promis une flotte de dix navires pour inaugurer le commerce anglais des épices d'Asie.

Car tout le monde croyait que ces nouvelles terres constituaient l'extrémité orientale de l'Asie.

François, Jacques-Adalbert, Déodat et bien sûr Ferrando ne se tenaient plus d'impatience. Mais que faisait-on là, à manger des saucisses ! Il fallait partir ! Jacques-Adalbert rêva à haute voix d'exporter le matériel nécessaire pour fonder une imprimerie et adresser à l'Ancien Monde les récits et les descriptions de son exploration du Nouveau. Il ferait fortune !

— Et le papier ? demanda Franz-Eckart.

François éclata de rire.

— J'emporterai aussi du papier, dit Jacques-Adalbert, quelque peu vexé par la réflexion de celui qui passait toujours pour son frère.

Ce n'était donc plus l'espoir de fortunes mirifiques qui habitait ces hommes, mais la fièvre de l'aventure.

Et d'aventure, ce n'était pas la seule.

Quand la malle-poste, plus d'un mois après l'installation de Franz-Eckart à SanktJohanngass, vint livrer la caisse contenant le reste de ses précieux livres et manuscrits, celui-ci donnait une leçon de lecture à Joseph. Jeanne ni Frederica ne voulurent l'interrompre et décidèrent de monter elles-mêmes la malle jusqu'au quatrième étage. Elles avaient sous-estimé le poids matériel du savoir et, au deuxième étage, justement celui où Franz-Eckart enseignait l'abécédaire au garçon, elles posèrent la caisse sur le palier pour reprendre leur souffle. Plutôt que posée, elles l'avaient laissée retomber, et le fracas sur le plancher fut assez grand pour que Franz-Eckart courût en chercher la cause.

Il trouva les deux femmes pantelantes et se récria :

— Mais il fallait m'appeler !

Une servante héla Frederica du rez-de-chaussée.

— Laisse, je vais la monter seul, dit Franz-Eckart à Jeanne.

— Tu n'y parviendras pas, je vais t'aider.

Ils parvinrent ainsi au quatrième étage et, tandis qu'ils poussaient la caisse contre le mur, ils se retrouvèrent nez à nez, haletants.

Ils ne s'étaient jamais trouvés si proches. Ils plongèrent leurs regards l'un dans l'autre, surpris, puis troublés.

Franz-Eckart saisit le visage de Jeanne entre les mains. Il le tint à une miette de distance. Puis il l'approcha du sien et posa ses lèvres sur celles de Jeanne.

Ce fut la douceur du geste qui la conquit. Elle ferma les yeux. Puis elle lui rendit le baiser.

Cela faisait si longtemps qu'on ne l'avait embrassée ! Embrassée d'amour, non pas de gratitude. Il lui sembla avoir vingt ans. Leurs yeux parlèrent ; ils dirent :

— Est-ce vrai ?

— C'est vrai.

— Pourquoi ?

— Parce que c'est ainsi.

Puis la bouche de Jeanne dit :

— Que ferais-tu d'une vieille femme ?

— Tu n'es pas une vieille femme.

— À soixante-deux ans !

— N'a-t-on plus d'émotions à soixante-deux ans ?

— Ta leçon n'est pas achevée, dit-elle. Joseph t'attend. Et elle se dirigea vers la porte.

— Maîtresse, j'ai donné quinze deniers de pourboire au cocher, cria Frederica au bas de l'escalier.

Quinze deniers ! Autrefois, c'eût été jeter l'argent par les fenêtres, et trois deniers eussent comblé le cocher, bien qu'il n'y eût alors pas de malles-postes. Mais aujourd'hui, il vous eût jeté les trois deniers au visage.

— Vous avez bien fait. Je descends vous les rendre.

Elle trouva le cocher, un solide gaillard au teint fouetté par les vents des routes, assis dans la cuisine, et la deuxième domestique, Pulchérie, lui versant un verre de vin. Elle donna les quinze deniers à Frederica et ressortit, suivie par celle-ci. Quand elles furent parvenues dans la grande salle du bas, hors de portée de voix de la cuisine, les deux femmes échangèrent un regard entendu. Puis Frederica éclata de rire.

— Il faut bien un peu de galanterie dans la vie, maîtresse ! Cela fouette le sang ! Les maris s'endorment à la tâche.

Jeanne ne put s'empêcher de sourire.

— C'est la jeunesse, dit-elle.

— Oh, maîtresse, il n'y a point d'âge pour se fouetter le sang !

Les rires de Joseph retentirent dans l'escalier.

— Ce gamin n'est plus le même depuis que maître Franz s'occupe de lui, observa Frederica. Il est tout plein de vie !

C'était vrai.

— Chaque fois qu'il l'emmène en forêt, Joseph revient avec les yeux en feu. Il dit qu'il parle aux loups !

Elle eut un rire bref.

— Il paraît qu'il y a des gens qui le font. Mais je n'aurais pas plus tôt vu un loup que je serais morte de peur !

On sonna à la porte cochère, Frederica alla ouvrir. Jean et Françoise, suivis de leurs nourrices, déboulèrent en poussant des clameurs, comme tous les jours à la même heure ; ils venaient chercher Joseph pour jouer avec lui. Ils étaient évidemment à cent lieues de s'aviser que Françoise, trois ans, était leur tante ; le meneur de jeu était Joseph, qui organisait tantôt un colin-maillard et tantôt un chat perché dans la maison.

Sur les sept heures, rentrant de l'imprimerie, François, accompagné de Jacques-Adalbert, vint annoncer que Ferrando et Behaïm seraient à Strasbourg le lendemain. Chassé de Naples par les événements et la guerre civile, le géographe regagnait Nuremberg, dont la peste n'avait fait que frôler les murs. Il demanda à sa mère si elle voudrait bien organiser un repas pour tout ce monde.

Jeanne et Franz-Eckart soupèrent de truites à la poêle accompagnées de tranches de panais frites.

Il sortit de sa poche un instrument singulier, qui était une petite fourche à trois dents, au manche de buis. Ayant dégagé les filets de la truite en tenant le couteau de la main droite et la fourche de la gauche, il les piqua du bout de cet instrument étrange et les porta à sa bouche.

— Qu'est cela ? demanda Jeanne, surprise, essayant de glisser avec les doigts un filet de truite dans sa cuiller.

— Une fourchette.

Elle s'adossa ; elle n'avait vu pareil instrument qu'en bien plus grandes dimensions, celles de la fourche avec laquelle on retirait les rôtis du feu. Franz-Eckart s'en servait avec une dextérité surprenante.

— C'est un des petits cadeaux de la comtesse Gollheim, expliqua-t-il. Ma mère l'avait acheté à Nuremberg, mais la comtesse lui avait interdit de s'en servir.

— Et pourquoi donc ?

— Parce que notre Saint-Père le pape estimait que c'était un instrument sacrilège et qu'il faut porter la nourriture à la bouche avec les doigts. De plus, la fourchette n'existant pas au temps de Jésus, c'est un instrument dont aucun chrétien ne doit se servir[1].

---

1. L'escale de Christophe Colomb à Lisbonne, au retour de sa découverte des Antilles, et son entrevue avec le roi Jean II de Portugal, auquel il réserva la primeur de son récit, sont un point historique dont on débat encore. Jean II était le rival de Ferdinand d'Aragon, qui avait pourtant commandité l'expédition, et auquel revenait ce privilège. L'indiscrétion de Colomb demeure énigmatique, sinon suspecte, surtout au regard de la personnalité ambiguë du navigateur.

Ses yeux brillaient de malice. Jeanne éclata de rire.

— Le pape a donc excommunié une princesse véni-tienne qui prétendait manger la viande avec une fourchette, pour ne pas se salir les doigts. Veux-tu l'essayer ?

— Volontiers.

Il sortit une autre fourchette de sa poche, presque iden-tique.

— Il y en avait deux ?

— Non, j'ai fait confectionner celle-ci par un coutelier de la ville, à ton intention.

Elle essaya et, maîtrisant bientôt le maniement de la four-chette, s'en trouva enchantée.

— Mais c'est une merveille ! dit-elle. Imagine, manger sa viande sans avoir les doigts pleins de sauce !

Frederica entra à ce moment-là pour apporter un bol de salade et, voyant l'instrument dans les mains de sa maîtresse, tendit le cou et fronça les sourcils.

— Qu'est cela ? demanda-t-elle, médusée.

— Une fourchette de table, Frederica, répondit Jeanne. Voyez comment l'on s'en sert.

Elle piqua une tranche de panais frit pour lui montrer. Frederica s'émerveillait.

— C'est maître Franz qui aura apporté cette chose, j'en suis sûre ! s'écria-t-elle.

— C'est plus commode pour manger la choucroute, déclara Franz-Eckart.

Frederica fut secouée de rire.

Jeanne décida que, le lendemain, elle irait commander six fourchettes pour les soupers.

— Nous voilà tous excommuniés, dit Franz-Eckart en riant.

— On verra ce qu'en dit le père Stengel.

L'heure fatidique sonna.

Jeanne se retira, impassible. Elle disposa un bougeoir à son chevet et tira les courtines.

Elles furent tirées dans l'autre sens quelques minutes plus tard.

— N'as-tu pas assez dormi seule ? dit Franz-Eckart, un genou sur la couche.

Il était nu et fleurait l'esprit-de-vin au girofle. Elle regarda ce corps de vingt ans, lisse et dru. Sa crinière et sa toison presque noires lui faisaient la peau encore plus blanche.

— Tu n'y songes pas, marmonna-t-elle, tout à la fois alarmée et comblée.

Il avait déjà grimpé dans le lit et tiré la courtine. Il s'allongea et se tourna vers elle. Dans ce qui restait de lumière, elle lut de la gravité et du naturel.

Il lui posa sur un sein une main légère et conquérante. Puis il le baisa. Et le suça.

Elle ne savait pas feindre. Elle lui caressa les cheveux. Il releva la tête. Il l'enlaça et ils s'embrassèrent. Un soupir immense s'exhala de la bouche de Jeanne avant de se muer en un cri étouffé à la première caresse sur son sexe. Elle lui étreignit l'épaule.

Pour la première fois depuis longtemps, elle toucha un corps d'homme qui fût un amant. Elle se rappela les caresses de jadis, données et reçues. Comme si elle apprenait de nouveau à lire et à écrire.

Lire, c'était recevoir, et écrire, donner.

Comblée de lecture, elle écrivit donc.

Le monde se refit.

À la septième heure, ils se reposèrent. Elle se rappela une fois de plus Joachim, nu dans la lumière indigo d'un soir d'Angers. Elle comprit en un éclair la folie sensuelle de Sophie-Marguerite. Si le père était pareil au fils, elle avait dû sentir un alcool de feu se répandre dans ses veines ; elle avait dû cesser d'être elle-même pour devenir un fragment d'univers en fusion. Et elle comprit aussi ce que Aube avait éprouvé.

Une force infernale et céleste habitait Franz-Eckart.

Elle le serra contre lui en se demandant : « Pourquoi moi ? »

Il devinait à coup sûr ses pensées.

— J'ai besoin de donner, murmura-t-il. Et je n'en connais pas d'autre que toi qui ait autant besoin de moi.

C'était vrai.

Elle ne se sentait plus vieille.

— La femme aux loups, dit-il en se levant.

Elle réprima un sursaut. Elle ne lui avait rien dit de la mort de Denis. Comment le savait-il ?

— Pourquoi dis-tu cela ?

— Je t'ai vue en rêve avec des loups.

Peut-être ceux qui avaient assiégé la ferme, songea-t-elle pour se rassurer.

Il se pencha vers elle pour l'embrasser.

— Il y a donc des anges, dit-elle.

— Pas pour tout le monde, répondit-il avec un sourire malicieux.

La Fortune est vraiment une ribaude aveugle, se dit-elle en riant.

Matines sonnèrent. Elle se leva, enfila sa chemise de chambre, puis une robe d'intérieur et descendit faire chauffer du lait à la cuisine. Décembre s'était invité et Strasbourg était blanc et noir. Elle le trouva gai. Elle ne se souvenait pas d'avoir de longtemps abordé une nouvelle journée avec tant d'enchantement.

12

« Je n'ai pas besoin d'ailleurs, j'y suis. »

Behaïm, son épouse flamande et Ferrando se retrouvèrent une fois de plus à SanktJohanngass. Le cartographe et savant était heureux, affirma-t-il, de rentrer à Nuremberg après les horreurs auxquelles il avait assisté à Naples. Lui et sa femme avaient pu s'enfuir de justesse.

Il s'étonna de l'absence de Joseph de l'Estoille ; on lui apprit sa mort. Il exprima ses regrets ; lui et Joseph avaient été liés d'amitié. Mais il s'abstint de faire allusion à la véritable identité du disparu, qu'il avait connu sous le nom de Joseph Stern.

Le sujet de la route des Indes revint évidemment sur le tapis.

Jacques-Adalbert évoqua la découverte de terres inconnues par Cabot sur le *Mathew*. Il observa que ce n'étaient pas les mêmes que celles qu'avait trouvées Colomb, puisque le navigateur n'y avait pas rencontré d'Espagnols.

Behaïm hocha la tête et se leva pour aller chercher un étui qu'il avait posé dans un coin de la salle à son arrivée, et dont il ne se séparait jamais. Il en tira une carte qu'il déroula en la tenant au mur.

— Voici les terres qu'a découvertes Cabot. Je les ai dessinées trois ans avant son départ.

Son index indiqua la date à laquelle il avait dessiné la carte : 1492. Cabot était parti en 1495[1].

Tout le monde béa de stupéfaction.

— Mais comment connaissiez-vous ces terres ? demanda François.

— Je vous l'ai dit : je me suis servi de documents très anciens, dont une grande partie avait été tracée par des Chinois, et les autres par des navigateurs que je ne connais pas.

Behaïm enroula sa carte et la glissa dans son étui, puis il se rassit. Ferrando prit alors la parole :

— Vous nous avez dit, la dernière fois que nous vous avons vu, que la carte que Colomb nous avait donnée à graver et qu'il nous a reprise était très voisine de celle-ci. Comment se fait-il qu'il n'ait pas encore découvert le continent qui se trouve derrière l'île d'Hispañola et dont Cabot semble avoir découvert le nord ?

Behaïm pencha la tête, comme un marabout pensif, et répondit au bout d'un moment :

— Je vous l'ai dit : Colomb est un personnage calculateur et ambitieux. Il voulait se réserver le privilège de la découverte. Il n'a pas voulu m'entendre, et il m'a même dupé, comme il a dupé Toscanelli. Mal lui en a pris. S'il m'avait écouté, je lui aurais expliqué comment se servir de sa carte et il serait arrivé à destination beaucoup plus vite.

---

1. Le fait est certain et pourtant négligé de certains historiens de la découverte de l'Amérique : la carte tracée par Martin Behaïm en 1492 représente l'embouchure du Saint-Laurent où aborda John Cabot pour la première fois en 1495 et dont son fils Sebastian traça les contours en 1554. C'est la preuve évidente que Behaïm possédait des documents anciens d'origine encore inconnue.

— Comment ? demanda Jacques-Adalbert.

Behaïm saisit une pomme dans le compotier devant lui et s'absorba un moment à y graver un dessin à la pointe du couteau. Puis il quadrilla finement la surface de la pomme et cela fait, il la pela en prélevant sur le fruit une certaine épaisseur de peau et découpa celle-ci en quartiers qu'il étala sur la nappe.

— Comprenez-vous ?

Les convives examinèrent le résultat, devinant d'instinct ce que Behaïm voulait dire, sans pourtant trouver les mots nécessaires pour l'expliquer.

— Je comprends, dit Franz-Eckart. Si l'on veut reproduire sur une surface plane un dessin tracé à la surface d'une sphère, on est contraint de le déformer.

Behaïm pointa un index triomphateur vers le jeune homme et sourit, pour la première fois de la soirée.

— Exact !

— Il faut donc recourir à la trigonométrie sphérique, ajouta Franz-Eckart.

— Qui est ce jeune homme ? demanda Behaïm.

— Franz-Eckart de Beauvois, dit Jeanne, fière sans savoir pourquoi de la science du jeune homme.

— Il a tout compris ! Félicitations.

Franz-Eckart hocha la tête.

— Telle est, reprit Behaïm, la raison pour laquelle j'ai réalisé mon globe terrestre : c'était pour reproduire mes cartes en rapports réels. Pour lire une carte plane, il faut tenir compte de la déformation des distances. En certains endroits, elles correspondent à la réalité, en certains autres elles apparaissent beaucoup plus grandes. Si l'on se base sur ces dernières pour établir son itinéraire et mesurer les distances, on court le risque presque certain de se tromper. C'est ce qui est advenu à Colomb : son voyage aurait dû prendre à peine plus de trois semaines.

— Il ne sait donc pas lire une carte ? demanda Jeanne.

— Si. Mais il n'avait pas compris de quel type de carte il se servait. Je le lui aurais expliqué. Il en est à son troisième voyage et il n'a toujours pas mis pied sur le continent !

Il haussa les épaules.

— Mais le continent existe bien ? demanda Déodat.

— Il y a *deux* gros continents, corrigea Behaïm. Ils sont reliés par un isthme. Je l'ai montré sur ma mappemonde : celui-ci forme un vaste golfe où se trouvent les îles où Colomb a abordé.

— Sont-ce ou non les Indes ?

Behaïm secoua la tête.

— Non. Je sais que Colomb et Cabot s'imaginent qu'ils ont trouvé la route occidentale des Indes, mais ce ne sont pas les Indes où ils ont abordé. Ce sont des continents oubliés.

— Ils sont peuplés ?

— Il le semble.

— Et l'on peut y aller en trois semaines ?

— Cela dépend de votre point de départ.

— La carte que nous vous avons montrée suffirait-elle ?

— Si vous savez la déchiffrer. Elle m'a paru presque exacte. Pourquoi, vous voudriez y aller ? demanda Behaïm d'un ton sceptique.

Déodat écarta les bras, dans un geste d'extase qui signifiait : ô combien. Ferrando se mit à rire.

— Ne rêvez pas d'or, jeune homme, et si vous y allez, n'en faites pas rêver vos compagnons, conseilla Behaïm. La passion de l'or égare. On l'a vu avec Colomb. Les récits anciens parlent, il est vrai, de grandes richesses, mais si elles sont aussi grandes qu'on le dit, vous ne les maîtriserez pas, et la tempête des passions risque d'être aussi dangereuse que celle de l'océan. Ces découvertes ne doivent à mon avis intéresser que des monarques désireux d'étendre leurs empires.

Un silence suivit cet avertissement.

— Beaucoup de gens vont y aller, semble-t-il. Un Florentin qui se nomme Amerigo Vespucci a rencontré Colomb à Hispañola il y a deux mois. Je m'étonnerais qu'il n'ait fait le voyage que pour l'honneur de s'entretenir avec lui. Je soupçonne qu'il est habité par de bien plus grandes ambitions.

— Si nous y allions, viendriez-vous avec nous ? demanda Jacques-Adalbert.

L'épouse de Behaïm se récria.

— À nos âges !

Tout le monde se mit à rire.

— Remarquez, dit Behaïm, l'œil plissé, à son troisième voyage, Colomb a emmené avec lui trente femmes. Je serais curieux d'entendre leurs récits.

Il gloussa en claquant de la langue.

Le souper s'acheva. Deux serviteurs munis de flambeaux raccompagnèrent l'illustre cartographe à son auberge.

— Partirais-tu avec Jacques-Adalbert et Déodat ? demanda Jeanne, le soir, alors que Franz-Eckart se rafraîchissait l'haleine à l'eau vinaigrée.

— Je suis ancré ici, qu'irais-je voir ailleurs ? Des images ? Je n'ai même pas été en Italie, qu'on dit pourtant charmante.

— Et si j'y allais ?

— Trois semaines sans te laver, à pisser par-dessus bord !
s'écria-t-il en se glissant dans le lit. Et de la viande boucanée,
quand il y en a, et du pain rassis ! Grand merci ! Je ne cours
pas la fortune et les vraies aventures sont à la chandelle. Je
n'ai pas besoin d'ailleurs.

— Pourquoi ?

— J'y suis.

Le père Stengel considéra philosophiquement la fourchette, ne tint pas compte de l'interdiction papale et s'en
servit avec amusement pour piquer dans le chou farci que lui
servit Frederica.

— Les lunettes non plus n'existaient pas du temps de
Jésus-Christ, observa-t-il, et notre Saint-Père en porte cependant. Je trouve que cet objet que vous appelez fourchette
dispense de se laver les mains et de serrer celles de gens qui
ne l'ont pas fait.

Il avait besoin de vingt écus pour réparer la toiture de
l'église et cela le rendait indulgent.

Il scruta Franz-Eckart, qu'il avait déjà vu, mais auquel sa
qualité d'unique convive masculin conférait un relief particulier. Cela lui prêta un instant l'air d'un canard qui rencontre
une poule.

— Mon petit-fils Franz-Eckart est le précepteur de mon
autre petit-fils, expliqua Jeanne.

— *Similia similibus curantur*, dit Franz-Eckart.

Le religieux eut un rire bref.

— *Intelligenti pauca*, dit-il.

Il avait tout compris. Il eut ses vingt écus, la pluie et les
fientes de pigeons furent épargnées à ses fidèles pendant les

offices de Noël. Il ne reparla plus de la fourchette et ne posa jamais de questions à Jeanne sur le singulier jeune homme qui servait de précepteur au jeune Joseph.

La confession le renseignait assez. Celle de Jeanne, du moins.

13

Le bûcher de Belgrade

Strasbourg était la ville idéale pour oublier les affaires du royaume. On n'y changeait pas de gouvernement à chaque couronnement.

Et, en 1498, il y eut un nouveau sacre à Paris : celui de Louis le Douzième, dont les saintes huiles firent, le 8 avril, l'héritier de Charles le Huitième.

C'était le quatrième roi que Jeanne voyait monter sur le trône. L'événement avait perdu de son sel. Depuis quelque temps, elle ne s'intéressait plus que médiocrement aux péripéties du trône.

D'ailleurs, c'était toujours les mêmes, elle commençait à connaître la chanson : un Dauphin succédait à son père et comme ils s'étaient exécrés, le nouveau roi se vengeait sur les vivants. Puis il faisait la guerre à des seigneurs rebelles, leurs armées saccageaient les campagnes et les affrontements se terminaient par des traités véreux que les uns et les autres s'empressaient de dénoncer.

Strasbourg aussi avait son théâtre de rues, et Jeanne et Frederica s'étaient beaucoup amusées d'une pantomime à laquelle elles avaient assisté à l'automne 1497, sur la place de la cathédrale. On y voyait un barbon et un jouvenceau se disputer les faveurs d'une jolie donzelle couronnée. La donzelle était

161

vêtue de bleu, le barbon de jaune, couleur des cocus, et le jouvenceau, de vert, couleur des damoiseaux. Barbon et jouvenceau échangeaient des injures, puis des coups de bâton, la maréchaussée et le clergé s'en mêlaient et l'on finissait par maîtriser le jouvenceau et le mettre en cage. Sur quoi la mort survenait, assénait un coup mortel au barbon et libérait le jouvenceau, qui revêtait les habits du barbon, cependant que le clergé lui baisait l'arrière-train. Enfin, il prenait place auprès de la belle. Aussitôt fait, un autre jouvenceau apparaissait et l'affaire recommençait. Cela s'appelait *Les Cocus éternels*. On n'eût pu être plus clair.

Aussi Strasbourg était-elle une sorte de république. On y avait le verbe plus libre qu'à Paris, où le poète Pierre Grégoire, organisateur des mystères de rues, veillait à ce qu'on n'y brocardât pas le trône.

Comme quoi les adjudants de la culture ne datent pas d'hier.

Cet avènement-ci, toutefois, était un peu différent. Louis le Douzième n'était pas le fils de Charles le Huitième, mais un oncle et le fils d'un charmant poète, Charles d'Orléans, dont la renommée serait autrement plus durable que celle du nouveau monarque. Le roi Charles avait trépassé sans laisser d'héritier direct ; ses quatre enfants étaient morts en bas âge. Chapitre clos. Il fallait transmettre le sceptre au mâle le plus proche, fût-il moutard : c'était Louis, duc d'Orléans. La loi salique interdisait de transmettre le pouvoir à des femmes. Et sa deuxième fille, Jeanne, était malformée et stérile.

Descendant direct de Charles le Cinquième, l'héritier présomptif n'était même plus un jeune homme : il avait trente-six ans. Dernier représentant de la lignée d'Orléans, il se trouvait dans la ligne de mire du trône de France. Louis le

Onzième, père du roi défunt, avait déjà flairé le danger : s'il mourait lui-même sans héritier mâle, ce seraient les Orléans qui monteraient sur le trône.

Or, Louis avait des raisons de craindre cet appauvrissement de sa race : de ses quatre enfants, deux garçons, Charles-Orland et François, étaient morts en bas âge. Et la fille, Jeanne, dite évidemment Jeanne de France, était née bancroche et sexuellement difforme, mais néanmoins promise à la sainteté. Seul Charles se trouvait en état de régner. Et si, par malchance, son fils avait la liqueur aussi maigre que lui-même, ce seraient encore les Orléans qui gagneraient la partie. Pas question. Les Valois exécraient les Orléans, ne fût-ce que parce qu'ils existaient. Louis le Onzième contraignit Louis d'Orléans, son filleul, à épouser la bancroche, croyant ainsi verrouiller le tiroir aux polichinelles. Plus d'Orléans en lice.

Il convient de rappeler incidemment que les relations entre le roi et son futur gendre avaient mal commencé, depuis le tout début : le roi Louis avait tenu le bambin, futur duc d'Orléans, sur les fonts baptismaux. Ce faisant, il lui avait touché le pied, et le frôlement avait fait uriner le poupon dans la manche royale. Mauvais présage !

Car la pourpre ni l'hermine n'empêchaient les princes d'être aussi superstitieux que les dévotes se signant au cri d'une chouette.

Le mariage forcé de Louis d'Orléans et de Jeanne de France fut l'un des épisodes les plus répugnants des chroniques royales, pourtant riches en immondices : Louis d'Orléans n'avait pas deux ans et sa promise trois semaines que Louis XI avait conclu, en 1464 donc, un premier contrat de mariage. Craignant que celui-ci ne fût dénoncé avant sa mort, il le fit renouveler et se prépara à le faire acter en 1476. Le futur marié avait quatorze ans et la promise, douze. *Non licet.* Le roi demanda au pape la dispense nécessaire. On eût pu espérer que le pontife la refuserait avec scandale. Nenni, le très obligeant Sixte IV l'accorda avec empressement. Le 8 septembre, la vindicte royale fit marier au château de Montrichard un gamin de quatorze ans avec une fillette de douze, stérile, bossue et boiteuse. On traîna le garçon en larmes à l'autel ; il savait fort bien de quoi il retournait. Ni le roi ni la mère du marié, Marie de Clèves, n'assistèrent à l'affreuse mascarade.

Aussi, la première fois qu'elle avait vu la promise, Marie de Clèves s'était évanouie d'horreur ! De plus, on l'avait menacée d'occire son fils si elle refusait ce mariage concocté en Enfer avec la bénédiction papale.

Miséricordieusement, le gamin n'éprouva guère d'appétence, et il n'y eut pas de nuit de noces. Chacun des nouveaux époux s'en alla de son côté. Les plus libertins se refusaient à imaginer que deux enfants fussent condamnés à commencer leurs vies amoureuses dans des circonstances aussi ignobles.

Sauf Louis le Onzième : il insista à plusieurs reprises pour que des rencontres eussent lieu entre les deux mariés. On ne sait quels fantasmes libidineux infestaient la cervelle du Valois ; il espérait contre toute évidence que le mariage fût consommé. Pour peu, il fût allé débraguetter lui-même le jeune duc d'Orléans et agiter le membre ducal pour l'introduire où il fallait. Des rencontres se firent, mais elles ne suscitèrent jamais une once d'intimité. Louis d'Orléans, futur Louis le Douzième, exécrait sa femme.

De plus, Louis fit courir des rumeurs malgracieuses sur le garçon. Son père avait à sa naissance soixante et onze ans.

Voyons, voyons, le vieux duc était-il donc si vert que cela ? Ergo, le vrai père, était un palefrenier. On n'exaltera jamais assez le rôle des palefreniers dans les légendes royales.

Les banquiers comptaient alors parmi les gens les mieux informés de leur temps, ce qui, d'ailleurs, ne durerait pas. Force leur était de se tenir au fait des tenants et aboutissants, comme on dit. Joseph de l'Estoille avait donc, au fil des mois, informé Jeanne de cette chronique d'horreurs. Après sa mort, ce fut Déodat qui fit office de gazettier, puisqu'il avait pris la succession de son parâtre. Jeanne se félicita d'être à Strasbourg ; non que ce fût une bergerie d'anges et de saints, mais enfin, il était réconfortant d'être à distance de ces vilenies. Elle en avait eu sa part.

Imprimeur, François de Beauvois se tenait lui aussi au fait des frasques royales. Il vendait beaucoup, en effet, un roman anonyme intitulé *Jehan de Paris*, qui racontait le mariage d'Anne de Bretagne avec feu Charles le Huitième. Mariage qui se renouvellerait d'ailleurs dans des circonstances pittoresques.

Le premier venu eût conçu qu'un jeune homme aussi maltraité que l'avait été le jeune Louis ne portât guère de tendresse aux Valois. Le fait est que, dès qu'il le put, il entreprit de se venger. Son tortionnaire Louis le Onzième ne s'était pas encore décomposé dans son tombeau de Saint-Denis que le jeune duc d'Orléans monta, avec le secours du duc de Bretagne, François II, une cabale pour libérer le futur roi de France, Charles le Huitième, de la tyrannie de sa sœur aînée, Anne de Beaujeu. Celle-ci exerçait, en effet, une tutelle légitime sur le futur roi, encore mineur. Mais l'Orléans n'avait pas tort : Anne de Beaujeu le détestait, allez savoir pourquoi.

D'un point de vue familial, l'affaire était déjà compliquée, puisque, déjà oncle officiel du roi, Louis d'Orléans était devenu de surcroît son beau-frère, son épouse officielle n'étant autre que la propre sœur de Charles. Ironie supplémentaire de la Ribaude aveugle, dame Fortune, Louis d'Orléans était en fait le cousin au premier degré de son tortionnaire, puisque Charles le Septième, fils probable des amours tapageuses autant qu'illicites de la ribaude royale Isabeau de Bavière et de Louis d'Orléans, était en vérité un bâtard d'Orléans et le demi-frère de sang de Charles d'Orléans !

Mais la situation s'envenima et ces carabistouilles dynastiques commencèrent d'intéresser le commun autant que le reste de l'Europe. En effet, François de Bretagne, allié de Louis et mécontent des prétentions du roi Charles sur le duché de Bretagne, requit et obtint l'alliance de l'empereur Maximilien ; celui-ci n'avait rien à voir dans l'affaire, mais il déclara néanmoins la guerre à la France : illustration classique de la querelle de famille où l'on demande au loufiat du coin d'intervenir et où celui-ci décide de flanquer une raclée à tout le monde et d'incendier la maison pour faire bonne mesure. Dans leurs algarades, les coquillards des Halles ne se comportaient pas autrement.

Pour faire face à la menace, Charles le Huitième dut lever des troupes. Les soldats coûtant cher, il lui fallut aussi augmenter les impôts. Les commerçants répercutèrent la hausse des taxes sur les denrées. Le peuple se plaignit. C'est ainsi que les querelles des princes finissent toujours par empoisonner la soupe des manants.

On imagine les sentiments du peuple à l'égard de ces péripéties dont il finissait immanquablement par faire les frais.

Quand le roi-linotte se fracassa le crâne contre un linteau du château d'Amboise, le peuple n'en conçut pas, on le devine, un chagrin excessif.

Et quand son successeur monta sur le trône, le peuple n'en éprouva pas non plus une joie démesurée. Tout ce que ces potentats savaient faire était de sacrifier de jeunes hommes, d'augmenter les impôts et de saccager des fermes.

Un soir, Jeanne s'en entretint avec Franz-Eckart. Les rois étaient-ils donc maudits ? Ou bien se recrutaient-ils parmi les déficients ? demanda-t-elle.

Il rit.

— D'une certaine manière, un roi est toujours maudit, répondit-il. Pour commencer, il est souvent le produit d'un sang appauvri. Car ces princes se marient le plus souvent entre eux, pour des raisons politiques. L'idée ne leur viendrait guère d'épouser une paysanne ou une bourgeoise, qui leur assurerait pourtant une descendance plus vigoureuse. C'est pourquoi leurs enfants meurent si tôt. La liqueur qui les produit n'est plus qu'une lavasse.

L'image fit glousser Jeanne. Le personnage maigriot de Charles le Septième, le seul roi qu'elle eût approché, lui revint à l'esprit. Il avait été engendré par le vieux duc Louis d'Orléans, quand celui-ci n'était plus qu'une guenille délabrée par les excès. Elle se dit, non sans satisfaction, que la vigueur de ses enfants n'était certes pas étrangère à sa santé de paysanne normande.

— Quand il est jeune et Dauphin, reprit Franz-Eckart, son père lorgne toujours de son côté avec méfiance : car le garçon lui apparaît toujours comme un futur rival et, pensée insupportable, celui qui lui succédera sur le trône. Aussi, il le persécute et tente d'en faire un esclave et un chapon. Il lui donne prématurément la plus détestable leçon de choses au monde : c'est que seule compte la raison du plus fort. Les courtisans déchus de la faveur royale cultivent celle du roi prochain et lui chuchotent que lorsqu'il sera couronné, c'est à lui que reviendra la force. Leurs bassesses attisent le ressentiment du père, de même qu'elles donnent au fils l'habitude de la flatterie et l'entretiennent dans l'illusion qu'il est le meilleur et qu'il saurait gouverner bien mieux que son père. L'intrigue est inévitable : le fils complote bientôt pour arracher la couronne à son père. L'inimitié se change en haine. Le trône devient ainsi l'école du parricide.

Jeanne songea alors aux complots du Dauphin contre Charles le Septième, dans lesquels son frère Denis s'était laissé entraîner.

— Mais comment se fait-il qu'une fois montés sur le trône, ces princes commettent tant d'erreurs ? demanda-t-elle. Pense donc à cette absurde volonté de conquête du royaume de Naples, du roi qui vient de mourir…

— Représente-toi, Jeanne, le caractère d'un garçon qui a passé son enfance et sa jeunesse dans la haine et la peur, aspirant chaque heure à voir mourir un père exécré : il n'a connu ni l'amitié ni l'amour ; il n'a jamais joué à la balle, ni couru dans les bois. Il sait que tout ce qu'il obtiendra dans l'existence sera acheté. Car on ne donne jamais rien à un roi, on lui vend tout. Il a vécu seul, dans la volonté de puissance et sans jamais donner sa confiance à personne. Une fois sur le trône, il est pénétré du sentiment qu'il est le maître tout-puissant, non seulement de son royaume mais aussi du monde. Aucune voix ne parvient plus à son cœur. Il est sourd et souvent aveugle. Il a besoin de toujours plus de conquêtes pour assouvir sa soif.

— C'est donc un dément.

Franz-Eckart hocha la tête.

— Et un prisonnier en cage. Je ne souhaite à personne d'être fils de roi.

Son regard s'assombrit. Il sembla même à Jeanne qu'il se mouillait. Elle fut d'autant plus surprise que le ton de la dernière phrase de Franz-Eckart s'était teinté d'une note singulièrement sinistre. On eût cru qu'il parlait de lui-même. Elle le lui dit.

Il ne répondit pas, toujours absorbé dans des pensées décidément sans gaîté.

— Mon père est un fils de roi. Un presque roi. Un héros.

Un long silence s'abattit dans la salle, comme un voile de brume.

— Il y avait en Hongrie, voici près d'un demi-siècle, un héros national, Janós Hunyadi[1]. C'était un Vlaque de Transylvanie. Il était grand et beau. Il s'était magnifiquement battu contre les Ottomans et les avait chassés de Semendria. Pour le remercier, le roi Albert II l'avait nommé *ban*, c'est-à-dire seigneur, de la province de Szöreny. Honneur redoutable : cette province était le point le plus exposé du pays aux attaques des Ottomans. Il les a tenus en respect. Je te l'ai dit, pour les Magyars, Hunyadi était un héros.

Il versa du vin à Jeanne, s'en servit un verre et but une rasade.

— Quand le roi Albert est mort, les provinces ont élu son fils, Ladislas le Cinquième, comme successeur. Ladislas était trop jeune, il n'avait que cinq ans, il lui fallait un tuteur. Les provinces ont désigné Janós Hunyadi comme régent. Il s'était alors fait beaucoup de jaloux et d'ennemis. Et particulièrement le mercenaire tchèque Jan Jiskra. Le pays était divisé en deux clans, celui des partisans de Hunyadi, passionnément attachés, comme lui, à l'indépendance du pays, et ceux du

---

1. Le personnage de Janós Hunyadi est historique.

jeune roi Ladislas, qui avait été élevé à Vienne et qui serait facilement devenu un vassal de Frédéric de Habsbourg. Seule l'autorité de Hunyadi maintenait l'ordre dans le pays et son indépendance.

Jeanne écoutait, surprise par la connaissance qu'avait Franz-Eckart de l'histoire de ce pays, qu'elle ne connaissait que de nom, et par la gravité avec laquelle s'exprimait le jeune homme.

— Hunyadi a vaincu les Ottomans une fois de plus, à Belgrade, et puis il est mort. En 1456. Ses ennemis avaient une peur affreuse de sa descendance. Ils se sont empressés d'assassiner son fils, qui s'appelait aussi Ladislas. Au cours de ses campagnes, Hunyadi avait rencontré une très belle femme, Mara. Certains disaient qu'elle était magicienne, d'autres qu'elle était sorcière. Mara avait sauvé d'une mort certaine un des meilleurs lieutenants de Hunyadi. Il avait une terrible blessure au ventre. Elle l'a quasiment ressuscité. On dit qu'elle donnait aux aigles et aux éperviers l'ordre d'attaquer les ennemis. Ils fondaient sur eux du haut du ciel et semaient le désordre dans leurs rangs. Hunyadi est tombé amoureux d'elle. Il lui a fait un enfant. C'était Joachim. Mon père.

Il s'interrompit et se resservit du vin. Il semblait éprouver de la peine à poursuivre son récit.

— Quand Hunyadi est mort et que ses ennemis ont assassiné son fils Ladislas, quelqu'un a révélé que Hunyadi avait un autre fils, près de Belgrade. Ils sont allés s'emparer de la mère et de l'enfant. Ils ont horriblement torturé Mara. Ils l'ont accusée d'être une sorcière païenne, à la solde des Ottomans. Ils lui ont tranché les seins sous les yeux de l'enfant, ils lui ont crevé les yeux et, en fin de compte, ils l'ont brûlée sur un bûcher. Joachim avait cinq ans. Il hurlait. Ils lui ont coupé la langue. Ils se préparaient à le brûler vif lui aussi, quand les éperviers ont fondu sur ses tortionnaires. Ils leur ont crevé les yeux. Joachim a pu s'enfuir.

Jeanne frissonna et poussa un cri étranglé.

Elle se rappela son propre procès en sorcellerie et l'accusation portée contre elle de voler dans les airs à cheval sur un balai et de commander aux loups.

— Il a couru pendant des jours et des nuits. Un jour, un voyageur l'a aperçu, tapi dans un fossé, comme une bête sauvage, ensanglanté, affamé. Il l'a recueilli et l'a soigné comme un fils. C'était un Français, qui allait faire des portraits à la cour de Bohême.

— Mestral, dit Jeanne.

Franz-Eckart hocha la tête.

— Joachim a hérité les pouvoirs de Mara. Et moi de lui, peut-être.

— Comment as-tu appris cette affreuse histoire ? demanda Jeanne, bouleversée, après avoir vidé son verre de vin.

Il le remplit.

— Des voyageurs avaient entendu parler de tout cela. Hunyadi avait un autre fils, Matthias. Celui-ci avait échappé au massacre, parce qu'il était loin de Budapest, à Szöreny. Les partisans de Hunyadi ont fini par l'enlever avant de l'élire roi. Jusqu'à sa mort, Matthias a cherché Joachim partout, sans jamais le trouver.

— Que voulait-il ?

— Je l'ignore. Peut-être se faire pardonner. Peut-être connaissait-il la malédiction de Mara et en avait-il peur. L'esprit de Mara m'est apparu une nuit à Gollheim. Il m'a donné à voir cette scène atroce du martyre. Je me suis demandé quel pouvait être le lien entre cette scène et moi-même. Puis un voyageur qui passait par Gollheim a demandé à Dieter Librator s'il n'avait pas rencontré un jeune homme à la langue coupée, nommé Joachim, parce que le roi Matthias offrait une forte récompense à qui le retrouverait. J'ai alors compris.

— Mais te voilà donc parent du roi de France ! s'écria Jeanne.

En août de cette année-là, en effet, et dans ses efforts diplomatiques préliminaires à la conquête du Milanais, Louis le Douzième avait conclu un traité d'alliance avec le roi Matthias de Hongrie et lui avait promis une de ses nièces en mariage.

— Et alors ? rétorqua Franz-Eckart en haussant les épaules. Tu sais ce que je pense des rois ! Et du pouvoir.

Jeanne demeura pensive un moment.

— Est-ce l'esprit de Mara que la pauvre Aube aurait vu la nuit en se rendant chez toi ?

— Je l'ignore. C'est possible. Mais il y avait tant d'esprits qui venaient…

Une bûche s'écroula dans la cheminée et Jeanne sursauta. Franz-Eckart alla rebâtir le feu et ajouta une bûche.

— Tu es donc le petit-fils de Hunyadi et le neveu de Matthias, dit Jeanne.

Il hocha la tête.

— Et Joseph s'appelle donc Joseph Hunyadi.

— Je ne le lui dirai jamais. Son avenir est ailleurs.

Jeanne songea que la Grande Tapisserie était vraiment imprévisible. Elle considéra ce jeune homme pareil à un jonc noir, qui savait tant de choses. Bien plus de choses que la plupart de ses contemporains !

— C'est pour toutes ces affreuses raisons que tu méprises la royauté.

Il sourit.

— Pas seulement la royauté française. Toutes les autres. Il y a plus d'humanité chez un renard que chez les gens de pouvoir. Régner est un poison. Allons nous coucher.

Dans l'escalier, elle lui dit qu'elle-même avait comparu dans un procès en sorcellerie, parce qu'on l'accusait de commander aux loups, lesquels avaient dévoré son frère Denis.

— C'était donc cela que j'avais vu, murmura-t-il.

Cette nuit-là, ce fut lui qui chercha le réconfort dans les bras de Jeanne. Elle commença à deviner le lien qui les attachait : c'était la solidarité profonde de deux êtres devant le destin. Au-delà du désir physique et même de leurs identités et de leurs âges, ils étaient unis par un fluide qui fondait leurs corps en esprits et cependant prêtait à ces derniers une consistance charnelle. Le plomb se changeait en or et l'or en plomb dans un va-et-vient constant.

Elle n'en finissait pas d'explorer l'étrangeté du sentiment qui l'unissait à Franz-Eckart.

Les esprits le prenaient-ils aussi dans leurs bras ?

14

Les loups et les étoiles

Jeanne s'avisa qu'elle voyait désormais le monde avec les yeux de Franz-Eckart. Et elle le trouva absurde.

La plus grande partie de l'Europe se déchirait en querelles sanglantes alors qu'un monde nouveau, qu'on appelait de plus en plus souvent le Nouveau Monde, se levait à l'horizon.

Des chouettes continuaient de se battre avec des rats sans s'apercevoir que le soleil s'était levé.

— Le Nouveau Monde changera l'Ancien, lui dit un jour Franz-Eckart.

Elle avait appris à le croire.

— Mais notre roi s'en moque comme d'une chantournelle. Nul besoin de consulter les astres pour savoir ce qu'il va faire, lui déclara Franz-Eckart d'un ton ironique. Il commencera par faire annuler son mariage et puis il reprendra les tentatives de conquête de l'Italie de son prédécesseur détesté.

Ainsi fut fait, car l'une des perfidies de la Ribaude aveugle est qu'elle se laisse parfois prévoir : vingt-trois jours après son accession au trône, Louis le Douzième dépêcha une ambassade à Alexandre Borgia, chef de la foi chrétienne, pour lui demander l'annulation d'un mariage qui n'avait jamais été consommé. Louis VII, Philippe Auguste, Charles IV avaient déjà entrepris pareilles démarches, sans succès. Mais le Borgia était plus conciliant que ses prédécesseurs, c'est-à-dire plus cupide ; il se fit payer : il requit pour son fils César la main de la fille de Frédéric de Naples, la princesse de Tarente, élevée à la cour de France. Puis, pour loger ces pauvres âmes errantes, le comté de Die ou le comté de Valence, avec une provision particulière : c'est que la province consentie serait élevée au rang de duché. De plus, César recevrait une compagnie pour sa garde personnelle et une pension mensuelle de quatre mille écus. Et si le roi conquérait le Milanais, comme chacun savait qu'il en avait l'intention, la compagnie serait portée à trois cents lances.

Le qualificatif de simoniaque eût été trop doux : ce pape était un marchand de tapis.

Oui, oui, dit le roi, songeant que la vérole, le poison ou la dague nocturne auraient raison de César avant longtemps. Mais il se trompait : César en avait encore pour huit ans de vie.

La mascarade du jugement en annulation de mariage se tint à Tours ; elle fut bien plus longue et bien plus pénible encore que celle du mariage : quatre mois de déballages infâmes, de pressions et de compromissions. De surcroît, elle fut interrompue par une menace de peste. La France entière fut informée du menu détail, y compris les refus de Jeanne de France de se soumettre à un examen médical, ordonné par la Cour de justice.

Déchue de sa dignité de reine de France, qu'elle n'avait détenue qu'un peu plus de quatre mois, Jeanne, redevenue simple duchesse de Berry, entra au couvent[1].

---

1. Elle y fonda l'ordre de l'Annonciade, fut déclarée bienheureuse après sa mort et, canonisée au XXᵉ siècle, devint la vingtième des Jeanne saintes ou bienheureuses.

César obtint ses trois cents lances ainsi qu'un duché, le comté de Valence devenu Valentinois, mais la main qu'il reçut fut celle de Catherine d'Albret, sœur du roi de Navarre.

Le 8 janvier 1499, Louis le Douzième épousa la veuve de son prédécesseur, Anne de Bretagne. L'argument qui avait prévalu dans le procès de divorce de Jeanne de France, à savoir le fait qu'elle et son royal époux étaient parents au quatrième degré, ce qui selon le droit canon interdisait le mariage, fut opportunément oublié. Il était évident pour tous que le principal, sinon l'unique objet du mariage était la volonté royale de conserver la Bretagne dans le royaume de France. D'ailleurs, le roi précédent avait tout prévu : s'il mourait avant son épouse, celle-ci serait tenue d'épouser son successeur. C'était ainsi : les héritières se devaient de sacrifier leur corps aux intérêts de la couronne.

— Ces gens-là, ça n'a point le droit d'avoir du cœur, observa Ythier, venu remettre à Jeanne ses revenus de l'année.

En fin de compte, elle avait plus de chance que la reine de France. Comme le disait encore le commerçant :

— Cette reine, comme toutes les princesses, c'est comme une vache à laquelle on amène le taureau.

Jeanne songea qu'elle avait tôt pressenti l'horreur d'appartenir aux cercles royaux et que Franz-Eckart avait bien de la sagesse à cantonner ses ambitions aux conversations animales.

François vendit un autre millier d'exemplaires de *Jehan de Paris*. Les bourgeois sont toujours curieux des affaires de princes.

Quelques mois après son installation à la SanktJohanngass, en 1497, Franz-Eckart était devenu le maître de jeux et le précepteur non seulement de Joseph de l'Estoille, mais également de Françoise et de Jean de Beauvois. D'abord, les trois enfants étaient inséparables, ensuite Joseph ne pouvait se passer de Franz-Eckart, enfin la fille de François et le fils de Jacques-Adalbert s'étaient entichés du jeune homme.

Il les emmenait souvent en forêt, leur faisant selon la saison cueillir des framboises ou des champignons, nommant les plantes et leur apprenant à les reconnaître par la forme des feuilles, par les fleurs et en les frottant dans les mains pour en humer l'odeur, organisant des jeux d'adresse l'été et des batailles de boules de neige l'hiver.

Il conduisait le matin le petit Joseph à l'étuve et le débarbouillait pour la journée, le frictionnant, lui apprenant à se tailler les ongles et lui coupant même les cheveux. Le garçonnet en fut tellement ravi qu'il en parla à ceux qu'il appelait ses cousins. Il ne fallut guère longtemps avant que Franz-Eckart devînt également maître d'étuve : il donnait désormais aux deux autres les mêmes leçons d'hygiène et leur apprenait à se laver tous les orifices.

Du même coup, d'ailleurs, les enfants donnaient des leçons aux parents. Ayant vite découvert l'existence de l'étuve, Odile y descendait quasiment tous les matins avec Jeanne, hantée par la menace des poux et des morpions ; elle se peignait interminablement la toison et les cheveux avec un peigne de son pays, dont elle ne s'était jamais séparée, une plaque d'os aux dents si fines qu'elles laissaient à peine passer un cheveu à la fois. Comme quoi les Mauresques étaient des gens civilisés. Pour Simonetta, c'était une autre affaire : elle estimait qu'un bain par mois était bien assez. Mais elle ne pouvait faire moins que son fils et finit par se soumettre au rite des ablutions.

François, qui partageait l'étuve avec Franz-Eckart et les enfants, car il y avait une heure pour les femmes et une autre pour les hommes, en était stupéfait : au même âge que son fils, Jacques-Adalbert était resté passablement négligent, sinon malpropre, jusqu'au jour où son père, excédé par sa saleté, avait dû faire preuve d'autorité et traîner le gamin à l'étuve, qui était celle de l'hôtel Dumoncelin à Paris. Les enfants répugnent naturellement aux soins de toilette, qui sont pour eux une corvée inutile ; mais là, ils se frictionnaient, se savonnaient et se peignaient comme s'il s'était agi d'un jeu.

Et quand Franz-Eckart donna ses premiers cours de lecture et d'écriture à Joseph, les deux autres, privés de leur compagnon, voulurent assister eux aussi aux leçons. Et la rivalité aidant, ils apprirent à lire et à écrire bien plus vite qu'ils l'eussent jamais fait à l'école.

Le père Stengel, qui avait eu vent de leurs progrès, vint assister à l'une des leçons.

— Ce garçon est fait pour être maître d'école, déclara-t-il ensuite à Jeanne. L'autorité qu'il exerce sur les enfants est incompréhensible. On croirait qu'il les a enchantés.

Et il obtint qu'un quatrième enfant, un orphelin à sa cure, nommé Josselin, assistât lui aussi à ces leçons, lesquelles d'ailleurs étaient devenues des classes.

Les parents, toutefois, furent empêchés d'y assister : leur présence troublait les élèves, ce qui était naturel, puisque leur autorité contrariait celle de Franz-Eckart.

— Mon Dieu, s'écria un soir Simonetta en riant, il semble que nous n'ayons rien eu d'autre à faire qu'engendrer ces enfants et les mettre au monde. Franz-Eckart est leur père, leur mère et leur professeur tout à la fois. S'il ne tenait qu'à mon fils, il dormirait même à SanktJohanngass !

L'astrologue de Gollheim se révélait en fait un éducateur-né.

Un soir, à souper, car Joseph soupait désormais avec Jeanne et Franz-Eckart, le jeune homme admonesta le garçonnet. C'était la première fois que Jeanne lui voyait prendre un ton sévère avec son fils ; elle comprit que lors d'une promenade en forêt, l'après-midi, Joseph n'avait cessé de crier qu'il voulait parler aux loups.

— Écoute, dit Franz-Eckart, les loups, c'est notre secret à nous deux. Il ne faut pas en parler aux autres. As-tu compris ?

Le gamin hocha la tête.

— Pourquoi ? demanda-t-il, les sourcils relevés au-dessus de ses yeux noirs.

— Parce qu'ils ne sauraient pas et qu'ils pourraient effrayer les loups. Ceux-ci les mordraient ou les mangeraient.

Joseph se tourna vers Jeanne, interrogateur ; approuvait-elle ? Elle devina les raisons de Franz-Eckart et les approuva ; Odile, déjà, s'était alarmée de certaines histoires de loups que les enfants racontaient de façon incohérente ; il convenait de ne pas ébruiter les pouvoirs qu'avait Franz-Eckart sur les animaux. Son propre procès en sorcellerie avait instruit Jeanne de l'efficacité venimeuse des ragots.

— Non, Joseph, déclara-t-elle avec autorité. Ne parle plus jamais des loups si tu nous aimes.

Il se jeta dans ses bras. Non, promit-il, il n'en parlerait pas.

Jeanne comprit aussi que Franz-Eckart réservait à son fils le privilège des conversations avec les loups.

Un rêve qui s'obstine est comme une maladie : il ôterait presque le goût de la réalité.

À l'été 1499, Ferrando revint avec des nouvelles qui chauffèrent le sang de Jacques-Adalbert et de Déodat. Devant la famille réunie au souper pour la circonstance, à SanktJohanngass, il annonça que les Rois Catholiques s'étaient finalement laissé convaincre de l'existence d'un véritable continent au-delà des îles où Colomb s'enlisait ; ils projetaient de charger deux frères originaires des Açores, Gaspar et Miguel Corte Real, de découvrir et gouverner toutes les îles et terres des hautes latitudes. Et des amis, banquiers génois, pouvaient persuader les frères Corte Real d'embarquer deux ou trois hommes de plus, à la condition que ceux-ci participassent aux frais de l'expédition.

Des cris d'enthousiasme jaillirent.

— Combien ? demanda Jacques-Adalbert.

— Je pense que trois cents écus par personne représentent la somme qu'ils ont en tête, répondit Ferrando. Cela leur ferait un millier d'écus en plus de la somme consentie par les Rois Catholiques, qui ne me semble pas excessive.

— J'y vais ! s'écria Jacques-Adalbert.

— Comment résister ? demanda Déodat, moins emphatique.

— As-tu rencontré ces Corte Real ? s'enquit Jacques-Adalbert.

— Oui. J'ai trouvé deux gaillards de bon sens, qui semblent avoir examiné beaucoup de cartes et écouté beaucoup de gens. Ils ont entendu parler de Behaïm. Ils sont de son avis et pensent que les îles qu'a découvertes Colomb n'appartiennent pas aux Indes, mais sont riveraines d'un continent inconnu.

— Qu'est-ce qui les anime, selon toi ? demanda Franz-Eckart.

Ferrando sourit à moitié, et haussa les épaules.

— Je ne sais pas vraiment. Ce n'est pas la soif de l'or, ni l'ambition de découvrir un chemin plus court vers la route des épices. Ils sont certains de trouver quelque chose, même s'ils ne savent pas quoi.

— Ah, voilà enfin des gens raisonnables ! s'écria Franz-Eckart.

Tout le monde rit, à l'exception de Jeanne : elle venait de surprendre le regard que la Mauresque Odile attardait sur les deux frères, Jacques-Adalbert et Franz-Eckart, côte à côte. Le premier avec ses traits doux, son teint coloré, ses yeux bleus, sa chevelure châtain et fine, son nez droit aux ailes délicates, et le second avec sa crinière noire, ses traits forts, ses yeux noirs et sa pâleur d'albâtre. On n'eût pu rêver plus dissemblables : le mélange du sang normand et berrichon d'une part et le Vlaque de Transylvanie de l'autre. Son cœur battit ; elle devina les pensées de sa bru et plus encore quand le regard d'Odile dériva successivement sur Joseph, qui commençait à ressembler à son vrai père de façon éclatante, sur Jean, blond comme les blés et sur sa fille Françoise, naturellement hâlée avec des yeux de miel. Les yeux des deux femmes se croisèrent. Jeanne crut percevoir comme un sourire dans l'expression de l'autre. Cela n'avait duré que trois instants, mais ce fut assez pour agiter Jeanne de l'Estoille, déjà troublée par le sujet de la conversation. Mais elle se dit qu'elle saurait faire tenir sa langue à Odile.

— Quand partent-ils ? demanda François.

— Au printemps prochain.

Le silence se fit ; même les trois enfants l'observaient, sans pourtant comprendre un mot de la conversation, mais devinant l'importance du débat au ton des adultes.

— Sais-tu de quelle carte ils se serviront ? demanda Franz-Eckart.

— Oui, d'une carte qui ressemble beaucoup à celle de Jacques-Adalbert. Mais elle date d'un siècle.

— Un siècle !

— Elle a été établie par deux frères vénitiens, les Zeno et elle montre certaines des terres découvertes par Cabot, dont le continent du nord évoqué et dessiné par Behaïm. Les frères Corte Real savent qu'il existe beaucoup de cartes différentes. Ils sont réalistes : ils les estiment toutes plus ou moins fausses. Ils ont déclaré avec franchise à mes amis génois qu'il serait dangereux de trop se fier à des documents réalisés dans des conditions précaires. Pour eux, ces cartes ne peuvent constituer que des indications.

Franz-Eckart hocha plusieurs fois la tête.

— Cela rappelle les observations de Behaïm, observa François, sur les erreurs commises par Colomb dans l'interprétation de ses cartes.

— Après ce que j'ai entendu de sa bouche, en effet, je trouve que nos Portugais sont des gens de bon sens.

— C'est bien beau de savoir qu'on se lance à l'aventure, remarqua Déodat. Mais enfin, ces Portugais doivent bien avoir un mode d'orientation, à part cette carte séculaire ?

— Oui, répondit Ferrando. Ils se fondent sur deux principes. Le premier est qu'il est possible de naviguer en s'orientant sur les constellations et le second, que ce sont des températures à peu près égales qui règnent sur toutes les latitudes. Ainsi, les gens qui ont accompagné Colomb ont rapporté que les températures qui règnent dans les îles de l'ouest sont à peu près égales à celles que décrivent les navigateurs portugais pour l'Afrique occidentale. Ils pensent donc qu'en se dirigeant vers le nord-ouest, ils devraient atteindre des terres où le climat serait à peu près semblable à celui de la France et de l'Angleterre.

— On peut, en effet, naviguer en s'orientant sur les constellations, observa Franz-Eckart. Mais l'ennui est qu'elles sont souvent cachées par les nuages.

— C'est bien ce que j'ai fait remarquer, dit Ferrando. Miguel Corte Real m'a répondu que, entre les orientations sur le soleil, obtenues de jour par le sextant, et les orientations sur les constellations, recueillies de nuit, on pouvait, grâce à la boussole, suivre un parcours à peu près rectiligne.

Franz-Eckart réfléchit et hocha la tête.

— Oui, convint-il à la fin, c'est possible. Et combien de temps durerait le voyage, selon eux ?

— Le voyage proprement dit, vers le nord-ouest, durerait quatre semaines, selon les vents. Mais ils ignorent combien de temps ils consacreraient à l'exploration des terres.

— C'est-à-dire trois mois au moins, calcula Franz-Eckart.

Jeanne grignota une prune confite. Odile semblait rêver. Simonetta paraissait anxieuse. Les enfants somnolaient. Jeanne appela Frederica pour emmener Joseph se coucher.

— Non, je veux que Franz me mette au lit ! protesta Joseph.

Franz-Eckart prit l'enfant dans ses bras et le monta à l'étage, sous le regard pensif de François et sous celui envieux de sa fille Françoise.

— Tu peux t'engager pour moi sur trois cents écus, dit Jacques-Adalbert. Si mon père y consent.

— Si je n'y consentais pas, dit François, tu me le reprocherais le reste de ta vie.

Déodat n'osait se déclarer. Il regarda sa mère.

— Tu as envie de partir, dit-elle. Je préfère que ce soit dans la compagnie de Jacques-Adalbert. À deux, vous vous défendrez l'un l'autre si besoin en est.

Il se leva et se jeta au cou de sa mère.

— Cela fait donc trois avec moi, conclut Ferrando. Il tourna le visage vers François, qui fit non du doigt.

— Je ne peux abandonner l'imprimerie.

Franz-Eckart redescendit prendre sa place et se versa du vin. Tout le monde le regarda alors : serait-il du voyage ? Il réagit en narguant les convives du regard.

— Moi, je ne pars pas.

Son insoumission naturelle était désormais familière à tout le monde ; on attendit son explication. Il tourna le pied du verre dans ses doigts et répondit d'un ton détaché :

— Je n'ai même pas fait le tour de cette pièce, dit-il. J'ignore ce que pensent de moi les araignées au plafond. Et les renards dans la forêt.

Odile fut prise d'une crise de fou rire. Sans doute communicative, car Simonetta l'imita aussitôt.

— Je ne vends pas d'épices, poursuivit-il. Je n'ai pas envie de chier au bout d'une planche dans la mer. Je n'ai pas envie de découvrir des continents que s'approprieront des rois mal élevés et mal lavés. Et je n'ai pas trois cents ducats à compromettre dans une aventure qui me tiendrait trois mois à disputer aux rats du navire mon pain rassis et de la viande boucanée.

La crise d'hilarité fut générale. Elle réveilla Françoise et Jean que leurs parents se décidèrent à aller coucher. L'on se dispersa. Frederica était partie dormir. Franz-Eckart loqueta la porte et moucha les chandelles. Ils montèrent.

— Qu'est-ce donc qui a fait ce monstre irrésistible que tu es ? demanda Jeanne en enfilant sa chemise de nuit et en se glissant dans les draps.

Comme à son habitude, il se rinçait la bouche à l'eau vinaigrée, qu'il crachait ensuite dans le pot de chambre.

— Les loups et les étoiles, répondit-il en rejoignant Jeanne.

Il est lui-même cela, se dit-elle, loup et étoile.

15

Le feu sous les glaces

Jeanne avait suspendu son souffle.

Elle s'efforçait de tenir ses sensations en suspens. Mais en autre compagnie, elle eût grimpé à l'arbre le plus proche.

Trois loups.

Debout devant Franz-Eckart, ils l'écoutaient. Cela allait à l'encontre de la raison, mais ils l'écoutaient.

Il avait, tout à l'heure, poussé un long cri qui l'avait effrayée. Un cri de loup. Elle avait compris qu'il les appelait.

Et les loups étaient apparus. Ils étaient arrivés au petit trot, trois, et avaient suspendu leur pas devant l'homme qui les convoquait. Un animal en tête, le plus vigoureux, un mâle, et deux autres derrière lui, comme des lieutenants.

Elle crut défaillir.

Il était accroupi face à eux, souriant. Ils levaient et baissaient imperceptiblement leurs museaux, humant l'air, regardant tour à tour l'homme et la femme, comme incertains. Un faux mouvement, et ils eussent transformé les humains en charpie.

Museaux pointus, poil brunâtre et rêche. Et ce regard oblique, intelligent, cruel, mais présentement, comme étonné.

— Je vous ai appelés, mes frères, parce que votre compagnie me manquait, disait Franz-Eckart, d'une voix douce, comme celle d'un somnambule. Je suis venu vous demander de vos nouvelles et de celles du vrai monde…

Le loup de tête émit un grognement. Le sang de Jeanne manqua se coaguler. Franz-Eckart parlait toujours. Le même loup émit une sorte d'aboiement rauque et pointa soudain le museau vers le haut.

— Parle-leur, toi aussi, dit Franz-Eckart à l'adresse de Jeanne.

Elle se souvint qu'elle avait murmuré aux oreilles des louveteaux captifs, jadis à La Doulsade.

— Vous êtes beaux, parvint-elle à articuler d'une voix étranglée. Je comprends que Franz-Eckart vous aime.

Une des bêtes qui se tenait à l'arrière émit un gémissement. Elle quitta la formation et se dirigea vers Jeanne.

— Surtout, n'aie pas peur, dit Franz-Eckart. Maîtrise-toi. Ils ont plus peur que toi. Ce sont des amis en fourrure. Celle qui vient à ta rencontre est une femelle.

Jeanne se rasséréna. Puis elle faillit céder de nouveau à la panique. Après l'avoir flairée, en effet, la louve se dressa sur ses pattes arrière et posa ses pattes avant sur les épaules de Jeanne.

— Tu l'as conquise, dit Franz-Eckart. Parle-lui, mais ne la touche pas encore.

Médusée, Jeanne fut contrainte de s'accroupir, comme Franz-Eckart, avec un museau de louve contre le visage. Elle se mit à rire. La situation était absurde. La louve lui lécha la joue d'une langue affreusement râpeuse. Jeanne riait de plus en plus fort. Tout à coup, la louve renversa Jeanne et se mit elle-même sur le dos, offerte aux flatteries.

— Caresse-lui le ventre, pas la tête. Pas tout de suite.

Jeanne tendit la main et caressa le thorax velu, rose sous les poils. La louve inclina la tête vers la main de Jeanne et la lécha avant de se tortiller. Le troisième loup approcha ; il glissa la gueule sous l'aisselle de Jeanne, comme s'il cherchait refuge. Elle lui caressa le dos, il se frottait à elle.

L'odeur du suint sauvage était forte et déplaisante, mais les yeux pétillants des animaux la faisaient oublier.

Pendant ce temps, le loup de tête s'était allongé devant Franz-Eckart, qui le caressait avec vigueur.

Soudain, des voix et des cris résonnèrent au loin. Les animaux s'interrompirent et tendirent la tête dans la même direction, les oreilles dressées. Franz-Eckart se releva. Les loups aussi s'étaient relevés. Il tapa dans les mains.

— Filez ! leur ordonna-t-il, le bras tendu dans la direction opposée à celle des cris.

Ils baissèrent la tête, regardèrent l'homme au loin et, en trois bonds, disparurent dans les taillis. Franz-Eckart et Jeanne rajustèrent leurs mises et défroissèrent leurs vêtements du plat de la main. Quelques minutes plus tard, Jeanne appuyée au bras de Franz-Eckart et se prêtant tous deux l'apparence de tranquilles promeneurs, les voix humaines se rapprochèrent. Cinq cavaliers apparurent sur un sentier. Jeanne reconnut le premier ; c'était le fils du grand échevin, un jeune homme qui se donnait les gants du grand genre, organisait des chasses à courre et des fêtes tapageuses à l'auberge du Cheval d'Or, et courait les filles, sinon les ribaudes. Il tenait dans les mains un instrument lourd et visiblement malcommode, une arquebuse ; Jeanne en avait vu une démonstration à la foire : le temps qu'on l'armât, les loups n'auraient fait qu'une bouchée du cavalier et de sa monture. Les autres étaient armés de lances et d'arcs.

Ils échangèrent des salutations.

— Vous devriez prendre garde, madame. Il y a des loups dans cette forêt.

— Si près de la ville ? demanda Franz-Eckart.

— Leur audace est sans borne.

— Des loups, mon Dieu ! s'écria Jeanne. Rentrons vite !

— Prenez le sentier que voilà, il vous mènera à la route. Là, vous serez moins exposés.

Ils se souhaitèrent une bonne journée et se séparèrent.

Quand ils furent hors de vue, Jeanne et Franz-Eckart pouffèrent de rire.

— Des loups, mon Dieu ! répéta Franz-Eckart en imitant Jeanne.

— Depuis qu'on a dit que les anges sont supérieurs aux démons, que la nature est le siège physique de ces derniers et que nous devons mépriser notre corps et nos sens, nous sommes devenus étrangers à nous-mêmes, commença Franz-Eckart.

Jeanne était rentrée épuisée de la rencontre avec les loups. À regret, elle s'était lavé les mains avec un savon de Gênes à base d'huile de lavande. Car l'odeur des fauves en était trop forte, elle rappelait avec trop d'insistance ces moments étranges et bénis d'amitié avec les animaux.

Il mangeait une prune. Le soleil de l'après-midi enflammait les carreaux de papier huilé et, par un vasistas ouvert, il frappa un plat d'étain. Ainsi incendié, l'objet changea tout à coup de nature ; il devint un plat d'argent, puis un objet étincelant, magique. Franz-Eckart le considéra longuement, comme une révélation. Jeanne aussi. Au bout d'un moment, elle ne pouvait plus détacher ses yeux du scintillement. Peut-être y avait-il là un secret à saisir. La voix de Franz-Eckart la tira de sa fascination.

— Nous devenons sourds et aveugles, du corps et de l'esprit. Nous ne savons plus décrypter l'humeur du vent ni l'intention d'un animal. Nous ne savons plus lire dans les étoiles ni dans l'eau. Nous ne sentons plus la présence des esprits autour de nous. Nous devenons pareils à des statues isolées et sans âme.

— Est-ce là ce que tu apprends à ton fils ?

— Je lui apprends à lire, non seulement sur le papier, mais dans le monde. À ne pas s'effrayer s'il voit un démon, mais à le chasser s'il est importun. Car le démon n'est jamais là sans raison. Il faut d'abord comprendre la cause de sa visite.

L'idée d'une visite de démon parut à Jeanne extravagante et encore plus celle d'une conversation avec ledit démon. Elle en frémit. Mais depuis que Franz-Eckart partageait sa vie, le monde lui paraissait incomparablement plus vaste.

Il avait fait un sort à la plus grande partie du compotier.

— Un démon n'est que le produit de la souffrance et de l'injustice. Il est souvent d'une grande ignorance. Presque égale à celle des humains.

Elle eut un rire bref.

— Je suppose que tu as dressé l'horoscope du voyage de Jacques-Adalbert, de Déodat et de Ferrando, dit-elle pour changer de sujet.

— Ils reviendront, répondit-il. Mais je doute qu'ils repartent.

— Pourquoi ?

Il haussa les épaules.

— Ils comprendront l'évidence : leur découverte ne peut intéresser que des rois et des savants. Ils ne sont ni ceci, ni cela. Quelles que soient les richesses qu'ils trouveront, s'ils en trouvent, ils ne pourront les exploiter.

— La sagesse ne t'ôte-t-elle pas le goût de vivre ? demanda-t-elle.

— Elle me l'a donné, au contraire.

L'hiver de l'année 1499 fut le plus rigoureux que Jeanne eût jamais connu.

Franz-Eckart les en avait avertis, elle, François et Jacques-Adalbert ; non seulement les cigognes étaient parties plus tôt que d'habitude, mais encore les ours étaient-ils entrés en hibernation avant l'heure.

En prévision de quoi, Jeanne avait accumulé des réserves de bois, craignant que même le transport en fût interrompu. Elle avait aussi pensé à faire ramoner toutes les cheminées, ainsi qu'à installer dans les caves les mêmes braseros qu'à Paris, ceux-là qu'elle avait inventés pour empêcher le vin de geler. Aujourd'hui, il ne s'agissait plus seulement d'éviter l'éclatement des barriques, mais de tempérer le froid glacial qui semblait filtrer à travers les dalles mêmes du rez-de-chaussée. Elle fit aussi des provisions de froment et de salaisons.

De décembre à février, il sembla que le monde fût changé en pierre. Quand il neigeait, les flocons durcissaient au sol en quelques instants et, sous les pas des rares passants, se transformaient en glace. Comme des congères rendaient impossible le passage des chariots, il fallut les casser à la hache. L'Ill gela. L'approvisionnement se fit difficile, puis quasi inexistant, les chevaux peinant à avancer sur les routes glissantes. Sans les réserves constituées par Jeanne, les trois foyers eussent manqué de pain pendant trois semaines de janvier.

Les oiseaux avaient disparu. Les quelques rats qui s'aventuraient dans les rues finissaient inévitablement pétrifiés par le froid. Mais les corbeaux dont ils eussent fait les délices n'étaient pas davantage présents. Et jusqu'à la vermine qui avait été décimée, elle aussi.

Nul ne sortait de chez soi sans raisons impérieuses, et ce n'était que bardés de pelisses et de gros bonnets que François et Jacques-Adalbert partaient chaque matin pour l'atelier. Leur souffle les environnait de vapeurs blanches. Aux Trois Clefs, il fallait faire chauffer l'encre pour pouvoir imprimer. Les sorties étaient strictement interdites aux enfants, à l'exception de celles qui menaient le matin Jean et Françoise à la SanktJohanngass pour l'étuve et les leçons de Franz-Eckart et les ramenaient chez eux avant le crépuscule, sous la houlette de Frederica.

L'on se retrouvait à l'étuve non plus tant pour des raisons d'hygiène que pour gagner des provisions de chaleur.

Le cardinal-archevêque dit une messe pour prier saint Janvier de bien vouloir liquéfier la glace qui enserrait Strasbourg et l'Alsace. Mais peut-être n'était-il pas bien en cour auprès du saint, car la température ne varia pas. Pis, l'office fut retardé parce que le vin de messe avait gelé et qu'il fallut le réchauffer. À Saint-Pierre-le-Vieux, le père Stengel se désola de faire la messe, trois dimanches de suite, devant des bancs déserts.

Déodat rongeait son frein ; il ne pouvait voyager, les routes étant condamnées par la neige. Il craignait que, s'il se prolongeait, l'hiver les empêchât lui, Jacques-Adalbert et Ferrando de gagner le Portugal et de s'embarquer pour leur voyage d'exploration. Franz-Eckart le rassurait en lui expliquant que, la Terre tournant sur son axe, l'Alsace comme le reste de la France retrouveraient à l'heure dite les rayons du soleil.

Déodat s'étonna ; il avait cru que c'était le Soleil qui tournait autour de la Terre.

— C'est ce qu'il faut que tu dises en public, conseilla le neveu à son oncle. Mais dans ton for intérieur, tu sauras que c'est l'inverse.

— Comment le sais-tu ?

— Tout simplement parce que nous faisons partie des sept planètes du système solaire et que, les six autres tournant autour du Soleil, il n'y a pas de raison que nous n'en fassions pas autant, la distance entre nous et ces planètes demeurant la même.

— Pourquoi ne le dit-on pas publiquement ?

— Parce que cela contrarierait notre sainte Église, Notre-Seigneur Jésus-Christ n'ayant pas visité les autres planètes et n'en ayant même pas parlé.

— Mais tu finiras sur le bûcher ! s'écria Déodat en riant.

— Certes pas, parce que, en public, je dirai les faussetés qui conviennent à notre sainte Église. À vous qui vous préparez à naviguer, j'indiquerai seulement les étoiles sur lesquelles vous pourrez vous repérer selon votre route, si le ciel est assez clair. Je puis déjà te dire qu'il faudra sans cesse garder la Polaire à votre droite.

— Pourquoi ne viens-tu pas avec nous ? Tu nous aiderais à lire la carte du ciel. Voilà des années que tu l'étudies.

— Je t'ai dit ce que j'en pensais, répondit Franz-Eckart en secouant la tête.

— Me déconseilles-tu alors de partir ?

— Non plus. Ce que tu apprendras dans ton voyage sera quand même précieux : c'est la relativité du savoir et du pouvoir.

Et comme Déodat ne semblait pas comprendre, Franz-Eckart s'expliqua :

— Tu découvriras d'abord que nous ne savons pas tout sur notre planète, contrairement à ce que prétendaient nos autorités morales. C'est là une leçon de choix. Tu apprendras également qu'il existe des terres où le pouvoir de nos rois et de nos évêques est inexistant et où le nom de Louis le Douzième est inconnu. Et c'est également une leçon précieuse.

Déodat demeura songeur.

— D'où te vient ton autorité ?

— En ai-je ? répliqua Franz-Eckart en souriant. Dans ce cas, je l'exerce le moins possible, sauf sur moi-même.

— De Jeanne aux enfants, on ne jure ici que par toi.

— Je réfléchis depuis mon jeune âge.

— Et qu'as-tu conclu ?

— Que je sais bien peu de chose.

L'hiver fut cruel aussi pour les entreprises militaires. Après avoir conquis le Milanais comme par un coup de cravache, protégé par un réseau d'alliances diplomatiques et soutenu par une armée réorganisée de fond en comble,

Louis le Douzième apprit soudain que Ludovic Sforza, duc et maître de Milan, capitale du Milanais, avait repris la ville. Jean-Jacques Trivulce, auquel le roi avait confié le commandement militaire de la place, avait dû capituler.

Tout était à recommencer. La route de Naples, qui était le second objectif du roi, semblait barrée.

Nouveau sujet d'inquiétudes pour Déodat : Ferrando pourrait-il le rejoindre ? Était-il encore en vie, d'ailleurs ? Peut-être les troupes françaises avaient-elles massacré la population ? Des rumeurs parvenaient, en effet, à Strasbourg sur les atrocités sans nom auxquelles s'étaient livrées les armées de Louis le Douzième. N'en finirait-on jamais avec les embûches du sort ? Mais quelques jours plus tard, il reçut une lettre de Ferrando, lequel, dès le début des hostilités, s'était réfugié avec sa femme Angèle et ses trois enfants à Genève et promettait d'être au rendez-vous de Lisbonne comme convenu.

Un matin de janvier, soudain excédée par le froid et l'agitation qui préludait au départ de Jacques-Adalbert et de Déodat, Jeanne décida qu'elle renonçait aux privilèges de la ville libre de l'Empire pour regagner Angers. Il suffisait de l'automne de la vie sans qu'on allât encore subir les rigueurs d'un hiver inventé par les tortionnaires de l'Inquisition espagnole. Elle n'était demeurée à Strasbourg que pour veiller sur le bonheur de François. Maintenant qu'il était marié et de nouveau père, elle voulait savourer l'existence. Elle interrogea Franz-Eckart du regard.

Il lui sourit.

— Tu sais bien que je te suivrais n'importe où, dit-il.

Ainsi réchauffés par l'espoir, ils attendirent le printemps. Chacun son voyage. Les glaces de la saison froide n'avaient pas éteint les feux.

Mais un incident inattendu survint.

16

Une couronne dans le caniveau

𝕬ux premiers jours du printemps de l'an 1500 et d'un siècle neuf, à cette époque où l'air devient moins vif, mais prend une saveur acide et où les arbres semblent bouder l'allongement des jours et restent noirs, telles des filles bréhaignes toisant le prétendant d'un œil hautain, trois visiteurs frappèrent à la SanktJohanngass. Deux d'entre eux étaient mirifiquement vêtus de pelisses de loup, portaient des bottes brodées, des bonnets hauts comme des cheminées.

Le troisième, tout au contraire, avait l'air d'un gueux. Décent, mais gueux.

C'était Joachim. La dernière fois qu'elle l'avait vu, c'était aux funérailles d'Aube ; elle l'avait cru reparti pour ses contrées mystérieuses, pleines de voix d'outre-tombe et de pressentiments. Comment l'avaient-ils retrouvé ? Il y avait décidément beaucoup d'espions dans le royaume, et même dans la ville libre de Strasbourg.

Jeanne, qu'ils avaient demandé à voir en tant que baronne de l'Estoille, en demeura muette.

— Connaissez-vous cet homme ? demanda le plus melli-flu des deux, dans un français correct mais guttural et aussi parfumé d'accent étranger qu'un poulet à la coriandre.

Mais l'accent n'était pas allemand.

Elle saisit le regard hagard de Joachim et, d'instinct, répondit non. Trois battements de paupières de Joachim l'informèrent qu'elle avait répondu juste.

Au souvenir des confidences de Franz-Eckart, elle perçut confusément l'objet de la visite de ces hommes, dont elle avait retenu les noms en dépit de leur exotisme. L'un était le comte Ernest Esterhazy et l'autre, le melliflu, le comte Ladislas Zilahy ou quelque chose d'approchant.

Sur la réponse négative de Jeanne, ils eussent dû s'en aller ; ils demeurèrent, regardant autour d'eux.

Ce fut alors que Franz-Eckart remonta de l'étuve avec Joseph. Les avaient-ils vus ? Il ne leur lança qu'un regard distrait. En tout cas, ils le virent. Comme il se dirigeait vers l'escalier :

— Comte Franz ! Comte Hunyadi ! cria Esterhazy.

Franz-Eckart commença à gravir les marches sans se retourner, comme s'il n'avait rien entendu ; ce fut Joseph qui le fit. Franz-Eckart, souriant, suivit le regard du garçon, sans paraître attacher d'importance à l'appel.

— Comte ! répéta Esterhazy, en s'élançant vers Franz-Eckart.

Celui-ci aperçut alors son père en même temps que l'autre visiteur.

— À qui vous adressez-vous ? demanda-t-il à Zilahy.

— À vous, comte.

— Je ne suis pas comte et ne connais pas le nom que vous avez prononcé.

— Messire, accordez-nous votre attention quelques instants !

Le ton était pressant. Franz-Eckart dévisagea l'inconnu.

— Qui êtes-vous ?

— Je suis le comte Ernest Esterhazy, envoyé de la Confédération de la noblesse de Hongrie.

Jeanne observait la scène, s'efforçant à l'impassibilité. Allait-elle perdre le dernier homme qui lui restât dans la vie ?

— Je ne vous connais pas, monsieur. Que voulez-vous ? demanda Franz-Eckart, le pied toujours posé sur la troisième marche où il s'était arrêté.

— Messire, connaissez-vous cet homme ? demanda Esterhazy en indiquant Joachim.

— Nullement.

— Vous ne connaissez pas votre père ?

— Messire, répondit Franz-Eckart en le prenant de haut, mon père est le baron François de Beauvois et je trouve vos façons impertinentes.

L'homme cria des mots dans une langue étrangère, sans doute du magyar.

— Vous êtes bien le fils de la comtesse Sophie-Marguerite von und zu Gollheim ?

Il fallait convenir que l'affaire prenait tout à coup un tour autrement grave. Le second personnage, Zilahy, plus urbain, s'avança, posa une lourde bourse sur la table et sortit de sa poche une miniature, qu'il soumit à Jeanne.

— Ceci, madame, est un portrait de feu notre roi, Matthias Corvinus. Si vous voulez avoir l'obligeance d'y jeter un coup d'œil, vous saisirez peut-être plus aisément l'objet de notre visite.

Elle examina la miniature : c'était quasiment un portrait de Franz-Eckart. Elle rendit la miniature au visiteur.

— Avez-vous noté la ressemblance ?

— Il y a bien des gens qui se ressemblent de par le monde, dit-elle en haussant les épaules. Où voulez-vous en venir ?

Zilahy s'assit sans y avoir été convié et dit :

— Nous savons que l'homme que voici, Joachim, est le fils naturel de Janós Hunyadi, père du roi défunt. Son prénom, son âge, son visage, le fait qu'il ait la langue coupée, tout le confirme abondamment. Nous avons aussi quelques raisons de penser que le gentilhomme que voici – et il désigna Franz-Eckart – est le fils de Joachim Hunyadi et de la comtesse von und zu Gollheim, baronne de Beauvois. Leur rencontre s'est faite à Angers, il y a vingt-deux ans, alors que Joachim était le famulus d'un peintre nommé Mestral. Elle fut tempestueuse, à ce qu'il semble. Il y eut trois témoins au retour de la comtesse Sophie-Marguerite. Mestral…

— Il est mort, coupa Jeanne.

Zilahy hocha la tête et poursuivit :

— … Vous-même et une servante, qui vit rentrer la comtesse dans un état de grande agitation, en même temps qu'elle aperçut, par la fenêtre de votre maison, le jeune Joachim, nu à l'orée du bois d'où revenait la comtesse.

Jeanne ravala sa salive. Franz-Eckart écoutait, muet, sur l'escalier. Il envoya Joseph à l'étage et descendit les trois marches. Puis il prit à part une servante qui passait et la chargea à mi-voix d'une course.

— Tout votre récit repose donc sur le témoignage d'une servante ? dit Jeanne avec hauteur.

— La vérité, madame, ainsi que vous le savez, n'est pas l'apanage du rang social, répondit Zilahy. Ce qui nous amène ici, le comte Esterhazy et moi-même, est le désir de notre noblesse de voir un descendant de ce roi bien-aimé occuper son trône. De son vivant, le roi Matthias a été très affligé de l'assassinat de son frère aîné Ladislas, et quand il a appris ce qui était advenu à son frère Joachim, il en a pleuré. Notre noblesse souhaite que le fils de Joachim prenne la place qui lui revient. Elle m'a chargé de remettre à Joachim les mille florins que contient cette bourse et d'offrir la couronne à son fils.

Il se tourna vers Joachim, immobile, et conclut :

— S'il accepte cette bourse, il consent donc à faire avec nous le voyage à Budapest. Et son fils l'accompagnera. Car une couronne l'attend.

Un silence régna dans la pièce. Jeanne était saisie. Mais Franz-Eckart gardait un air distant et même ironique.

— Comte, dit-il à la fin, nous sommes plus informés en France des affaires de la Hongrie que vous paraissez le croire. Outre cette fable selon laquelle je serais le neveu du feu roi Matthias, je dois vous faire observer que ce dernier avait un autre fils naturel, nommé János, et qui est en âge de régner. Je ne vois pas qu'il vous faille venir en France à la recherche d'un autre descendant.

Zilahy parut surpris par l'objection.

— C'est exact, admit-il. Mais la reine Béatrice ne veut pas de lui.

— Parce qu'il est un fils naturel, n'est-ce pas ? dit Franz-Eckart. Et qu'il est résolu à maintenir, comme son père, l'indépendance de son pays ?

Les deux visiteurs furent pris de court.

— Vous connaissez bien, en effet, les affaires de la Hongrie, déclara Zilahy.

— Quelle serait donc la supériorité d'un bâtard sur un autre ? reprit Franz-Eckart. Aucune, messires ! N'était que la confédération de la noblesse dont vous êtes les émissaires est divisée, n'est-ce pas ? La petite noblesse voudrait le fils bâtard, Janós, parce qu'elle est passionnément attachée au souvenir de Matthias, mais la grande noblesse, elle, désirerait un être faible, à ses ordres. Et elle pense qu'un autre bâtard, longtemps absent du pays et ignorant des intrigues, réaliserait peut-être l'unanimité. N'est-ce pas la vérité ?

Esterhazy et Zilahy étaient stupéfaits. Jeanne également. Franz-Eckart éclata de rire.

— Il n'est pas possible, s'écria Esterhazy, qu'un homme qui n'est pas intéressé au premier chef par la succession en sache autant ! Vous êtes bien le descendant de Hunyadi ! Vous êtes le fils de Joachim !

Franz-Eckart haussa les épaules.

— Pas si vite, messires. Notre roi courtise l'amitié de la Hongrie. Nos voyageurs s'y rendent. Bien des gens en France et en particulier à Strasbourg, ville d'Empire, en savent autant que moi. Nous savons ainsi qu'il y a deux prétendants au trône de Hongrie, les deux frères Jagellon, Vladislav, roi de Bohême, et son cadet Jean-Albert. Et n'est-il pas vrai que la grande noblesse penche pour l'aîné, parce qu'il est le candidat idéal, en raison de sa faiblesse de caractère ?

Les visiteurs, toujours interdits, écoutaient cette argumentation précise ; ils avaient cru trouver un innocent que la promesse d'un trône emplirait d'enthousiasme, et ils affrontaient un homme qui en savait autant qu'eux et n'était pas dupe de leurs discours.

— N'est-il pas également vrai que le roi Louis le Douzième s'inquiète des prétentions de Maximilien de Habsbourg sur la Hongrie et qu'il serait infiniment plus heureux de savoir que le trône est occupé par un allié fidèle, d'autant plus fidèle que ce serait peut-être lui qui aurait contribué à le mettre sur le trône ?

Esterhazy laissa échapper une exclamation.

— La facilité avec laquelle vous semblez avoir mené votre enquête en France, allant même jusqu'à interroger des servantes de cuisine, révèle une grande complaisance de la part de notre roi, ajouta Franz-Eckart d'un ton narquois.

Il les toisa :

— À la vérité, vous êtes probablement autant les agents du roi de France que de la noblesse magyare.

Jeanne se demanda si Franz-Eckart n'était pas, au fond, tenté par la proposition des Hongrois et s'il n'entamait pas la discussion dans le seul but de se faire convaincre. Tel n'était pas le cas ; en effet, la porte s'ouvrit et François entra ; c'était lui qu'attendait le jeune homme. À ce moment-là, en effet, et tandis que François, surpris, embrassait la scène du regard, Franz-Eckart déclara :

— Votre histoire est certes touchante et noble, messires. J'ignore si l'homme que voilà est bien le frère de sang du feu roi Matthias, et dans ce cas, c'est à lui seul de décider s'il désire ou non vous suivre et retrouver la Hongrie. Quant à moi, je ne saurais sans déshonneur pour moi et les miens, prendre en considération une fable qui ne repose que sur le témoignage d'une servante, sans doute fort âgée. Je suis le fils du baron François de Beauvois, que voici.

Esterhazy et Zilahy se tournèrent vers François. Il fronça les sourcils.

— Ai-je bien compris l'objet de votre visite ? Seriez-vous, messires, venus insulter à mon honneur conjugal ?

Ils ne répondirent pas. Zilahy se leva, l'air sombre.

— Fort bien, baron, nous nous retirons.

Il indiqua la bourse sur la table et demanda :

— Joachim Hunyadi, acceptez-vous cette bourse ?

Joachim secoua la tête avec force. Esterhazy s'adressa à lui derechef, en magyar. Joachim le regarda, l'air de ne pas comprendre et secoua de nouveau la tête. Zilahy reprit la bourse et les deux hommes se dirigèrent vers la porte. Esterhazy s'arrêta devant Joachim, lui parla en magyar et lui prit le bras. Joachim se libéra d'un geste énergique. Visiblement dépités, les visiteurs partirent dans un silence pesant.

Franz-Eckart et son père s'élancèrent l'un vers l'autre et s'étreignirent. Les larmes coulaient sur le visage de Joachim. François observait la scène, abasourdi. Un homme heureux d'avoir rejeté un trône! Et ce barbu hirsute, c'était donc le père véritable de Franz-Eckart?

— Tu as refusé la couronne de Hongrie! dit Jeanne à Franz-Eckart, d'un ton incrédule. Je n'aurais jamais cru vivre le jour où je verrais un garçon de notre clan refuser une couronne!

Elle éclata de rire.

— Je ne crois pas que Joachim mon père ait eu une grande envie de retrouver le pays où il a tant souffert.

Joachim secoua de nouveau la tête énergiquement.

— Quant à moi, je suis certain que je me trouve mieux avec vous.

Il alla vers François et lui serra le bras avec chaleur.

— Merci, lui dit-il. Merci de m'avoir gardé. Comme je l'ai dit, c'était une belle et noble histoire, qu'ils nous ont racontée. Mais sans faire de jugement téméraire sur la noblesse hongroise, il se peut qu'elle soit moins belle et moins noble, et même détestable.

Jeanne et François parurent surpris. Franz-Eckart arpenta la salle.

— Il se peut, en effet, que les partisans de Vladislav Jagellon s'inquiètent d'un rival possible. Et qu'ils aient dépêché ici ces deux hommes pour nous attirer Joachim et moi en Hongrie, en me faisant miroiter une couronne, et qu'ensuite, ils nous fassent assassiner, pour éliminer tout héritier au trône qui ne serait pas de leur choix.

Joachim émit plusieurs sons indistincts et hocha la tête. C'était bien ce qu'il avait appréhendé lui aussi.

— La férocité des hommes de cour est certaine. Et je ne doute pas que ceux qui n'ont pas hésité à assassiner Vladislas, le fils aîné de Hunyadi, n'auraient pas hésité non plus à nous tuer si nous nous risquions à les contrarier.

— Hunyadi, répéta François. Tu t'appelles donc Franz-Eckart Hunyadi ? Un Beauvois qui est un Montcorbier, un autre qui est un Hunyadi, les Estoille qui sont des Stern…

— Et qu'est-ce qu'un nom, François, si ce n'est une convention ? Je m'appelle Homme, comme toi.

François sourit.

— Je serais heureuse que cet incident s'arrête là, dit Jeanne. L'alliance entre notre roi et les Hongrois pourrait, en effet, lui donner un prolongement, puisque Louis a promis une nièce au Hongrois.

Elle eut un sommeil agité et fit un rêve absurde : Joachim y était un vrai roi, mais il avait jeté sa couronne dans un caniveau et jouait à la pousser du pied, comme un petit cerceau. À la fin il l'avait fait rouler si loin qu'elle s'était fracassée dans un terrain vague, semant alentour ses pierreries, cependant que des corbeaux éclataient de rire.

Les premiers bourgeons de printemps donnèrent la fièvre à Jacques-Adalbert et Déodat. Ils n'attendaient plus que Ferrando. Il arriva trois petites semaines avant le grand départ. Trois semaines pour gagner Lisbonne !

— Ne vous inquiétez pas, nous y serons avant l'heure, assura Ferrando.

Simonetta s'était fait une raison, sur les assurances de Franz-Eckart :

— Tu ne seras pas veuve.

— Emportez beaucoup d'eau fraîche, recommanda Franz-Eckart. Et des citrons.

— Des citrons ? Pour quoi faire ?

— Croyez-moi, ils chassent les miasmes. Pressez-les dans l'eau avant de la boire.

Un matin, enfin, le chariot arriva. L'on y chargea des coffres. Toute la maisonnée était à la porte. Dans les embrassades et les larmes, les trois hommes s'arrachèrent aux leurs et le chariot s'ébranla avant de disparaître à l'angle de la SanktJohanngass, en direction de Paris.

Ferrando avait apporté à Jeanne un présent de la part d'Angèle : une rose aux pétales de corail montée sur une tige en or.

Était-ce l'emblème de la Rose des Vents ?

Quelques jours plus tard, elle monta avec Franz-Eckart et Joseph dans un autre chariot, à destination d'Angers.

SECONDE PARTIE

FINIS TERRAE

17

L'invention des sirènes

En dépit du pavillon portugais, dont l'or et l'écarlate palpitaient à la poupe dans la forte brise, au grand soleil de Lisbonne, c'était une caraque anglaise : trois mâts, dont la hune et la misaine portaient une grand-voile carrée et un perroquet au-dessus de la dunette, le mât d'artimon, planté sur le château arrière, soutenant, lui, la corne d'une flèche pointue, en fait une voile latine, crânement inclinée. Deux grands fanaux de part et d'autre du gaillard d'arrière, l'un bleu, l'autre rouge, pouvaient passer pour ses yeux. Elle se balançait doucement dans des craquements de coque et des couinements de vergues ; tous les navires ont leurs voix.

Son nom était charmant, quoique un rien alarmant : *Avispa*, « La Guêpe ». Était-elle ainsi nommée parce qu'elle allait vite ?

Ferrando, qui avait vu beaucoup de navires, hourques hanséatiques, caravelles et naves espagnoles, quand il allait assister aux déchargements de marchandises à Venise, Gênes ou Marseille, hocha la tête. Jacques-Adalbert et Déodat durent s'en remettre à son avis ; ils n'y entendaient rien. Gaspar Corte Real, l'aîné des deux frères, un quadragénaire massif au visage de buis sculpté, dont un œil semblait un peu voilé, examina le chariot de leurs bagages, que les trois voyageurs avaient fait venir au quai. Son attention fut surtout attirée par les barriques. Six barriques. Miséricordieusement, il parlait italien.

— Qu'est-ce que c'est que ça ? Du vin ?

— Non, de l'eau pure.

Il parut abasourdi.

— Tant que cela ?

— Vous ignorez la durée de la traversée, répondit Jacques-Adalbert. Vous ne voudriez pas que ce soient des humains desséchés qui achèvent le voyage.

— Mais nous trouverons des sources d'eau fraîche.

— Espérons-le.

L'équipage comptait seize hommes ; deux d'entre eux commencèrent à hisser les bagages, coffres et barriques. Jacques-Adalbert insista pour qu'une barrique d'eau douce fût installée sur le pont, et Gaspar Corte Real donna des instructions pour qu'elle fût solidement arrimée. Puis il fit visiter le navire à ses passagers. Il se dirigea vers le gaillard d'arrière.

— Voici votre logement, dit-il.

Il était impossible d'y pénétrer autrement que voûté. Quand les trois coffres y furent installés, le tiers de l'espace était pris. Trois hamacs côte à côte, accrochés aux barrots, en occupaient quasiment le reste. Deux grands sabords de cuivre ouvraient sur l'arrière, avec vue imprenable sur le sillage.

Ils avaient payé neuf cents ducats pour un réduit de galérien. Mais Ferrando trouvait cela tout à fait normal.

— C'est propre, dit-il.

En fait, cela sentait le moisi, le vernis et la saumure.

— Nous prendrons nos repas dans ma cabine, dit Gaspar.

— C'est d'ailleurs la seule table du navire, commenta en souriant son frère Miguel, qui venait de les rejoindre.

— Où mangent donc les matelots ? demanda naïvement Déodat.

— Sur le pont, évidemment, répondit Gaspar.

Il les emmena ensuite sur le pont inférieur, dans le réduit qui servait de cabinet d'aisance : celui-ci n'était qu'une planche percée d'un trou au-dessus de la mer.

Quant au lieu où l'on pourrait procéder à des ablutions, personne n'osa s'en enquérir. Miguel Corte Real sembla deviner la question :

— Quand on veut se rafraîchir, dit-il, on fait puiser une barrique d'eau de mer et l'on s'asperge. Ou l'on s'y plonge.

Un homme que seule une jaque longue de grosse laine noire distinguait des autres vint s'adresser à Gaspar :

— Voici notre premier officier, Vicente Villamora.

Des bruits sourds résonnaient dans les soutes ; les matelots arrimaient les caisses et les provisions. Les trois voyageurs observèrent un matelot qui roulait devant lui une caisse de viande en saumure, suivi d'un autre, qui roulait un tonnelet d'eau-de-vie. Deux personnages vêtus de noir et coiffés de hauts chapeaux attendaient sur le quai ; c'étaient les officiers de port. Gaspar et Miguel descendirent signer un registre. Quand ils furent remontés, deux matelots relevèrent la passerelle. Ferrando, Jacques-Adalbert et Déodat se tenaient à tribord. L'ancre fut levée dans un bruit de chaînes déchirant. Des poutrelles furent poussées contre le quai. L'*Avispa* se détacha lentement de son accostage et dériva comme une oie saoule, penchant de droite et de gauche. Sous les ordres de leur officier, six matelots amenaient les perroquets et la voile d'artimon. Gaspar tenait la barre, sur le gaillard d'arrière, devant le compas fixé devant lui à une tablette sur pied.

Une demi-heure plus tard, l'*Avispa* atteignait le grand môle. Villamora cria encore des ordres. On amena les grand-voiles dans les crissements des poulies et des cadènes, et puis l'on serra les balancines de basses vergues.

Les trois voyageurs avaient migré à tribord, regardant Lisbonne s'éloigner. Ils s'efforçaient de dominer un serrement de cœur quand Gaspar Corte Real laissa la barre à son frère et les invita à vider un godet d'eau-de-vie.

Il n'était possible de séjourner que sur le pont ; la brise chassait la nausée et l'on pouvait y prendre le rythme du navire. Ou plutôt les deux rythmes, car l'*Avispa* tanguait et roulait à souhait. Déodat faillit plusieurs fois perdre l'équilibre. Mais quand il descendit s'allonger dans le hamac, le balancement dans l'air confiné lui donna le sentiment d'être malade.

La mer était une succession de collines et de vallées. Il remonta, parcourut le bateau, puis regagna le gaillard d'arrière, près de Gaspar.

Il se pencha sur le compas : l'aiguille qui tremblotait entre son lit de vif-argent et son couvercle de verre indiquait la direction ouest-nord-ouest.

À une heure que Déodat estima approximativement à midi, Gaspar pendit un instrument rond et plat à un anneau sur un bardeau horizontal, au-dessus de la tablette du compas. Il fit pivoter une règle plate, fixée au centre de ce disque, et plaça son œil dans une des lunettes à l'extrémité de la règle. La lunette était garnie d'un verre de couleur sombre. Déodat nota que le capitaine avait centré la lunette sur le soleil. Puis Gaspar tira de sa poche un almanach et le consulta. Devinant que son passager l'observait, il lui dit :

— Cet instrument s'appelle un astrolabe. Il me permet, d'après la hauteur du soleil, de mesurer la latitude à laquelle nous nous trouvons et l'heure qu'il est.

Déodat regretta la présence de Franz-Eckart.

— Ce lundi 6 avril de l'an 1500, nous sommes, à midi et quart, à peu près exactement au quarantième degré de latitude nord. À hauteur de Coïmbra. Nous avons donc franchi cent quinze lieues nautiques depuis notre départ.

— Mais comment établissez-vous l'heure ? demanda le jeune homme, étonné.

— Regardez, dit Gaspar, faisant pivoter un petit cercle de cuivre sur le grand cercle de l'astrolabe, je fais coïncider la hauteur du soleil sur le cercle zodiacal avec la hauteur que j'ai notée tout à l'heure. La règle diamétrale m'indique l'heure sur les graduations que vous voyez sur le pourtour du second cercle.

— Et quand le temps est couvert ?

— Bah ! j'espère qu'il sera clair le soir et que je pourrai noter la hauteur des étoiles plus brillantes. Et j'espère aussi que j'aurai une éclaircie le lendemain. Entre-temps, je me fie à la boussole.

— Et vous faites cela tous les jours ?

— Tous les jours, répondit Gaspar.

Déodat comprit alors pourquoi l'un des yeux de Gaspar Corte Real était trouble et pourquoi la lunette de l'astrolabe était garnie d'un verre sombre : le soleil avait fini par lui brûler la prunelle.

— Et vous connaissez la position zodiacale du soleil pour tous les jours de l'année ?

Gaspar lui montra alors son almanach.

— Tout cela me paraît remarquablement précis, observa Déodat. Comment se fait-il que Colomb se soit égaré ?

— Il ne s'est pas vraiment égaré. Il a mis beaucoup trop longtemps à atteindre sa destination. Je crois ce qu'a dit notre maître Behaïm à votre oncle, messire Ferrando Sassoferrato : il n'a pas su lire le portulan qu'il avait en mains.

Les matelots saucissonnaient, assis contre les bastingages.

— Il n'y a pas de cuisine ? demanda Jacques-Adalbert à Ferrando.

— Juste un fourneau pour faire cuire la soupe.

Les dernières mouettes qui les avaient escortés depuis le départ se clairsemèrent et disparurent. Çà et là des voiles de bateaux de pêche glissaient sur l'horizon. Puis elles aussi se clairsemèrent. Villamora observa l'horizon d'un œil soucieux et donna l'ordre d'allumer les fanaux. Des matelots levèrent le loquet des portillons aux panneaux de corne transparente et allumèrent des bougies grosses comme le bras, de véritables cierges d'église, puis refermèrent les portillons. Le ciel devint plus sombre, le temps fraîchit, la houle grossit. Il était impossible de faire un pas sans prendre appui quelque part.

À une heure indéterminée avant le crépuscule, le ciel se couvrit et la houle grossit encore. Les creux atteignaient cinq à six coudées. Gaspar fit carguer les voiles sous la surveillance de Villamora. Exercice effroyable que de grimper aux mâts alors qu'ils penchaient de droite et de gauche comme pour se débarrasser des hommes accrochés dessus. Le cœur de Déodat manqua défaillir quand il observa les matelots qui, le pied sur les étriers de corde, serraient les perroquets, tout là-haut. L'*Avispa* n'avançait plus que sur un tiers de voilure d'artimon.

Soudain un éclair zébra le ciel. Puis un autre. Une grosse pluie crépita sur le pont. Gaspar et Miguel Corte Real firent comme tous les matelots : ils rabattirent leurs capuchons. Les trois voyageurs en firent de même et se félicitèrent d'avoir acheté des capotes de mer, en toile huilée, et des bottes qui leur montaient aux genoux, par-dessus des pantalons de grosse laine noire à la place des chausses. Trempé par les embruns et les giclées des vagues, le pont devint encore plus impraticable. En dépit des capuchons, les visages étaient mouillés d'eau glacée et salée, et l'on peinait à ouvrir les yeux.

Le temps ne s'éclaircirait pas de sitôt ; l'*Avispa* entrait droit dans une tempête de l'équinoxe de printemps. Les voyageurs étaient déjà à bout de forces. Passerait-on la nuit sans se nourrir ? Ou bien entrerait-on à jeun dans la mort ?

Déodat rêva d'une soupe chaude et pensa à sa mère.

— Attachez-vous ceci à la taille ! lui cria Miguel en lui tendant une corde fixée au mât de misaine.

Une giclée d'eau glacée lui cingla les reins. Les vagues déferlaient sur le pont et, comme le navire penchait, elles atteignaient aussi le gaillard d'arrière.

Ferrando et Jacques-Adalbert titubaient en s'attachant aussi, pour ne pas être emportés par une vague plus haute que les autres.

L'*Avispa* ne naviguait plus ; elle dégringolait dans des abîmes avec une brutalité à faire vomir, puis elle semblait se préparer à monter au ciel, hésitait quelques instants à la crête d'une vague et glissait de nouveau vers l'enfer liquide, trempant ses vergues dans l'eau, tour à tour à droite et à gauche,

217

et projetant ses passagers contre les bastingages. Ce n'était plus un navire, mais un cheval fou qui galopait au gré d'un élément lui-même saisi de folie.

Et les craquements ! Et les crissements qui ressemblaient à des cris de détresse !

Toujours à la barre, Gaspar s'efforçait de contrôler plus ou moins la dérive de son bateau, sans pourtant casser le gouvernail.

Déodat crut s'être rompu une cuisse ; elle n'était que meurtrie. La bouche pleine d'eau, suffoquant lorsqu'une vague le trempa de pied en cap, il crut sa dernière heure venue. Il ne trouvait pas un coin de cette nef promise au désastre où il pût se lover en sécurité. Sa survie dépendait de ses seuls muscles, déjà endoloris.

Il eût voulu pleurer. Mais on ne pleure pas aux portes de la mort.

Jeanne ballottait aussi, mais dans un chariot qui approchait de Vesoul, la première des cinq étapes qui la mèneraient à Angers. Frederica, dont c'était le premier grand voyage, était plongée dans ses pensées. L'Alsacienne avait témoigné d'un tel chagrin à voir Jeanne partir que celle-ci lui avait proposé de la suivre à Angers, et l'on eût cru qu'elle lui avait offert un siège à la cour de France. Franz-Eckart songeait.

Joachim lui aussi était du voyage. Il était assis sur la paille à l'arrière du chariot. Joseph dormait dans ses bras. Car Joseph s'était mystérieusement pris d'affection pour ce personnage muet qui confectionnait pour lui des jouets délicats avec des brins d'osier ; ainsi d'un oiseau qui battait des ailes quand on lui touchait le bec. Frederica, à côté de lui, jetait de temps à autre un regard sur le vieil homme et l'enfant. Jeanne le savait : elle était intriguée par cet homme sauvage, qui ne lui semblait pas à sa place dans l'entourage de sa maîtresse, mais auquel Franz-Eckart témoignait des égards ; car il se retournait de temps à autre pour lui demander s'il allait, et Joachim hochait la tête. Mais on n'allait pas faire part à Frederica de secrets de famille. Ni Jeanne ni Franz-Eckart n'avaient jugé sage de le laisser à Strasbourg, surtout après la visite des Hongrois.

Étrange équipage, se dit Jeanne : un amant censé être son petit-fils, l'enfant et le père de celui-ci. Aucun lien de sang ni religieux. Et pourtant, c'était bien un ménage, l'épouse, son jeune mari et leur fils, accompagnés du beau-père. Les vraies familles se constituaient donc selon des modèles étrangers à ceux du monde.

Ses pensées s'envolèrent vers Déodat, Jacques-Adalbert et Ferrando. Elle comprenait l'objet réel de leur voyage : l'impatience des limites. Chaque âge avait ses désirs, comme chaque saison porte ses fruits. Même l'hiver, qui nourrit les baies rouges des ifs.

Et après, il n'y avait plus de désir. On devenait une de ces ombres que fréquentait Franz-Eckart. Elle se promit de l'interroger sur ces fantômes. À son âge à elle, le seul désir qui restât était de consolider les murs autour de soi et de goûter les dernières saisons de sa vie, l'odeur sucrée du bois brûlé, le velours des pêches, le rire des aubépines en fleurs, le rayon de soleil qui court sur le bois de la table vers le pichet d'étain. Et comme c'était étrangement le cas, la chaleur d'un corps aimé.

Elle songea un moment à sa mort, puis se contraignit à trouver un autre sujet qui ne lui assombrirait pas l'humeur.

Elle en vint à se comparer à un arbre qui avait donné trois branches, François, Déodat et Aube, et dont un orage avait cassé la troisième. Mais celle-ci avait été remplacée par un surgeon inattendu, même pas de son sang, une graine qui avait germé à ses pieds.

Les derniers cahots s'alentirent : ils étaient à l'auberge de la Maison Rouge. Tout le monde descendit et s'étira. Franz-Eckart, Joachim, le cocher et les domestiques de l'auberge déchargèrent les coffres, Jeanne demanda deux chambres et un souper pour quatre. Jeanne dormirait avec Frederica et Joseph dans l'une, Franz-Eckart avec Joachim dans l'autre.

Joseph ne dînait jamais si tard : c'était pour lui à la fois une fête et une épreuve, car il plongeait le nez dans la soupe. Joachim, lui, mangeait avec une lenteur extrême, car n'ayant pas de langue, il lui fallait mâcher tout aliment jusqu'à le réduire en purée avant de pouvoir l'avaler. Jeanne monta avec Joseph et Frederica avant la fin du repas. Recrus tous trois de fatigue, ils se laissèrent tomber sur la paillasse après s'être sommairement déshabillés.

Jeanne fut réveillée en pleine nuit par un vacarme. Des chevaux hennissaient furieusement, des chiens aboyaient, des gens criaient. Elle alla ouvrir la fenêtre ; ceux qui criaient encore le plus fort étaient les hommes. Elle enfila son manteau sur sa chemise et descendit. Les bruits provenaient d'un bâtiment proche de l'auberge ; elle se dirigea dans cette direction. Une bande de loups était en train d'assiéger l'écurie, essayant de sauter par-dessus la porte. Jeanne reconnut immédiatement Joachim et Franz-Eckart en chemise, parmi un groupe de gens dans la même tenue, l'aubergiste, sa femme, le cocher, des domestiques, des voyageurs, eux aussi tirés du lit par le vacarme et armés de fourches, de bâtons et d'une torche. Ils n'osaient pas attaquer les fauves, trop nombreux, espérant les décourager par leur seule présence et quelques coups de fourche.

Puis l'incident prit un tour particulier.

Joachim s'avança vers les loups, faisant des gestes de rejet. Ils hurlèrent. Il avança toujours, pieds nus, désarmé. Jeanne compta dix bêtes. Leurs hurlements se changèrent en gémissements. Ils commencèrent à céder du terrain. Il continua d'avancer. Penauds, la queue entre les jambes, les loups avaient cessé leur offensive. Puis ils détalèrent, traversèrent la route et disparurent dans les bois proches.

Les chevaux s'étaient calmés, mais les chiens, plus émotifs, continuaient d'aboyer de façon hystérique. L'aubergiste et sa femme allèrent les tancer. On ne s'entendait plus. Les autres regardaient Joachim.

— Mais comment a-t-il fait ? demanda un voyageur.

— Vous n'avez pas vu ? répondit Franz-Eckart. Il leur a lancé de l'eau bénite.

— Sainte Marie ! s'écria la femme de l'aubergiste. Si j'avais su !

— C'est un saint homme, dit Jeanne. Nous le connaissons.

Heureusement, personne ne songea à demander comment Joachim avait transporté son eau bénite. Frederica observait la scène de la fenêtre.

— Merci, saint homme ! dit l'aubergiste.

— Les loups ne reviendront plus, dit Franz-Eckart.

— Bénissez-nous ! demanda à Joachim la femme de l'aubergiste.

Joachim lui fit face et leva la main droite. Ce n'était pas vraiment une bénédiction, mais elle tomba quand même à genoux.

Enfin, tout le monde retourna se coucher.

— Il faudra prier Joachim d'être plus discret, murmura Jeanne à Franz-Eckart dans l'escalier.

— On allait tuer des loups, il ne l'aurait pas supporté, répondit Franz-Eckart sur le même ton.

— C'était un coup de génie, l'invention de l'eau bénite ! dit-elle.

Ils partirent à l'aube, accompagnés par les remerciements effusifs de l'aubergiste et de sa femme.

Jusqu'à l'étape suivante, qui fut Pouilly-en-Auxois, Frederica lança des regards en coulis à Joachim.

À ce moment, Jeanne prit ce dernier à part.

— Joachim, de grâce, ne nous distinguez pas trop ! Nous ne savons pas si les Hongrois ne nous suivent pas. Et vous ne voulez pas finir sur le bûcher !

Il lui adressa d'abord un regard effrayé, puis un sourire triste, avant de hocher la tête. Elle lui prit la main ; il baisa la sienne avec une douceur confondante.

La mort n'était pas venue. Elle ne vient pas à tous les orages.

Les frères Corte Real avaient soigneusement paré à l'un des dangers des voyages en mer les moins évidents aux profanes : le déplacement brutal des objets. Une vergue de rechange mal attachée peut, dans un grain, devenir aussi mortelle qu'un boulet de canon. Un coffre erratique dans la soute peut la crever comme un rocher intérieur. Et si elle n'avait pas été solidement arrimée au bastingage, la barrique d'eau douce que les trois voyageurs avaient insisté pour avoir à disposition sur le pont, eût écrasé un homme aussi sûrement qu'une claque de la main un moucheron.

Aucun matelot n'avait été emporté.

Mais l'*Avispa* avait fortement dérivé à l'est. Près de deux jours seraient nécessaires pour reprendre le cap.

L'existence retrouva son âpre monotonie.

On s'y faisait, pourtant. Dormir comme un paquet, entre Jacques-Adalbert et Ferrando, sans un moment d'immobilité ni de silence. Car l'*Avispa* ne connaissait aucun répit, et le hamac se balançait sans cesse dans les craquements des planches. Faire ses besoins dans le réduit. Et, en guise de toilette, se faire asperger d'eau de mer glacée par un matelot sur le gaillard d'avant.

Le dixième jour, se trouvant décidément hirsutes, les trois hommes décidèrent de se raser. Comme ils n'avaient pas de miroir, ils se firent chacun barbier de l'autre, au grand divertissement des matelots. Ils parvinrent à obtenir un pot d'eau chaude pour amollir le poil et se tirèrent de leur tâche sans autre mal qu'une estafilade superficielle sur le cou de Ferrando.

Boire de l'eau était une prouesse : il fallait soulever le lourd couvercle de la barrique réservée à la consommation, et plonger un gobelet en évitant de perdre l'équilibre. Déodat releva le niveau, non sans inquiétude : ils étaient partis depuis dix jours et la première barrique était déjà vide aux trois quarts. Car ils étaient trois à y boire. À ce train-là, dans un mois, il n'y en aurait plus. Par-dessus le marché, l'eau commençait à avoir un certain goût. Il y pressa le jus d'un demi-citron, se souvenant du conseil de Franz-Eckart.

Le seul repas chaud était la soupe du soir, confectionnée avec de l'eau de mer, puisqu'elle était déjà salée, un morceau de lard et des fèves, du chou ou des carottes. Une tranche de viande boucanée, du pain et du vin. Comme le pain était rassis, chacun en trempait sa part dans la soupe. On buvait le vin dans des gobelets d'étain cabossés.

Les vêtements étaient à la fois raides et humides. La laine se feutrait.

Ils avaient tous trois épuisé les sujets de conversation et l'analyse du portulan des frères Corte Real. C'était l'une de ces cartes d'origine incertaine comme il en circulait, expliqua Gaspar, dans tous les ports. Elles s'étaient souvent copiées les unes les autres, chacune ajoutant des détails inédits, dont il était impossible de retracer l'origine ni l'époque.

— Les mers sont sillonnées depuis longtemps par des gens tels que nous, dit Gaspar en souriant. Pas seulement des chercheurs d'or et d'épices, mais des gens curieux de notre monde. Voilà un peu plus d'un siècle, les frères Zeno sont allés dans la Grande Mer et ils ont répertorié et décrit des côtes que personne ne connaissait. Peut-être allons-nous retrouver certaines d'entre elles. Et peut-être aussi, d'autres. Mais il y a eu bien des voyageurs avant les Zeno. Nous ignorons ainsi qui a décrit un continent formé de deux grands blocs à l'ouest, l'un au nord, l'autre au sud. Des Chinois, disent les uns, des Grecs, prétendent les autres. J'ai en tout cas le sentiment que ce ne sont pas les Indes. Et que la Terre est plus grande qu'on l'a cru.

La seule distraction consistait à observer les bancs de dauphins qui parfois accompagnaient le navire ou semblaient l'escorter. Était-ce de joie qu'ils bondissaient ainsi ? Déodat eût aimé avoir Franz-Eckart à ses côtés.

Une fois, une seule, d'énormes poissons, grands comme dix chevaux ensemble, apparurent à courte distance, crachant des jets d'eau et de vapeur nauséabonde au-dessus d'eux. Des baleines, expliqua Miguel. Peut-être, songea Déodat, était-ce l'une d'elles qui, aux temps bibliques, avait avalé Jonas.

La nuit, quand le ciel était dégagé, les voyageurs comme les matelots observaient les étoiles. Ils chantaient ; ils connaissaient leur répertoire par cœur. La nef entière se changeait en chœur. Rien qu'au ton, on devinait, sans comprendre les paroles, que les chansons étaient surtout des complaintes, tout emplies d'une résignation âpre. Parfois, Miguel à la barre se joignait aux matelots ; ils lui réservaient le solo dans certaines chansons et il le tenait avec brio, car son baryton était souple et charnu.

Les frères Corte Real se relayaient à la barre, de l'aube au crépuscule. Gaspar la tenait le jour d'une poigne calleuse et forte, mais la nuit, comme il n'y voyait vraiment que d'un œil, c'était Miguel qui lui succédait. Une moitié du visage bleue et l'autre rouge, en raison des reflets des fanaux, il ressemblait alors à un personnage fantastique guidant le navire dans la nuit.

Déodat s'ennuya d'abord ; l'âme ne sait pas vivre sans passions. Puis il s'avisa que, même agitée, la mer absorbait l'âme, l'accordait à ses humeurs et pourtant lissait le cœur. Il regardait sans fin la lame d'étrave mourir dans des giclées baveuses et les autres écumer vainement.

— La mer a figé même le souvenir de ma mère, avoua Déodat à Jacques-Adalbert. Strasbourg me semble être un pays aussi mythique que celui où nous allons.

Son neveu hocha la tête ; dans son souvenir aussi, Simonetta s'était changée en une image.

Ils se demandèrent comment ces matelots vivaient donc. L'*Avispa* était-elle un monastère ? La question, posée au souper, amusa les frères Corte Real.

— Il est étrange que vous ne nous l'ayez pas posée à notre propos, dit Gaspar. Être matelot, c'est comme être soldat, sauf qu'il n'y a pas de filles dans les fermes. C'est pour cela que les matelots ont inventé les sirènes.

Un silence rêveur suivit ces propos.

— Mais c'est aussi comme être moine, reprit Gaspar. Avez-vous jamais vu un apothicaire préparer ses macérats ? Il les agite en tous sens jusqu'à ce que le mélange soit parfaitement transparent. Secoués comme nous le sommes en mer, nous devenons comparables à ces flacons : transparents. Les passions ne reparaissent qu'aux approches des côtes. Nous nous rattrapons donc aux escales. Et nous savons que l'amour tourne comme la Rose des vents et qu'il se dissout comme le sel dans la mer. L'ancre véritable, ce sont l'épouse et les enfants qui vous attendent au retour, parce qu'ils sont l'assurance de votre survie.

Mais Déodat n'avait ni femme ni enfants à terre.

Pour se distraire et agrémenter l'ordinaire, il décida de pêcher. Une heure après qu'il se fut installé au bastingage, il tira de l'eau un superbe saumon, sous les applaudissements de l'équipage. Il n'y avait pas de cuisinier à bord, un matelot lui montra comment écailler et vider le poisson.

Le soir, les frères Corte Real et les trois voyageurs eurent une soupe de poisson.

— Pourquoi ne pêchez-vous pas ? demanda Jacques-Adalbert à Gaspar.

— Il faudrait en avoir le temps, répondit-il.

Dans ce métier, on avait l'espace, mais pas le temps.

18

« Je suis Marie-Jolie,
jolie à la folie... »

Jeanne avait négligé un détail dans son projet de retour à Angers : la servante qu'Esterhazy et Zilahy avaient interrogée dans leur recherche de Joachim et de son fils. Trois jours après que Jeanne, Franz-Eckart, Joseph et Joachim se furent installés dans la maison, que Frederica eut pris possession des lieux et qu'elle fut partie à la recherche d'une aide domestique et d'un jardinier, Jeanne vit arriver une vieille que les rhumatismes courbaient sur son bâton.

Elle ne la reconnut d'abord pas. Un nez qui crochait entre deux yeux de fouine sertis dans un masque de momon, en vieux cuir de Cordoue, pointa vers elle, sous le fichu.

— Maîtresse ! s'écria-t-elle d'une voix éraillée qui filtrait à travers une bouche édentée, vous ne me reconnaissez pas ? Je suis Marie-Jolie.

Marie-Jolie ! Le destin avait de ces cruautés ! À vrai dire, oui, elle avait été jolie vingt-quatre ou vingt-cinq ans auparavant, dotée d'une fraîcheur paysanne qui émoustillait les mâles de la région. Marie-Jolie avait été une des trois filles placées sous les ordres de Félicie ; elle travaillait surtout à la cuisine. Mais c'était plutôt la beauté du diable qui lui avait été concédée, et quand celui-ci avait repris son bien, il n'avait laissé que des ruines décharnées.

— Bien sûr, Marie, je vous reconnais. Comment allez-vous ?

La fouine la scruta :

— Pour sûr, vous changez point, maîtresse.

Cette façon angevine de dire « point » : *pouant*... Frederica dévisagea la visiteuse par la fenêtre de la cuisine. L'autre inventoriait les parages ; elle avisa Joseph qui jouait dans le jardin avec Franz-Eckart.

— J'les connais point, ces jeuniots, dit-elle. C'est les vôtres, pour sûr.

Jeanne hocha la tête, déjà impatiente.

— Un des fils de François et le fils de ma fille.

— Où elle est, vot' fille ?

— Aube est au ciel, dit Jeanne.

La conversation virait aux ragots, cette Marie-Jolie était décidément une ragoteuse, comme les Hongrois l'avaient révélé. Miséricordieusement, Joachim n'était pas là ; il devait courir les bois.

— Qu'est-ce qu'elle a eu ? Elle était si mignonne !

— Une pneumonie.

— C'est vrai que là-bas, dans le Palatilat, y doit faire bien froid.

Le *Palatilat*. Et comment cette pie-grièche savait-elle donc qu'Aube se trouvait dans le Palatinat ?

— Et vot' mari ? Il est point venu ?

— Il est au ciel, lui aussi.

— Ah misère ! s'écria la vieille. La vie est une doulante ! Une garce !

Et la mort, donc. L'usage voulait que Jeanne offrît un verre de vin à l'ancienne servante ; elle lorgnait d'ailleurs la fenêtre de la cuisine.

— Vous voilà veuve, alors ? C'est vot' gouvernante, la femme à la cuisine ?

— Oui. Frederica ! cria Jeanne, excédée. Offrez donc un verre de vin à Marie-Jolie.

— Et comment s'appelle donc le grand jeune homme ?

— Franz-Eckart.

— Franzécarte ? Et le petiot ?

— Joseph.

— Comme son grand-père. C'est qu'ils se ressemblent, les deux jeunes.

La réflexion en disait long. Et la fâcheuse continuait de lorgner autour d'elle ; à l'évidence, elle avait été avisée de la présence d'un autre habitant de la maison L'Estoille. Frederica vint apporter le verre de vin à Marie-Jolie, qui la toisa.

— Des fois que vous auriez besoin d'une aide à la cuisine, dit-elle. J'apprends que vous recrutez. Je connais les habitudes de la maison. J'suis encore vaillante.

De la langue, oui, se dit Jeanne.

— J'y penserai, dit-elle.

Ce vieux caquet était donc informé de tout. Elle devait travailler pour les espions de la police. Et d'autres encore.

— Vous demandez au boulanger la maison de Marie-Jolie. Tout le monde me connaît, j'suis prête. J'peux prendre le service tout de suite.

— Merci Marie, dit Jeanne.

Elle l'accompagna à la porte du jardin. L'autre jeta un dernier regard alentour et s'en fut.

— J'aime pas cette femme, maîtresse, dit Frederica. C'est une sorcière. Et une caqueteuse.

Jeanne hocha la tête.

Elle informa Franz-Eckart de la teneur de la visite et, au souper, ils en reparlèrent tous deux devant Joachim, pour inciter celui-ci à la prudence. Il aurait plus que jamais à s'abstenir de toute initiative susceptible d'attirer l'attention sur lui et d'engendrer des rumeurs de sorcellerie.

Depuis le départ, puis la mort du roi René, maintes années auparavant, Angers n'avait plus de gros et gras ragots à se mettre sous la dent. Jeanne avait jadis fait partie de la cour de ce roi et, comme c'était une dame de bien, son retour en ville ne pouvait manquer de susciter de l'intérêt.

Le premier à en témoigner fut évidemment le clergé. Ainsi se succédèrent à la maison L'Estoille le père Lebailly, de la cathédrale de Saint-Maurice, et l'abbé Coucé, supérieur de l'abbaye de Saint-Aubin. Les bonnes œuvres de l'un et de l'autre n'eussent pu se passer des oboles de la baronne douairière de l'Estoille. Ces gens étaient informés : ils savaient ainsi que Joseph de l'Estoille avait été banquier et que François était maître de l'imprimerie des Trois Clefs à Strasbourg. La baronne ne pouvait manquer d'être à son aise, et comme elle vivait bourgeoisement, elle ne traînait certes pas le poids de dettes. Ils s'enquirent de surcroît du menu détail sur la famille et les liens de parenté de Jeanne avec les occupants de la maison. Un seul d'entre eux, l'abbé Coucé, mentionna l'existence de Joachim.

— Un pauvre homme que j'ai recueilli par charité et qui aide à l'entretien de la maison. Il a d'ailleurs réparé la toiture.

Le dernier point était vrai. Qu'il le crût ou pas, l'abbé s'en fut comme l'autre avec une bourse correspondant sans doute à ses espérances.

Néanmoins, la maison continua d'intéresser certains. À preuve, certains passants, toujours les mêmes, traînaient souvent dans la rue et tentaient, par-dessus les haies, de glisser un regard dans le jardin, où se tenaient le plus souvent Jeanne, Franz-Eckart et Joseph.

Cela devenait pesant, et Jeanne s'avisa qu'Angers n'était pas le havre de paix qu'elle avait espéré en quittant Strasbourg. Elle n'en devinait que trop bien la raison : c'était Joachim. Ainsi qu'elle l'avait craint, l'affaire dynastique n'était probablement pas éteinte, et le dédain de Franz-Eckart à l'égard de la couronne qu'on lui avait tendue n'avait pas convaincu les Hongrois ou certains autres de renoncer à leur projet.

— Les visées de Maximilien de Habsbourg sur la Hongrie alarment le roi Louis, expliqua Franz-Eckart à souper. Louis le Douzième serait content d'avoir sur le trône de ce pays un monarque qui serait d'autant plus son allié que ce serait lui qui l'aurait fait couronner.

— Et ce serait donc toi, dit Jeanne.

Il hocha la tête. Joachim suivait ces échanges d'un œil acéré.

— Et tu ne veux toujours pas de cette couronne.

— Certes pas. Je souhaiterais mourir de mort naturelle.

— Peste soit des rois ! s'écria Jeanne. Allons-nous être poursuivis jusqu'à la mort par ces histoires hongroises !

Joseph, qui n'y comprenait rien, fut effrayé par la colère de Jeanne ; elle lui sourit pour le rassurer. À n'en pas douter, les espions finiraient par découvrir qu'il était le fils de Franz-Eckart et donc l'héritier présomptif de ce trône. Joachim sembla deviner ses pensées ; son regard alla de l'enfant à Jeanne.

Tout recommençait, comme lorsque Denis avait projeté d'enlever et même de tuer François.

— Quand j'y pense, dit Franz-Eckart, le seul maillon à peu près solide dans cette affaire est cette épouvantable mégère qui est venue te voir l'autre jour. C'est elle qui prétend avoir vu Joachim à l'orée du bois.

Le regard de Joachim brilla d'un éclat perçant. Personne ne commenta l'information, à cause de la présence de Joseph.

Effectivement, le témoignage de Marie-Jolie était le seul point solide de l'hypothèse des Hongrois.

— C'est quand même dément, observa Jeanne, qu'un projet royal repose sur le témoignage de cette sorcière !

Franz-Eckart haussa les épaules.

— Sa disparition ne servirait pas à grand-chose, se contenta de dire Jeanne. Il faudrait que ce soit sa parole qui puisse être mise en doute. Qu'elle soit déclarée folle.

Joachim semblait perdu dans ses pensées.

Trois jours plus tard, un officier de la maison du gouverneur se présenta à la maison L'Estoille. C'était un quinquagénaire amène et élégant, qui se nommait Martial Secq de Baudry. Jeanne le reçut avec une égale civilité.

Elle s'avisa rapidement que la courtoisie n'était pas le vrai motif de la visite du chevalier Secq de Baudry ; il était venu la prier d'amener Franz-Eckart de Beauvois à reconsidérer son attitude à l'égard de la couronne de Hongrie.

Elle comprit que Louis le Douzième n'avait pas renoncé à mettre sur le trône un roi féal, comme le lui avait expliqué Franz-Eckart. Et comme elle l'avait craint, l'affaire ne s'était pas achevée à Strasbourg, sur le départ d'Esterhazy et de Zilahy. Quelqu'un à la cour s'obstinait dans le projet que les deux Hongrois étaient venus défendre et avait dépêché Secq de Baudry.

— Deux Hongrois sont venus à Strasbourg me raconter cette fable, dit Jeanne dédaigneusement. Je croyais que le témoignage de mon fils, François de Beauvois, avait suffi à la discréditer.

Secq de Baudry secoua la tête.

— Nenni, madame. La dignité d'un mari offensé ne peut effacer le témoignage de justice d'une personne présente.

Témoignage de justice. La sinistre Marie-Jolie avait donc fait une déposition au palais de justice d'Angers !

— Un témoignage de justice ? dit-elle avec hauteur. Cette invention a donc tant d'importance ?

— Sa Majesté le roi Louis y attache beaucoup d'intérêt. Le trône de Hongrie n'est pas pour lui une vétille. Ce témoignage sera d'ailleurs renouvelé dans les jours prochains, en présence du dénommé Joachim, Joachim Hunyadi, qui habite sous votre toit.

Jeanne se contraignit à rire ; Secq de Baudry parut surpris.

— Mais cette vieille souillon est folle ! s'écria-t-elle. Elle est venue me rendre visite l'autre jour. Il est évident qu'elle est sénile ! Ne me dites pas que le roi et ses officiers fonderaient un projet politique sur les propos d'une vieillarde agitée de visions graveleuses !

— La dernière fois que je l'ai vue, elle me paraissait tout à fait raisonnable, objecta-t-il, contrarié. Et il y a l'enquête menée par des officiers du feu roi de Hongrie, Matthias… Joachim est bien l'autre fils naturel de Janós Hunyadi.

Elle haussa les épaules.

— Messire, je le regrette, mais je ne saurais persuader mon petit-fils Franz-Eckart qu'il est roi de Hongrie !

Une fois de plus, elle se força à rire.

— Cette histoire est insensée !

Elle se leva. La visite était terminée.

— C'est ce que nous verrons, conclut-il en partant.

Le lendemain, Jeanne, Frederica et la jeune servante qu'elle avait embauchée allèrent au marché.

Jeanne examinait des poissons quand un grand brouhaha se fit. Des cris s'élevèrent. Tout le monde regardait les fenêtres d'une maison dont jaillissaient des flammes.

— Les sergents du feu ! Appelez les sergents du feu ! cria un homme.

— Les seaux ! Faites la chaîne des seaux ! cria un autre. En attendant les sergents !

Des riverains s'engouffrèrent dans la maison en portant chacun un seau d'eau.

Simultanément, une créature jaillit hors de la maison. Elle était nue. Elle criait. Pour corser l'affaire, des corbeaux descendus des toits voisins vinrent faire une ronde claquetante au-dessus d'elle.

— Madame… s'écria Frederica… Mais regardez ! C'est la vieille femme qui est venue à la maison l'autre jour !

C'était Marie-Jolie, en effet, nue comme un vieux ver, ses seins lamentables ballottant sur son ventre. Et ce sac d'os dansait ! Elle dansait en tournant sur elle-même et levait la jambe de la façon la plus indécente. Elle riait ! On ne pouvait percevoir les paroles que débitait sa bouche édentée, mais elle chantait.

Des gens tentèrent de la saisir, mais la ronde des corbeaux au-dessus d'elle les empêchait d'approcher ! Ils claquaient du bec et croassaient à qui mieux mieux. Les spectateurs regardaient, médusés.

> *Je suis Marie-Jolie,*
> *Jolie à la folie,*
> *Je ris !*

bramait-elle en battant des mains.

— C'est chez elle qu'il y a le feu ! cria une femme.

— Cette sorcière a mis le feu !

— Regardez les corbeaux ! C'est une sorcière !

Les sergents arrivèrent dans ce pandémonium. L'un d'eux parvint à s'emparer de la folle, cependant que les autres se joignaient à la chaîne des seaux. On lui jeta une couverture sur les épaules.

— Un baiser je veux bien, clama Marie-Jolie, en se pressant amoureusement contre le sergent. Pas davantaaaage !

Les corbeaux croassaient toujours.

Frederica béait de stupéfaction.

Un commerçant qui avait sa boutique de boulanger dans la maison en feu donna un coup de pied au cul de Marie-Jolie.

— Salope ! cria-t-il. Sorcière !

Jeanne aperçut un homme qui s'esquivait par une venelle. C'était Joachim. Elle se retint de rire.

Comment s'y était-il pris ? En tout cas, autant pour le témoignage de Marie-Jolie…

Elle, Frederica et la servante rentrèrent tard à la maison. Joachim était déjà là. Elle raconta les événements à Franz-Eckart, qui allait d'étonnement en étonnement et qui bientôt ne se retint plus de rire.

Joachim, qui écoutait le récit, s'esclaffait comme un gamin. Il se tapait sur les cuisses, il éructait. Personne ne l'avait jamais vu dans pareil état.

L'après-midi même, Jeanne se rendit à la cathédrale de Saint-Maurice. Elle demanda à un bedeau à voir le père Lebailly.

Mauroy Lebailly était un petit homme pâle, au nez chaussé de besicles.

— Ma fille ! Soyez la bienvenue !

Il se leva pour disposer un siège devant sa table de travail. Elle s'assit.

— Mon père, dit-elle, si vous pouviez sauver trois vies d'un danger certain au prix d'un mensonge, hésiteriez-vous ?

Il fut quelque temps avant de répondre :

— Non. De quoi s'agit-il ?

— Ceci est sous le secret.

Il hocha la tête. Elle lui expliqua. Il fut abasourdi.

— J'ai vu bien des entreprises pour s'emparer d'une couronne, mais aucune pour éviter de la coiffer, dit-il. Mais je veux bien croire que ces personnes, le père, le fils et le petit-fils, sont en danger. Maintenant, que voulez-vous de moi ?

— Qui était votre prédécesseur en 1472 ?

— Laissez-moi vérifier.

Il se leva et consulta un registre sur l'étagère derrière lui.

— C'était le père Christophe Bongrain.

— Je vous demande de rédiger, dans votre langue ordinaire d'homme d'Église, une attestation datée de cette année-là et signée du père Christophe Bongrain, comme quoi un voyageur lui avait amené d'Espagne un enfant auquel les Infidèles avaient coupé la langue. Cet enfant s'appelait Joaquín… Il faudra trouver un nom de famille espagnol.

— Cordoves, suggéra le religieux. Mais comment savait-il le nom de l'enfant, puisque celui-ci était muet ?

— Celui-ci le lui aura inscrit sur le sol.

Le religieux hocha la tête et sourit.

— Vous écririez de beaux romans.

— Le père Bongrain a confié l'enfant à un peintre qui s'appelait Jouffroy Mestral, demeurant allée de la Fresnaie, à Angers, et qui avait besoin d'un famulus. Il a adopté l'enfant et l'a élevé. Croyez-vous que vous pouvez insérer cet acte à la date correspondante ?

Le père Lebailly se leva et alla tirer un autre registre, considérablement plus gros, puis le feuilleta.

— Oui, je le crois, répondit-il en indiquant une page mal remplie. Je vois là un espace vide.

Elle posa sur la table la bourse qu'elle avait préparée.

Il fit chauffer l'encrier de métal à la flamme de la bougie.

Moins d'une heure plus tard, le registre était complété.

— Que gagnez-vous à tout cela ? demanda le père Lebailly en accompagnant Jeanne à la porte.

— Le sentiment d'avoir sauvé des vies.

Elle convia le religieux à souper ce soir-là.

19

Des radis

Le froid devenait vif, surtout la nuit.

Les trois voyageurs avaient tiré de leurs coffres leurs vêtements les plus chauds et dormaient emmitouflés. Miguel leur confia un petit poêle à bois de marine pour chauffer leur cambuse ; il se pendait à un barrot, car il n'était évidemment pas question de poser une flamme quelconque par terre.

Vingt-quatre jours de voyage. Mais où allaient-ils donc, grand ciel ? Soudain l'absurdité de l'aventure leur apparut. Comment peut-on partir en mer sans savoir où l'on va ? Et peut-être n'allaient-ils nulle part ! Peut-être la mer s'étendait-elle jusqu'à l'infini, et le froid deviendrait de plus en plus intense jusqu'au jour où l'*Avispa* dériverait au hasard des courants, avec des cadavres gelés…

Les marins aussi devenaient sombres. Ils ne chantaient plus la nuit.

Le vingt-sixième jour, un incident étrange modifia les humeurs.

À cinq heures du matin, Déodat perçut un cri. Puis le bruit de bottes qui couraient çà et là sur le pont inférieur. Et des exclamations. Il n'avait pas été le seul réveillé : Jacques-Adalbert aussi remua dans son hamac et marmonna :

— Qu'est-ce que c'est ?

En dépit du froid, Déodat escalada l'échelle et courut dehors, enveloppé dans sa couverture. L'équipage était réuni sur le gaillard d'avant. Un spectre immense, informe, magnifique, inhumain et effrayant se dressait devant l'*Avispa*. Une montagne de cristal scintillant dans les premières lueurs du soleil et répandant des éclats de lumière bleuâtre dans la mer.

Abordaient-ils aux portes de la mort ?

Miguel fit dériver le navire à bonne distance. L'équipage, désormais muet, se déplaça à tribord. Nul n'avait de mots pour décrire le spectacle.

Gaspar fit distribuer du vin chaud.

— On approche d'une terre, dit-il. Les montagnes de glace ne naissent pas en pleine mer. Celle-ci s'est détachée d'une côte.

C'était, en effet, une montagne de glace.

— Elle est haute, dit Jacques-Adalbert.

— On m'a rapporté qu'on en avait vues au large de l'Écosse. Elles sont plusieurs fois plus profondes. Si elles se renversent, c'est un cataclysme à une demi-lieue à la ronde. Aucun navire n'en réchappe.

Quatre jours plus tard, à l'aube, Déodat tentait de se réchauffer sur le pont avec un gobelet de vin chaud, quand il vit Gaspar sur un bastingage de bâbord plisser les yeux. Que regardait-il ? Le Portugais tendit le bras :

— Des oiseaux. Des mouettes. Il y a une terre par là.

Tous les matelots avaient vu les mouettes. Une fièvre sourde s'empara de l'équipage. Les mollets devinrent plus élastiques et les gestes plus vifs. Quelque trois heures après le lever du jour, alors que Gaspar était à la barre, un cri retentit du haut du mât de misaine :

— Terre à bâbord !

L'émotion noua les gosiers. Le matelot qui se tenait près de Déodat lui serra le poignet et murmura d'une voix rauque :

— *Tierra !*

Miguel fit réduire la voilure. Une petite brise poussa le navire le long d'une côte consistant surtout en falaises basses. On ne distinguait aucune montagne. Des myriades d'oiseaux peuplaient les côtes. Tous les matelots furent surpris par une espèce qu'ils n'avaient jamais vue, des animaux fusiformes qui semblaient porter une cape noire sur une chemise blanche, mais dont les ailes atrophiées ne leur permettaient pas de quitter le sol ; on en comptait des milliers, debout, comme des congrégations de clercs. On reconnaissait aussi des oies et des canards.

Gaspar cherchait une anse et finit par la trouver. On jeta l'ancre. Il fallut donner toute la longueur de chaîne. Un grondement sourd indiqua qu'elle grattait le fond ; un choc, qu'elle avait enfin trouvé son point. Gaspar descendit du gaillard d'arrière et ordonna qu'on mît à l'eau l'une des deux chaloupes arrimées sur le gaillard d'avant.

L'opération fut compliquée, mais menée avec une promptitude éblouissante. Les matelots ne se tenaient plus d'impatience. La question se posa de savoir quels hommes resteraient à bord pour veiller sur le bateau ; Gaspar décida que tout le monde descendrait bien à terre, mais par équipes tournantes, car il fallait un minimum de six hommes en vigie permanente sur l'*Avispa*. Puis il descendit sur une corde à nœuds, avec un arc et un carquois attachés à un baudrier.

Déodat s'avisa que tout le monde portait ces armes, à l'exception de Ferrando, de Jacques-Adalbert et de lui-même ; ils descendirent alors prendre leurs dagues dans les coffres. Nul ne savait, en effet, quelle population l'on pourrait rencontrer, ni quelles seraient ses intentions. Il s'élança à son tour dans le vide et se balança sur la corde à nœuds, puis enfin, haletant plus de l'émotion que de l'effort, posa le pied dans la chaloupe.

Il s'avisa également que si le navire faisait naufrage, un tiers de ses passagers périraient, car chaque chaloupe ne pouvait prendre que six hommes. Celle-ci ferait donc un aller et retour. Seuls Déodat et Ferrando furent du premier voyage ; Jacques-Adalbert décida qu'il serait du second, avec Villamora. Deux matelots fixèrent les rames dans leurs fourches et ramèrent. Déodat tremblait, bien qu'il ne fît pas vraiment froid. Il regarda dans l'eau alentour et la trouva poissonneuse.

Une demi-heure plus tard, la coque de la chaloupe crissa sur un fond caillouteux. Gaspar, à l'avant, bondit, s'éclaboussa et, en deux enjambées, atterrit sur une grève de galets. Il regarda autour de lui, puis fit signe aux autres de le suivre.

Déodat mit pied à terre dans un état proche de la transe. Était-ce là le Grand Continent du Nord ? Tout à coup, ses anxiétés, son ennui, ses souffrances s'évanouirent à la vue de ce paysage pourtant désolé. Il avait poussé sa résistance à l'extrême et il avait posé le pied sur l'extrémité du monde. *Finis terrae.*

Il tira de sa poche une flasque d'eau-de-vie qu'il conservait au secret et en but une lampée. Le matelot près de lui, un jeune homme broussailleux, le regarda, avec des yeux éloquents ; il lui tendit la flasque.

Le premier groupe attendit le second ; il fut de sept. Où iraient-ils ? Vers l'intérieur des terres ou le long de la côte ? Ils optèrent pour la seconde solution et se mirent en route.

— Nous ne manquerons pas de viande, dit Ferrando, indiquant les canards perchés sur un rocher.

— Cherchons d'abord de l'eau, dit Miguel.

Il n'en restait quasiment plus à bord, ni dans les barriques, ni dans les réserves de l'équipage. Ils parvinrent bientôt à l'embouchure d'un torrent qui se jetait dans la mer. Ils n'avaient qu'un tonnelet ; Miguel décida qu'on monterait une expédition exprès pour se réapprovisionner en eau, et là, on se contenta de remplir le tonnelet emporté par Villamora.

La côte était rocheuse, coupée tantôt de falaises basses et tantôt de grèves caillouteuses sur lesquelles se prélassaient des animaux en forme d'outres noires aux yeux de chien et aux museaux moustachus. Le continent même semblait plat, mais il était verdoyant. Les explorateurs s'engagèrent bientôt dans une forêt de bouleaux qui longeait les falaises.

Ils ne savaient, une fois de plus, ni où ils allaient, ni ce qu'ils cherchaient. Soudain, au bout de deux heures de marche, Villamora s'écria :

— Des maisons !

Ils s'arrêtèrent, saisis. Au-delà d'un pré où des coquelicots palpitaient dans la brise, on reconnaissait en effet un ensemble de constructions aux toits pentus. Des maisons ! C'est-à-dire des êtres humains ! Mais quels êtres habitaient donc ces lieux ? D'un signe de la main, Gaspar suspendit les voix et le mouvement. Il observa attentivement les baraques en bois grisâtre, à trois cents pas de là. Déodat trouva les maisons peu prospères ; les toitures semblaient particulièrement éprouvées.

— Cela n'a pas l'air habité, dit enfin Gaspar. Il n'y a pas un seul feu.

Pas un aboiement. Ni un hennissement ou un cri d'enfant.

Gaspar prit la tête du groupe en direction du hameau, puisque c'en était un. Au bout d'une cinquantaine de pas, un bateau apparut derrière une maison ; il avait été tiré à terre. Jadis. Il était, lui aussi, en bien mauvais état.

— Il y a quelqu'un ? cria Gaspar en portugais.

Pas un son ne lui répondit. Peut-être ces gens ne connaissaient-ils pas les chiens.

Il continua d'avancer et arriva à la première maison ; il répéta son cri. Rien. Il mit la main sur la poignée de la porte. Une poignée d'un modèle inconnu, en fer. Miguel tenait la main sur son arc, les trois voyageurs, sur leurs dagues. Gaspar poussa la porte.

La première salle était vide. Des fientes d'oiseaux, chiées par les brèches dans la toiture, s'amoncelaient sur la grande table au centre. Une chaise vermoulue s'écroula quand un matelot la heurta. L'âtre était vide et froid depuis bien des lunes, mais un pot pendait encore à des chaînes au-dessus de flammes de longtemps éteintes. À l'évidence, la neige, la glace et le vent avaient été depuis des décennies les seuls habitants de ce lieu sinistre.

Suivi de près par ses compagnons, il passa dans la pièce suivante. Le vent pénétrait en sifflant doucement par la fenêtre ouverte. Il y avait là deux lits. Les paillasses s'en étaient depuis longtemps désagrégées et le vent les avait éparpillées aux quatre coins du plancher en bois, désormais disjoint.

Il poussa un cri.

L'un des lits était occupé. Par un squelette. Ce fut la position du squelette qui les déconcerta : d'abord, il était en partie démembré ; une jambe et un pied gisaient au sol ;

ensuite le reste était étalé dans une position bizarre, comme figé dans une danse macabre.

Tous restèrent immobiles, saisis. Un matelot fit un signe de croix. Gaspar se pencha sur le squelette. Celui-ci était blanchi de longue date, mais des touffes de longs cheveux gris étaient demeurées. Avait-ce été un homme ? Une femme ? Ses os étaient bien minces. L'édredon était étrangement souillé et déchiqueté, surtout au bas. Des monceaux de plumes fines s'étaient échappées des éventrations. Des oiseaux de proie avaient jadis fait leur besogne. Ils s'étaient sans doute acharnés sur les jambes et les pieds, cachés par l'édredon. D'où la position singulière du squelette.

Déodat se pencha et ramassa un chapelet cassé.

— C'était un chrétien, dit-il.

Un matelot poussa un cri. Derrière le lit gisait le squelette d'un enfant.

Deux pièces, c'était tout. Plus un réduit où du linge, sans doute bien rangé autrefois, achevait de se décomposer, lui aussi. Il battit brusquement en retraite. Une chouette blanche s'envola vers lui. Il l'écarta du bras. Elle partit par la fenêtre. Elle avait fait son nid dans le réduit.

— Mais que s'est-il passé ? s'écria Ferrando, bouleversé. Tout le hameau doit être pareil !

Il l'était, en effet. Ils allèrent de désolation en désolation.

Quand Gaspar ouvrit la porte de la maison suivante, un squelette lui tomba quasiment dans les bras. En dépit de sa frayeur, Gaspar s'accroupit pour l'examiner : cet être avait-il été un nain ? Ses tibias et ses humérus étaient extrêmement mal formés. La tête était énorme.

Il n'y avait rien à récupérer nulle part. Les couteaux étaient rouillés, les tissus déchirés, les meubles friables. Un matelot ramassa un trophée : des cornes d'un type que personne ne connaissait. Pourtant, c'étaient bien des vaches ordinaires dont on retrouva aussi les ossements dans une étable.

Une grande maison s'élevait au centre du hameau. Ses portes battaient au vent, ouvrant sur une grande salle garnie de rangées de bancs. Une église. C'étaient donc bien des chrétiens. Le crucifix s'était fracassé au sol. Les bourrasques avaient renversé les bancs et les chandeliers.

— Quittons cet endroit maudit ! s'écria un matelot.

Ils marchaient depuis trois heures ; il en faudrait bien autant pour revenir à l'anse où l'*Avispa* mouillait.

Gaspar hocha la tête, mais il contourna l'église et parvint au cimetière. Il se pencha sur les croix et les pierres tombales. *Thorsten Ivarssen 1415-1476... Freia Thalberg 1407-1469...*

— Des gens du Nord, dit-il.

La date la plus récente était 1487.

Ils reprirent le chemin du retour, la tête basse. Toute l'ivresse de la découverte était évaporée. Leurs macabres découvertes ne leur avaient laissé qu'un goût de cendre.

— Pensons au souper ! s'écria Villamora, passant devant un rocher où des canards grouillaient.

Ces volatiles n'étaient pas méfiants ; on pouvait les attraper quasiment à la main. La course au souper fut générale et changea l'humeur des matelots. Ils avaient saisi vingt et un canards. Pendant une heure, ils se livrèrent au carnage, tordirent les cous, plumèrent et vidèrent. Puis Gaspar lui-même, assisté de Ferrando et de Déodat, bâtit un feu et dépiauta des baguettes d'arbrisseaux inconnus pour en faire des broches.

Villamora envoya chercher un tonnelet de vin et des gobelets et porter quelques canards rôtis à l'équipage de garde.

Il ne resta rien des rôtis : cela faisait un mois que personne n'avait dégusté un repas chaud. Les agapes restaurèrent sensiblement l'enthousiasme perdu.

— Nous avons donc trouvé une terre, dit Jacques-Adalbert, mais elle était déserte.

— Désertée, rectifia Déodat.

— Ces gens étaient malades, dit Gaspar. Les squelettes étaient déformés. Ils ont sans doute été décimés par une épidémie. Demain, nous poursuivrons l'exploration.

Quant à ces chrétiens venus mourir sur ces terres lointaines, on ignorait tout, sauf que c'étaient des gens du Nord[1].

Ils remontèrent à bord dans un crépuscule d'un rose ardent, jamais vu, se couchèrent incontinent et firent des rêves sombres.

---

1. Découvert en 982 par Erik le Rouge, le Groenland, première redécouverte des frères Corte Real, fut colonisé par les Islandais, christianisé vers l'an mil et devint au XIIIᵉ siècle une colonie de la couronne de Norvège. Aux temps de sa prospérité, il comptait deux cathédrales et l'on y élevait en serres, chauffées par des sources d'eau chaude, des orangers dont les fruits étaient expédiés au roi de Norvège. Au XIVᵉ siècle, pour des raisons géologiques mal connues, la terre devint difficilement exploitable et les colons ne purent plus élever de bétail, leur unique source de subsistance. On ignore pour quelle raison ils ne pêchaient pas, et l'on suppose que ce fut faute de bateaux. En effet, ils n'en construisaient pas. En 1410, le dernier navire norvégien quitta le Groenland, laissant à terre quelques centaines de colons qu'une maladie indéterminée décima. Les ossements analysés suggèrent aussi bien la tuberculose que la dégénérescence par croisements répétés entre les survivants, le scorbut, voire la syphilis. N'ayant pas de navire, ils ne purent quitter ces terres.

Le lendemain matin, Gaspar organisa une deuxième expédition pour le ravitaillement en eau douce. Il eut l'obligeance de faire remplir une des barriques de ses trois voyageurs. Elle fut bien plus commode à descendre qu'à remonter. Déodat en tâta le contenu : c'était l'eau la plus pure qu'il eût jamais bue.

Les expéditionnaires en profitèrent pour ramener encore des canards.

À midi, après avoir établi sa position, soixante-deux degrés de latitude nord, Gaspar fit lever l'ancre et décida de longer la côte, traînant la chaloupe après lui. Quelques heures plus tard, il apparut que ces rivages étaient les plus déchiquetés qu'on pût imaginer ; ils se creusaient de baies profondes qui se succédaient entre des promontoires pareils à des môles ; les abords en étaient garnis d'îlots et de rochers qui n'inspiraient visiblement pas confiance au capitaine.

— Il peut y avoir sous l'eau des rochers sur lesquels nous nous fracasserions, expliqua-t-il à Ferrando.

Il compara le relief côtier avec celui du portulan, déjà bien tourmenté, et conclut que les navigateurs qui l'avaient précédé n'avaient pas eu plus de loisir que lui pour détailler leur découverte ; leur dessin était inexact à bien des égards, car le cap du continent où ils avaient abordé, si c'en était bien un, s'avérait sensiblement plus pointu que celui du portulan, et les golfes en étaient plus profonds. Il tenta à deux reprises d'ancrer au large, afin d'expédier la chaloupe en reconnaissance, mais les eaux étaient bien trop profondes pour les chaînes dont il disposait. Ceux qui avaient espéré un autre débarquement en furent quittes pour leur déception. Déodat se remit à la pêche et attrapa coup sur coup trois beaux saumons.

Le vent qui soufflait venant constamment du nord, l'*Avispa* ne pouvait naviguer que vent debout ; même toutes voiles carguées et en s'aidant de la seule voile d'artimon, elle allait donc très lentement[1]. Gaspar décida le lendemain de virer de bord et mit résolument le cap sur l'ouest.

L'aventure recommençait, puisqu'on ne savait où l'on allait.

On vit deux îles de glace dériver au loin. Mais Déodat regardait le ciel, guettant des oiseaux.

Deux jours plus tard, deux heures après midi, le cri attendu vint de la vigie sur le mât de misaine.

— Terre devant !

À vrai dire, on ne voyait du pont qu'une ligne grisâtre, qui eût tout aussi bien pu être un banc de nuages. Pas un battement d'ailes. Mais soudain, un vol d'oiseaux raya le ciel brumeux, venant du sud. Gaspar changea la trajectoire et décrivit une grande courbe pour longer la côte et s'en rapprocher par le tribord.

Trois heures plus tard, équipage et voyageurs purent distinguer nettement le détail de cette terre ; elle ressemblait à la précédente comme une sœur, à cette différence près qu'elle était bien plus boisée. L'heure étant tardive pour un débarquement, Gaspar longea la côte jusqu'à ce qu'il trouvât une anse où jeter l'ancre pour la nuit. On eût dit l'embouchure d'un fleuve immense, dont on apercevait à peine l'autre rive. L'ancre fut enfin descendue. Déodat écouta le frottement de chaque anneau sur l'écoutille de fer comme si c'était un bruit du destin.

---

1. Sur ce type de navire, en effet, les voiles étaient fixes, à l'exception de celle d'artimon, et ne permettaient pas de naviguer au près.

La nuit fut courte, non seulement en raison de la proximité du cercle polaire, qui l'avait réduite à une aquarelle bleuâtre, mais parce que peu dormirent.

La découverte de la première terre avait été pareille à une rencontre fortuite. Ils avaient alors été proches du désespoir. La compatissante Providence leur avait accordé une terre qu'ils croyaient inexplorée et, dans son avarice naturelle, elle avait aussitôt tempéré son cadeau en l'assortissant de découvertes macabres. Des chrétiens avaient vécu là et ils étaient morts de misère. *Memento mori.* Que croyaient donc ces matelots téméraires? Qu'il existait quelque chose de neuf sous le soleil?

Ils entendaient presque des esprits sarcastiques ricaner au-dessus des nuages.

Mais les nouveaux rivages, à une encablure de là, confortèrent la certitude de la découverte. Non, Providence, nous n'avons pas trouvé que des vieilleries désolées. Tu ne savais pas tout. Ne serais-tu donc qu'un autre nom pour cette ribaude aveugle qu'on nomme Fortune? Il existait bien d'autres terres au-delà de ces champs trempés de sang et de désillusions qu'était la vieille Europe, l'Ancien Continent. Et le monde inconnu ne pouvait être peuplé, lui aussi, de maisons en ruines hantées de squelettes difformes. S'il était habité, ce serait de vivants.

Mais lesquels?

Le sentiment de l'inconnu mélange la terreur et la fascination; il est pareil à celui de la passion amoureuse.

Ce furent dix-neuf fiancés qui se présentèrent sur le pont, à l'aube, comme pour un dépucelage rituel. Ils regardaient les denses forêts que l'aube verdissait au fur et à mesure, sans en dissiper le mystère. Le destin a cent visages, comme la mort, dix mille portes. Il les attendait dans ces bois.

Gaspar demeura un long moment à les contempler.

Enfin, il donna l'ordre de descendre dans la chaloupe. Six hommes, comme la première fois. Les mêmes, dont Déodat et Ferrando.

Quand ils descendirent de la petite embarcation, le sentiment ne fut pas le même qu'au premier accostage. D'abord, parce que le paysage était différent. Au-delà de la grève caillouteuse, où quelques mouettes piaillaient, les forêts montaient la garde. Comme la première fois, on attendit le débarquement de la deuxième équipe.

Treize hommes considérèrent l'environnement et l'évidence s'imposa : longer la côte n'apprendrait rien ; il fallait couper dans la forêt. C'étaient des sapins. Ils avancèrent donc, en file indienne.

Une heure plus tard, le décor n'avait pas changé. On apercevait bien le ciel çà et là, mais cette forêt semblait s'étendre jusqu'au Jugement dernier.

Un matelot cria.

Un être effrayant marchait dans les bois, tel un gros homme. Il avançait vers eux. Un homme ! Affreusement velu !

— C'est un ours ! cria Ferrando.

Un ours brun sombre, qui les considéra d'un air bougon, traversa leur file et se perdit de l'autre côté.

Miguel éclata de rire :

— Voilà un indigène bien mal éduqué ! Il ne nous a même pas salués !

La main encore sur leurs arcs, les hommes se mirent à rire aussi, désamorcés.

— Il n'y a donc pas d'habitants dans les parages, observa Gaspar. Cet animal n'a pas peur des hommes.

Un peu plus tard, ils le retrouvèrent, à mi-jambes dans un torrent : il dégustait un saumon. Ils longèrent la rivière et parvinrent à une clairière. Au-delà s'étendait une plaine baignée de soleil, où vaguaient des animaux qui ressemblaient à des cerfs, mais plus grands et dotés de bois plus épais et moussus.

La découverte d'un nouveau monde ressemblait de plus en plus à une excursion de garnements dans le pré du voisin. Sauf qu'ils ne savaient pas où ils se trouvaient. Ils étaient partis damer le pion à Christophe Colomb et, cela accompli, n'avaient pas la moindre idée de ce qu'ils devraient faire ensuite. Pas d'habitation en vue. Les squelettes, au moins, leur avaient donné une émotion.

Un matelot parla de camper et de poursuivre l'exploration le lendemain. Coucheraient-ils donc à la belle étoile ? Et le ventre creux ?

Trois ou quatre volatiles énormes, noirs et maladroits, s'aventurèrent non loin. C'était le souper qui se présentait. Un matelot bondit sur l'un d'eux, qui lui échappa. Il courut après l'oiseau, qui battait lourdement des ailes et poussait des cris disgracieux, puis qui se défendit avec ses pattes jaunes, aux griffes acérées. Déodat se trouva déconfit. Il courut après un autre volatile, s'étala dans l'herbe, se redressa, repartit et, au bout d'une longue poursuite sous les yeux de ses compagnons, parvint à attraper un de ces dindons sauvages, qui se débattit comme un beau diable, sous les yeux somnolents de ces cerfs qui n'en étaient pas.

La ruée commença. La découverte du Nouveau Monde se résuma à la poursuite de dindons par des Portugais et des

Français vexés. Trois de ces volatiles y périrent. Ils faisaient bien cinq livres pièce.

Au moins Colomb, lui, avait trouvé des femmes superbes et faciles.

Il était trop tôt pour souper. Les matelots chargèrent les dindons étranglés sur le dos et l'on se remit en route vers la grève, si du moins on la retrouvait.

— Longeons le torrent, suggéra Miguel. Nous serons sûrs d'arriver à la mer.

Or, ce torrent coulait bien plus au nord que le point d'accostage. Les treize hommes se perdirent plusieurs fois, mais finirent par atteindre la mer vers le crépuscule. Ensuite, il fallut longer la grève dans l'obscurité, jusqu'à ce que, enfin, on distinguât les fanaux de l'*Avispa*, qui se dandinait dans la baie.

Ils refirent, épuisés, le trajet vers le navire, en deux fournées, comme au débarquement, sourdement dépités. On plumerait les dindons demain. Au diable le Nouveau Monde.

Tous se couchèrent mécontents. Quoi, on avait trouvé le Nouveau Monde, les terres décrites sur des portulans immémoriaux et l'on rentrait finalement bredouille ! Ni or, ni épices, ni femmes.

Le lendemain, Déodat voulut accompagner à terre les matelots chargés de la corvée d'eau. Il avait son idée. Il observait les plantes qui poussaient le long du torrent. La veille, en effet, il avait cru reconnaître du persil. Il en avait rêvé. S'il ne s'était pas trompé, il pourrait se défaire de ce goût à la fois fade et fétide de la soupe au lard, que même le verjus du bord ne parvenait pas à laver.

Du persil ! Il rêva de saumon grillé au persil.

Or, après en avoir prudemment goûté, il constata que c'en était bien. Il en fit une moisson. Les matelots, qui tenaient déjà ces messieurs des villes pour des excentriques et, autant le dire, des bons à rien, le regardèrent faire avec indifférence.

Puis il remarqua des feuilles de rien du tout qui pourtant éveillaient en lui un souvenir. Il s'accroupit et, à l'aide de la dague, dégagea les racines de l'une d'elles.

Un radis ! Un radis sauvage !

Il eût trouvé un diamant que son cœur n'eût pas battu plus fort. Il en fit donc une provision extraordinaire. Au moins six livres de radis, certains gros, d'autres des gringalets. Il en lava un et le croqua. Délice ! Ce goût poivré ! Et puis cela changeait des fèves. Il éprouvait depuis maintes semaines un désir frénétique d'un aliment végétal et frais. Il rinça les racines dans l'eau du torrent et serra sa récolte dans son manteau.

— Qu'est-ce que tu tiens sous ton bras ? demanda Jacques-Adalbert, quand Déodat fut rentré de la corvée d'eau.

Celui-ci s'accroupit, défit son ballot et étala ses trésors sur le pont, aux yeux de tous. Gaspar vint les examiner. Les matelots aussi. Un attroupement se forma autour des trouvailles de messire Déodat de l'Estoille.

— Des radis, constata Ferrando, après en avoir mangé un.

— *Rabenets*, dit Gaspar, l'air surpris.

— Et ça ? demanda Jacques-Adalbert.

— Du persil.

— *Rabenets !* répéta un matelot, examinant les racines rouges sur le manteau.

Soudain, une crise de fou rire secoua l'équipage de l'*Avispa*. Ils se tordirent, se plièrent en deux et se tapèrent sur les cuisses. Ils en avaient des quintes. D'abord déconcerté, Déodat fut gagné lui aussi par la contagion. Miguel tournait sur lui-même, hennissant pour ainsi dire d'un rire inextinguible. Ils avaient navigué cinq semaines, essuyé des tempêtes, découvert le Nouveau Monde que des navigateurs inconnus avaient abordé dans la nuit des temps, le continent des Sept Cités d'Or, et tout ce qu'ils en retiraient, c'étaient des radis !

20

Le vrai roi

Martial Secq de Baudry semblait courroucé. « J'ignore comment vous vous y êtes prise », dit-il.

La Marie-Jolie était en prison comme incendiaire et certains, à cause des corbeaux, parlaient de lui faire un procès en sorcellerie. Ce qui était sûr, c'est qu'elle ne pourrait répéter son témoignage.

Jeanne toisa le sire de Baudry d'un air ennuyé.

— Je vous avais dit que cette femme était folle, répondit-elle d'un ton las.

— En tout cas, elle ne l'était pas quand elle a témoigné. J'y étais et j'en atteste.

Elle répondit par une moue.

— De toute façon, cela ne change rien à la situation, reprit-il, glacial. Le nommé Joachim est bien le fils de Hunyadi et son fils, le neveu de Matthias.

Elle haussa les épaules.

— Fable délirante, je vous l'ai déjà dit ! répondit-elle. Et quand bien même cela serait ?

— Il serait de ce fait l'héritier et prétendant au trône en ligne directe.

— Mais n'y a-t-il pas déjà un roi sur le trône ? remarqua-t-elle d'un ton insidieux. Je croyais que notre bon roi lui avait donné en épouse la princesse Anne de Candale.

— Vous êtes bien informée, rétorqua Secq de Baudry.

Mais il n'expliqua pas pourquoi lui et les siens s'obstinaient à considérer Franz-Eckart comme prétendant à ce maudit trône. Était-ce le roi qui l'ordonnait ? Ou bien la coterie, menée par Esterhazy et Zilahy, poursuivait-elle son projet pour des raisons personnelles ?

— Êtes-vous allé consulter les registres de Saint-Maurice ? demanda Jeanne avec désinvolture.

— Non, pourquoi ? demanda-t-il, intéressé.

— Je crois me souvenir que, lors de mon premier séjour à Angers, on m'avait dit que ce Joachim y était inscrit. Peut-être apprendrons-nous quelque chose de sérieux sur son origine.

Il fronça les sourcils et fixa sur Jeanne un regard soupçonneux.

— Je vais aller voir.

La journée se passa sans autre encombre. Mais le soir, Franz-Eckart, qui avait rendu visite à un joaillier de la ville, afin de faire confectionner une lentille d'un modèle nouveau, pour son télescope, annonça à Jeanne qu'Esterhazy et Zilahy étaient en ville. L'affaire de la succession n'était donc pas morte.

— T'ont-ils vu ?

— Je le crois.

— Prends garde qu'ils n'essaient de t'enlever.

Le lendemain, le père Lebailly vint à la maison L'Estoille.

— Un haut personnage de l'Hôtel de Ville m'a rendu visite hier.

Elle hocha la tête.

— Je le sais. Le chevalier Secq de Baudry. C'est moi qui vous l'ai envoyé.

— Je tenais à vous en prévenir. Quand il a pris connaissance de l'inscription que vous savez, il est entré dans une forte colère et a menacé de déchirer la page du registre. Je lui ai dit qu'il était en territoire d'Église, et que de toute façon, j'alerterais l'évêque des circonstances de sa visite.

— Avez-vous informé l'évêque ?

— Oui. Il a adressé une remontrance au gouverneur.

Elle hocha la tête.

Peu après, Secq de Baudry revint.

— Madame, dit-il, vos manigances ne servent à rien. Je vous ai demandé votre concours pour persuader messire Franz-Eckart Hunyadi de bien vouloir reconsidérer sa position. Vous m'avez répondu par la négative. Je dois vous prévenir que vous encourez le déplaisir royal.

— Est-ce bien le déplaisir du roi, messire ? demanda-t-elle, excédée. N'est-ce pas plutôt celui d'une coterie dont vous faites partie avec messires Esterhazy et Zilahy ?

Il serra les mâchoires.

— Vos insolences, madame, ne changeront rien à notre projet.

— Messire, à ma connaissance vous n'avez à Angers aucun titre pour me harceler ainsi que vous le faites depuis quelques jours. Je vais donc moi-même en référer au roi et l'informer qu'un projet ténébreux prétend, sous des prétextes mensongers, imposer à mon petit-fils le trône de Hongrie, ce qui ne saurait se faire sans l'assassinat de l'actuel roi de ce pays, son allié !

C'était du vent ; le roi était en campagne en Italie et elle ne connaissait personne de son entourage. Néanmoins Secq de Baudry blêmit.

— Il vous en cuirait, madame !

— Je crains, messire, qu'il ne vous en cuise davantage !

Elle savait que Joachim, qui se trouvait à la cuisine, entendait toute la conversation. Secq de Baudry quitta la maison en colère et remonta sur son cheval. Joachim entra dans la pièce, pensif, et regarda Jeanne. Que voulait-il lui signifier ? Elle ne le revit pas de la journée.

Franz-Eckart donnait à ce moment-là sa leçon quotidienne à Joseph. Elle lui raconta la visite de Secq de Baudry.

Le lendemain soir, elle et Franz-Eckart entendirent un fracas à l'étage au-dessus. C'était celui où dormaient Frederica et Joseph. Et peu après, le bruit des sabots de plusieurs chevaux. Elle bondit hors du lit, saisit le bougeoir et courut à la chambre de Frederica. Elle entendit des gémissements : la gouvernante était ligotée et bâillonnée dans son lit.

Et Joseph avait disparu.

— Deux hommes ! haleta-t-elle quand Jeanne l'eut désentravée. Ils sont entrés par la fenêtre ! Ils ont pris Joseph ! Oh mon Dieu !

Elle fondit en larmes. L'échelle était toujours posée contre le mur.

Franz-Eckart, à la porte, avait tout entendu. Il courut dans la chambre, s'habilla en un tournemain et dévala l'escalier.

— Où vas-tu ? cria Jeanne.

— À l'écurie !

— Franz ! Ils sont nombreux ! Ils sont armés !

Mais elle savait que c'était peine perdue. Franz-Eckart ne laisserait pas enlever son fils.

Elle se rhabilla en hâte, elle aussi et s'élança vers l'écurie. Deux chevaux en sortaient déjà. Deux ?

— Attendez-moi ! Je viens avec vous !

Elle monta comme un homme et retrouva vite ses talents de cavalière. Quelques moments plus tard, elle avait rejoint les deux hommes.

Le second était Joachim, elle l'avait pressenti.

Mais comment savaient-ils quelle direction avaient prise les ravisseurs ? Joachim l'avait-il deviné ? Il tendait le bras en avant.

Ils se retrouvèrent sur la route qui menait à Seiches. Un quartier de lune répandait une avare clarté sur le paysage. Mais elle était suffisante pour apercevoir devant eux quatre cavaliers au galop.

Et quand ils les auraient rattrapés, se demanda Jeanne, que feraient-ils ? Ils se battraient à la dague ? Et les loups ? Et l'enfant qui était dans leurs bras !

Étrangement, Joachim quitta la route et galopa vers la forêt proche. Et ce ne fut pas Franz-Eckart, Joachim et Jeanne qui rattrapèrent les ravisseurs, ce furent ceux-ci qui ralentirent. Le temps d'un éclair, Jeanne se demanda pour quelle raison, puis elle comprit avec terreur. La route était soudain barrée.

La plus grande meute de loups qu'elle eût jamais vue sortait de la forêt en bondissant et formait un barrage. Des yeux brillaient à la clarté de la lune. Était-ce Joachim qui les avait convoqués ? Était-il fou ? Et Joseph ? Elle s'élança, mais Franz-Eckart l'avait devancée. Il avait repéré l'homme qui tenait l'enfant. Au péril de sa vie, il arriva à hauteur de celui-ci et fit un geste accompagné d'un grognement qu'elle ne lui avait jamais entendu. Elle en fut terrifiée. Un loup sauta sur la jambe du cavalier inconnu et la tira si fort qu'il le désarçonna. Franz-Eckart lui arracha alors l'enfant. Les autres tentèrent de faire demi-tour, mais le jeune homme avait déjà fui et les loups ne leur laissèrent pas le temps de réagir ; ils se jetèrent sur les quatre ravisseurs, lesquels tirèrent leurs dagues.

À dix pas de là, Jeanne se figea.

Le massacre fut effroyable. Des cris et des hurlements de douleur jaillissaient dans la nuit, mêlés à des hennissements et des râles… Un cheval parvint à s'enfuir, laissant son cavalier à terre.

Elle crut perdre la raison. Elle chercha Franz-Eckart et Joachim du regard.

Tenant Joseph dans un bras, ce fut Franz-Eckart qui sortit de l'ombre de la forêt où il s'était réfugié. D'un geste, il fit signe à Jeanne et Joachim de le suivre. Ils repartirent au galop.

Frederica avait allumé les chandelles dans la salle du bas. Elle courut à leur rencontre et vit Franz-Eckart entrer en trombe, tenant Joseph dans ses bras.

— Il est vivant ? Mon Dieu ! s'écria-t-elle, s'emparant de l'enfant, effaré.

— Remontez le coucher, dit Jeanne. C'est fini. Il ne s'est rien passé.

Elle alla s'asseoir et fondit en larmes.

— Je ne peux plus… se lamenta-t-elle, dans les hoquets. Je ne peux plus ! C'est trop ! Trop !

Joachim lui posa la main sur l'épaule. Elle prit la main de Joachim et l'appliqua sur sa joue. Il lui caressa la tête. Elle leva le visage vers lui. Le père et le fils avaient sauvé Joseph. Ils avaient défendu leur sang. Joachim était un vrai roi, le roi des loups. Il avait appelé ses armées à la rescousse et les avait tirées de la forêt. Et Franz-Eckart était bien son héritier. Elle se rappela le grognement avec lequel il avait attiré un fauve sur le ravisseur de Joseph. Et personne ne se doutait de leur royauté.

Il était pâle.

— Voilà, dit-il enfin, nous en avons fini avec ce complot. Ces gens avaient probablement l'intention de me faire chanter, Jeanne, pour me contraindre à accepter leurs conditions. Les trônes sont maudits.

Jeanne s'endormit à l'aube et se réveilla tard, hagarde.

La place de Franz-Eckart était déserte. Affolée, elle courut dans la chambre de Joseph ; il dormait paisiblement, rattrapant les heures de sommeil perdues et se remettant de ses émotions.

— Où est Franz-Eckart ? demanda-t-elle à Frederica.

— À l'étuve, avec Joachim.

Ils en sortirent peu après, frais comme des gardons. Stupeur, Joachim s'était rasé la barbe. Devant la surprise de Jeanne, il sourit.

La ressemblance avec son fils éclatait. Elle comprit : il pouvait désormais la montrer.

Une des servantes revint du marché épouvantée : l'on n'y parlait que de l'affreuse découverte d'un maraîcher sur la route de Seiches. Quatre hommes et deux chevaux avaient été affreusement déchiquetés par les loups, sans doute à une heure tardive. Les sergents à cheval y étaient allés voir et ils avaient identifié les victimes : deux d'entre elles étaient des gentilshommes hongrois qui demeuraient à l'auberge depuis quelques jours, la troisième était un officier de la maison du gouverneur, Martial Secq de Baudry et la quatrième, un archer. Nul ne savait ce que ces quatre hommes faisaient sur la route dans la nuit, et encore moins pourquoi un archer faisait partie de leur équipage.

Peu de jours plus tard, on apprit cependant qu'un chariot les attendait à Seiches et que le cocher devait emmener ces quatre hommes ainsi qu'un cinquième passager à Tours pour un long voyage. Quel cinquième passager ?

L'incident et son mystère furent oubliés. Chacun se passionnait alors pour la reconquête du Milanais, perdu en février, par Louis le Douzième.

Franz-Eckart éclaircit cependant un point qui avait laissé Jeanne perplexe : quand il avait disparu, après avoir entendu la dernière conversation de Jeanne avec Secq de Baudry, Joachim avait été dans la forêt pour rameuter les loups de la région. Il avait compris que tôt ou tard, il en découdrait avec ces gens.

Mais comment convoquait-il les loups ?

21

La fleur de l'innocence

À chaque terre découverte, Gaspar et Miguel Corte Real notaient dans leur livre de bord qu'ils en avaient pris possession au nom du roi de Portugal, devant leurs matelots comme témoins.

Ferrando, Jacques-Adalbert et Déodat n'en disaient rien, mais n'en pensaient pas moins. De quoi avaient-ils donc pris possession ? De rivages déserts ? Ils n'avaient pas la moindre idée des terres qui s'étendaient au-delà, ni de l'existence de populations qui ne se souciaient peut-être pas d'être sujettes du roi du Portugal.

Décidant de voyager par vent arrière, Gaspar avait poursuivi sa descente vers le sud. L'*Avispa* parvint ainsi tout à la fois au mois de juin et à des rivages qui semblaient s'étendre jusqu'à l'infini. Nul doute : c'était le Grand Continent du Nord dont avait parlé Behaïm et dont les deux Corte Real avaient eu la juste intuition. Ce faisant, ils corrigeaient également les tracés du portulan qu'ils avaient emporté et qui, à maints égards, étaient tellement inexacts qu'ils en paraissaient fantaisistes.

L'exploration se ponctuait de descentes à terre dans la journée, pendant lesquelles les matelots faisaient des réserves de canards, d'oies, de dindons, de pigeons et d'autres volatiles qu'ils plumaient et rôtissaient avant de les ramener à bord, où il n'y avait pas de place pour les accommoder. Un filet de fortune, retrouvé dans la cale et remis en état par Déodat, servit par ailleurs à attraper nombre de truites et saumons. Gaspar et Miguel s'étaient avisés que les trois voyageurs qui avaient consommé beaucoup de persil et tous les radis étaient les seuls du navire qui ne souffrissent pas de saignements de gencives, affliction inévitable des marins au long cours ; ils prêtèrent donc plus d'attention aux cueillettes de Déodat, chicorée et salades sauvages, qu'ils ajoutaient à la soupe traditionnelle.

Déodat rapporta aussi une fleur qui fit l'admiration générale : c'était un grand lys couleur de corail, à trois pétales. Il était parvenu à en déterrer le bulbe entier et l'emballa dans de la toile de jute, bien décidé à la ramener en France. Il l'humectait tous les jours.

Par cinquante-sept degrés de latitude nord, Gaspar parvint à un détroit qui lui semblait mal décrit sur le portulan original. Il décida de s'y engager. Les eaux étaient calmes et la brise, stable. Trois jours et demi plus tard, le détroit s'élargit et l'*Avispa* s'engagea dans une grande mer[1]. Pour prendre avantage du vent arrière, il poursuivit vers le sud, contournant une côte circulaire, d'aspect accueillant. Les cours d'eau y étaient nombreux. Aussi la crainte de manquer d'eau douce s'évanouit-elle. Ferrando et ses deux compagnons descendirent se baigner. L'eau était fraîche sans être glacée et, en tout cas, elle dessalait la peau.

À la deuxième escale dans cette grande mer, un incident changea les dispositions des explorateurs.

---

1. La baie d'Hudson.

La chaloupe qui conduisait six hommes d'abord, comme chaque fois, était à mi-chemin du rivage, c'est-à-dire à un quart d'encablure[1], quand un projectile inconnu, venu du rivage, passa au-dessus de la tête d'un matelot, manquant lui emporter le chapeau. L'instant d'après, un autre projectile se planta dans l'avant de la chaloupe. C'était une flèche.

— Souque en arrière, toute ! cria Villamora. Baissez les têtes !

Et comme Déodat n'avait pas compris, il lui enfonça la tête au-dessous du plat-bord et se coucha lui-même. Une troisième vola au même instant par-dessus la chaloupe. Une quatrième glissa le long de la coque.

Du haut du bastingage, Gaspar criait des paroles incompréhensibles pour Déodat. La chaloupe contourna le navire. On amena la corde à nœuds de l'autre côté et les passagers remontèrent, les yeux écarquillés. Cependant, les flèches continuaient à pleuvoir. Mais leur portée semblait inférieure à deux cents pas. Matelots et passagers allèrent observer les belliqueux indigènes. Ils virent une vingtaine d'hommes à demi nus aux coiffures singulières.

Villamora, furieux, grommelant des imprécations, partit chercher son arc. C'était un grand arc de type anglais, qui tirait à trois cent cinquante pas. Il le banda et décocha sa flèche en direction des assaillants. Ceux-ci crurent sans doute que les flèches des étrangers n'iraient pas plus loin que les leurs. Mal leur en prit. Ils restaient groupés. La flèche de Villamora atteignit l'un d'eux en pleine poitrine. Il tomba. Une clameur s'éleva du rivage. Les indigènes décampèrent, tirant le blessé derrière eux.

---

1. Environ 200 mètres.

— Voilà des gens que nous disciplinerons, dit Gaspar. Il fit lever l'ancre.

Le continent était donc peuplé. Et les escales suivantes seraient problématiques. De fait, elles furent supprimées jusqu'à nouvel ordre. Gaspar et Miguel se contentaient de prendre des mesures et de corriger le portulan. Plus de baignades.

À cinquante-quatre degrés, donc plus au sud, on aperçut un groupe d'hommes, guère plus vêtus que les précédents et qui, à la vue de ce navire étrange, s'étaient attroupés sur la grève. Les passagers se crispèrent, mais les sauvages ne paraissaient guère agressifs ; ils agitaient même les bras. Gaspar se rapprocha du rivage, ce qui déclencha dans le groupe une vive émotion. On entendit leurs cris. Ils pointaient le doigt vers la chaloupe, toujours en remorque au cas où ; peut-être croyaient-ils que c'était le rejeton de l'*Avispa*. Bientôt se joignirent à eux des femmes et des enfants. Aucun ne portait d'arc. Tandis que Gaspar faisait réduire la voilure, huit de ces hommes mirent à la mer deux embarcations comme on n'en avait jamais vu ; elles ressemblaient à de grandes cosses de pois, qu'ils faisaient avancer avec une rame unique. Marins et voyageurs se penchèrent sur le bastingage pour les dévisager. Ils avaient tous les cheveux d'un noir de jais, la peau très brune et portaient des plumes dans les cheveux. Et ils étaient tous jambes et torse nus, sinon intégralement nus.

Gaspar leur fit descendre la corde à nœuds. Ils s'en débrouillèrent à merveille, et bientôt les huit hommes furent sur le pont, la mine émerveillée. Ils regardaient autour d'eux comme s'ils avaient été sur le dos d'un dragon domestique. Ils rirent. Ferrando, Jacques-Adalbert et Déodat rirent aussi. Puis tous les matelots. Celui qui paraissait être leur chef identifia

Gaspar comme son égal sur cette embarcation extravagante. Il s'avança solennellement vers lui et lui tint un discours évidemment incompréhensible. Tout en gardant une expression amène, Gaspar écarta les bras dans un signe d'impuissance. Ces gens-là paraissaient animés des meilleures intentions, mais hélas, ils ne parlaient pas le portugais.

Un silence s'installa. Les Portugais et les Français regardèrent les indigènes. Les indigènes regardèrent les Portugais et les Français. La situation pouvait s'éterniser. Personne n'en croyait ses yeux. Déodat détaillait les expressions, les peaux, le nombril, les orteils et les indigènes, les chaussures, les chausses, le teint et la couleur des yeux. Ça, des humains ? Connaissaient-ils l'Esprit du Castor ? Celui du Grand Aigle ? Le chef des indigènes indiqua le rivage ; le geste ressemblait à une invitation à terre. Gaspar répondit par une mine sombre, indiquant le nord et faisant mine de tirer à l'arc. Le chef fronça les sourcils et prit une expression affligée, secoua la tête, puis se tourna vers les siens et leur tint un discours de la même teinture. On n'en sortirait jamais. Puis il réitéra ce qui semblait bien être une invitation. Gaspar réfléchit et dit :

— Je crois bien qu'ils nous invitent à terre.

— Allons voir, dit Miguel.

Gaspar hocha la tête : c'était bien cela, une invitation, parce que, lorsqu'il opina de la tête, l'expression du chef s'éclaira tout à coup.

Bref, une heure plus tard, treize Européens étaient à terre, entourés d'une centaine d'indigènes au moins. Les femmes avaient les seins nus et plusieurs d'entre elles ne portaient qu'un pagne de peau autour des reins. Les matelots ne détachaient pas leurs yeux de ces désirables créatures. Les hommes étaient tous nus, le corps orné de peintures délicates, rouges, blanches et noires, principalement sur le torse et les cuisses. Plus audacieux que les autres, les enfants, très nombreux, s'approchèrent des étrangers pour leur tâter les bottes et les jaques.

Gaspar et le chef en tête, tout le monde se mit en file et l'on avança vers une clairière où se dressaient des tentes pointues ornées de plumes et autres bizarreries.

Il y avait là un feu ; le chef s'assit devant et fit asseoir Gaspar et Miguel à ses côtés ; les autres s'assirent en rond. Un vieil homme au masque ridé, portant un collier de dents sur la poitrine, resta debout et prononça une incantation, d'une voix par moments aiguë. Peut-être était-ce leur bénédicité, songea Déodat. On amenait, en effet, un quartier d'un animal inconnu, toujours embroché. Le chef tira d'un étui attaché à sa ceinture un couteau au manche enrobé de cuir et à la lame en silex et entreprit de débiter la viande. L'opération était laborieuse, soit que la barbaque fût coriace, soit que le silex ne fût pas assez coupant. Gaspar entreprit alors de sortir son couteau de sa ceinture pour aider le chef dans sa besogne. Celui-ci s'interrompit tout à coup, les yeux rivés sur le couteau. N'y tenant plus, il prit l'instrument des mains de Gaspar et l'observa sur les deux faces, en proie à une stupéfaction indicible. Il était bouleversé. Le couteau fit le tour des indigènes rassemblés en cercle, chacun l'examinant comme un objet céleste.

— Je crois que tu vas devoir le lui offrir, dit Miguel à son frère. De toute façon, nous en avons trois de plus sur le bateau.

C'était, en effet, de bonne politique. Quand le couteau lui revint enfin, Gaspar posa sa main sur l'épaule de buis poli du chef et, prenant l'air solennel requis par la circonstance, la pointe sur les doigts de la main gauche, le manche sur la main droite, il lui remit le couteau[1].

La mâchoire du chef en tomba. Il considéra le couteau, regarda Gaspar et ainsi de suite plusieurs fois. Soudain il saisit le Portugais par les épaules et lui donna une accolade passionnée. Gaspar sourit, Miguel donna le signal des applaudissements. L'amitié était scellée. On put enfin commencer à manger. Mais quel animal était-ce là ? Sa chair était musquée, par endroits cartilagineuse, par d'autres filandreuse. Gaspar demanda avec des gestes ce que c'était, et le chef, devinant qu'il ne serait pas compris, se mit les mains en cornes de part et d'autre de la tête : c'était ces sortes de cerfs qu'ils avaient aperçus à une précédente escale. Tout le monde se mit à rire, le chef aussi. Il avait des dents incroyablement blanches. Gaspar lui apprit à aiguiser son couteau : il se fit apporter par un matelot une pierre plate et se mit à affûter l'arme dessus à titre d'exemple, indiquant du geste le fil. Ces gens comprenaient vite : le chef garda aussi la pierre.

Ils avaient de même le sens du dessert car, après la barbaque, une femme apporta, sur une sorte de plateau fait d'une peau tendue sur un cadre de jonc, de petits pains ronds, joliment sommés d'on ne savait quoi de noirâtre. Gaspar y goûta et crut reconnaître le goût de la farine de châtaigne. Les miettes sombres posées dessus étaient des baies inconnues. Le tout semblait avoir été couronné de miel.

Quelques échanges de vocabulaire suivirent, pour savoir comment l'on appelait la tête, les pieds, la bouche, un bateau, un couteau. Le chef, dont il apparut enfin qu'il se

---

1. La métallurgie du fer était inconnue en Amérique du Nord avant l'arrivée des Européens.

nommait Okiepa ou quelque chose d'approchant, donna un ordre. On lui apporta un instrument délicat et mystérieux : un grand pot rempli de ce qui paraissait être des feuilles presque sèches et un pot minuscule abouché à un bec excessivement long. Il remplit le pot avec l'herbe sèche, introduisit dedans un rameau enflammé, mit l'extrémité de l'anse en bouche et aspira. Une fumée bleuâtre s'éleva du pot. Il l'aspira derechef, retira le bec de ses lèvres et expira la fumée par les narines. C'était un rite étrange que tout le monde suivit avec attention. Il tendit l'instrument mystérieux à Gaspar, l'invitant à suivre son exemple. Le Portugais ne pouvait que s'exécuter. Il toussota un peu et expira, lui aussi, la fumée par les narines. Okiepa l'invita à passer l'instrument à la ronde. Quand vint le tour de Déodat, il ne restait dans le petit pot que quelques cendres ; le chef le lui reprit des mains, fourra des herbes dans le récipient et les enflamma.

Une fumée âcre et aromatique emplit la bouche et le palais de Déodat. Quelle pouvait bien en être la vertu ? Au lieu de passer l'objet à son voisin, un matelot, il aspira de nouveau, ce qui fit rire le chef. Okiepa commenta sembla-t-il l'incident et on lui présenta un objet identique ainsi qu'un autre pot, qu'il tendit au jeune homme. Cela voulait dire que, puisqu'il appréciait cette fumée, il lui offrait de quoi en renouveler le plaisir. Quelques instants plus tard, Déodat éprouva les premiers effets de la fumée ; elle était apaisante. Le grand pot contenait de quoi bourrer le petit maintes et maintes fois.

Un cercle se forma autour des explorateurs : vingt hommes nus et peints. D'autres se tenaient derrière eux, munis de tambourins et de sortes de cistres ; un seul avait un flûtiau. Le chef se leva. Il poussa une ou deux clameurs alarmantes. Puis le cercle des hommes, qui s'enlaçaient les uns les autres par un bras sur le cou du voisin, se mit en mouvement. Ils battaient le sol d'un pied, puis de l'autre, levaient le bras libre et criaient des mots inconnus. Les tambourins et les cistres marquaient le rythme, le flûtiau répétait un motif monotone. On ne discernait aucune mélodie, rien qu'un rythme qui, joint aux effets de la fumée, induisit chez les Blancs une torpeur extatique. Et quand le cercle des hommes se mit en mouvement, tournant lentement autour des étrangers, une sourde frénésie monta dans les reins.

Déodat brûla soudain de se joindre à eux. Il se leva. Ils le devinèrent d'emblée. Deux hommes rompirent la chaîne pour lui faire place. Et à la stupeur de Jacques-Adalbert, de Ferrando et des Portugais, il dansa. Il battit du pied, leva le bras en cadence et répéta les mots étranges qu'il entendait. On le voyait bien, il le faisait avec entrain. Cela dura près d'une heure.

Déodat n'avait bu aucun alcool, mais il était comme gris. Quand la danse prit fin, les indigènes lui donnèrent des accolades enthousiastes et le pressèrent contre eux. Des rires éclatèrent. Des femmes vinrent le regarder de près. Déodat les dévisagea et embrassa la plus proche. Des éclats de rire fusèrent. Il le pressentit : fût-il resté quelques jours de plus, il se serait joint à eux, il aurait vécu nu et se serait peint le corps.

Quand fut venue l'heure du retour, des accolades sans fin se donnèrent et des tapes dans le dos. Le chef offrit son arc à Gaspar, qui l'accepta. Chacun regretta que les femmes se tinssent à distance respectueuse. Ferrando examina leurs bijoux : c'étaient des colliers de pierres colorées, le plus souvent rouges et bleues. Pas trace d'or. Quant aux épices, elles eussent été bien utiles pour améliorer le goût de cette viande de faux cerf.

Quand il en fit la remarque à Gaspar, il se rendit compte que tous avaient fait la même observation : il n'y avait rien à rapporter de ces terres pour enrichir la couronne de Portugal et les marchands. Ces sauvages – et quel autre nom leur donner ? – ne connaissaient même pas les couteaux et leurs arcs étaient rudimentaires.

Déodat écoutait ces propos sans rien y ajouter. Non, c'était vrai, ils n'avaient aucune marchandise, mais ils possédaient à ses yeux un trésor bien plus grand : l'innocence.

Il songea à Franz-Eckart.

Le point fut d'ailleurs relevé par ses compagnons : ces indigènes semblaient heureux. Mais comment pouvait-on être heureux si l'on n'était pas chrétien et si l'on était sans pudeur, sans maisons, sans rues et sans roi ?

Pis : une fois remontés à bord, les explorateurs se firent l'observation qu'ils n'avaient aperçu ni chevaux, ni ânes ni aucun autre animal de trait ou de transport et, bien sûr, aucun véhicule à roues. Ils en rirent d'incrédulité. Mais comment donc ces gens se déplaçaient-ils[1] ?

— Peut-être ne se déplacent-ils pas, suggéra Ferrando.

Dans son for intérieur, Déodat se refusa à l'idée que ces gens fussent les sujets d'un quelconque roi.

Fin juin, l'*Avispa* avait fait le tour de la mer intérieure et elle en était ressortie par le même vaste détroit par où elle

---

1. Le cheval fut introduit au Nouveau Monde – et d'abord au Mexique – par les Conquistadores.

était entrée. Gaspar et Miguel Corte Real descendirent sur des vents de nord-ouest, après avoir encore répertorié quelque quatre cents lieues de côtes[1], en avoir pris possession au nom du Roi Très Catholique de Portugal et corrigé abondamment leur portulan de départ. Ils rencontrèrent pacifiquement d'autres indigènes nus et peints, ce qui acheva de contrarier leur conception du bonheur.

Mais leur conviction était faite : Colomb n'avait rien compris ; le Grand Continent du Nord existait bien et ce n'était pas l'extrémité orientale de l'Asie. Sur quoi, comme les vents alizés y invitaient, il fallut songer au retour. Les provisions d'eau douce et de vivres furent reconstituées, mais ni celles de vin ni celles d'eau-de-vie.

Déodat fuma maintes fois, pensivement, l'herbe aromatique d'Okiepa. Le lys rouge qu'il avait prélevé se portait fort bien et semblait se préparer à donner naissance à un surgeon.

Le navire toucha Lisbonne le 17 juillet de la première année du XVIe siècle. Ferrando, Jacques-Adalbert et Déodat avaient vu un Nouveau Monde et n'avaient que des mots pour le dire, un arc, un pot d'herbe sèche et une fleur pour le prouver.

Un mois plus tard, l'enquêteur royal Francesco de Bobadilla débarquait à Hispañola, fit arrêter Christophe Colomb, vice-roi des Indes, pour des motifs confus et le renvoya à Séville, les fers aux pieds.

---

1. Les frères Corte Real avaient longé le Groenland, les terres de la région de Terre-Neuve (Newfoundland), le détroit et la baie d'Hudson, le Labrador et l'embouchure du Saint-Laurent. Ils repartirent en 1503 pour un second et dernier voyage qui ne rapporta rien à leur pays, l'Espagne revendiquant leurs découvertes au nom du traité de Tordesillas.

Nos trois hommes prirent le chemin de la France ; ils s'arrêtèrent d'abord à Angers, où Jeanne et Franz-Eckart, ainsi que Joachim leur firent un accueil débordant. Leur retour dissipa la morosité régnant depuis la sinistre affaire des Hongrois. Enfin, l'on pouvait parler d'autre chose !

Déodat offrit le lys rouge à sa mère. Elle en fut émerveillée, le fit empoter et placer au jardin, près de la porte, pour en avoir la vue tous les matins. La fleur lui apparut comme l'emblème d'une royauté secrète et les feuilles, comme des dagues.

Plusieurs soirées de récits se succédèrent à la lumière des chandelles, sous l'œil brasillant de Franz-Eckart ; mais à part des tempêtes, un village de morts, des montagnes de glace, des oiseaux habillés en clercs, une attaque de sauvages, des indigènes nus, la dure existence en mer, ils ne rapportaient que des anecdotes. Ils s'en avisaient eux-mêmes : ils n'avaient vu que la peau des choses.

Au dernier soir, alors que les descriptions s'essoufflaient, Franz-Eckart dit :

— Je ne voudrais pas être discourtois, mais je crains que vos aventures n'aient pas beaucoup enrichi la philosophie.

On savait comment il entendait ce mot : « amour de la sagesse ».

Un long silence suivit la réflexion.

Jeanne se rappela une autre pensée de Franz-Eckart : *Je n'ai plus besoin d'aller nulle part, j'y suis déjà.*

Ferrando éclata de rire.

— Cela est exact. Mais je suis content d'y avoir été. J'ai constaté que ce continent n'était pas une fable et que les fables ont parfois un fondement de vérité. Si je ne l'avais fait, j'aurais eu le sentiment de m'être manqué à moi-même. Cela s'appelle l'expérience. De plus, il est évident que ces continents seront occupés par des Européens. Il suffira de quelques arcs anglais et couleuvrines pour effrayer ces populations et les réduire en sujétion. Nos vieux empires gagneront de l'espace. Et donc, du pouvoir. Mais cela n'adviendra pas de sitôt, évidemment.

— Mais qu'avez-vous appris qui vous servira demain ? demanda Franz-Eckart.

— Qu'on peut vivre de longs mois en se contentant de peu, répondit Jacques-Adalbert.

— La vie de soldat te l'aurait aussi bien enseigné.

— Sans doute, Franz. Mais elle ne fait pas rêver.

Franz-Eckart hocha la tête.

— J'aurai appris, pour ma part, dit Ferrando, que tôt ou tard, des Européens iront s'installer sur ce continent et qu'il serait bien léger de leur prêter de l'argent pour le moment. C'est un désert et je doute qu'on puisse y créer des villes pareilles aux nôtres avant longtemps. Mais pour ma part, c'est vrai, je n'ai vérifié qu'une chose : c'est que le citron et le persil sont bien utiles pour les longs voyages en mer, car ils évitent les saignements de gencives.

On rit à la remarque, avant d'aller se coucher.

Le lendemain, Jacques-Adalbert reprit le chemin de Strasbourg et, le Milanais étant encore occupé par les Français, Ferrando celui de Genève. Depuis les prédictions concernant la mort du pape et la découverte d'un nouveau continent, il était inconditionnellement affidé aux prédictions de Franz-Eckart. Par surcroît, Louis le Douzième s'était fait à Milan un ennemi juré en la personne du duc Ludovic Sforza, ancien maître de cette place forte du nord. L'ayant capturé à Novare l'année précédente, antépénultième du xve siècle, il l'avait humilié comme peu de princes l'avaient été par d'autres : après l'avoir enfermé au château de Pierre Encise, il l'avait fait transporter dans une cage à la prison du Lys-Saint-Georges.

Ludovic Sforza dans une cage ! Cela disait bien la nature vindicative de ce Valois bouffi et blême qu'était Louis le Douzième ! Or, les Sassoferrato étant de longue date amis, clients et féaux des Sforza, l'air du Milanais ne leur serait pas salubre jusqu'à la défaite du Français, dont Franz-Eckart assurait qu'elle était inscrite dans les astres. Restait à s'armer de patience.

Déodat prolongeait son séjour à Angers.

Jeanne en était à la fois enchantée et troublée. Il avait, en effet, été appelé par Joseph lui-même à prendre sa succession dans la banque familiale. Et Joseph l'avait bien formé : témoignant tour à tour de prudence et d'audace, selon la nature des prêts demandés, et élevant la fortune de la famille au-dessus des tribulations qui affligeaient tant d'autres bourgeois, enivrés par une chance trop rapide, la justesse de son jugement l'avait distingué dans les affaires. Ainsi, lorsque Ythier était venu lui demander un prêt pour acheter à son compte des vignobles du Minervois, il était allé inspecter lui-même les domaines, avait tâté des vins qu'ils produisaient, interrogé les vignerons, calculé la production de leurs chais ; trouvant l'affaire bonne, il avait conclu en achetant des vignobles voisins en son nom et celui de sa mère ; il avait ainsi raisonné qu'Ythier se trouverait naturellement porté à veiller sur les propriétés voisines, puisqu'elles appartiendraient à son bailleur de fonds.

Ce n'était là qu'un exemple.

Mais depuis son retour de voyage, il semblait désamorcé. Il passait les après-midi au jardin à regarder Joseph jouer avec Joachim et Franz-Eckart et, le soir, s'entretenait avec ce dernier, dont il ignorait l'histoire véritable. Il l'interrogeait sur l'astrologie, la philosophie, la nature de l'être humain, intrigué et même confondu par le savoir et la profondeur de celui qu'il considérait encore comme son neveu.

Ils étaient là une fois de plus, assis sur un banc de pierre, au soleil. Déodat considérait le lys rouge, qui avait généreusement produit un surgeon et refleuri ; sans doute la douceur de l'Anjou lui convenait-elle. Dans le souvenir de Déodat soudain chatoya la montagne de glace, formidable diamant flottant au gré des courants, et la danse avec les indigènes lui fit frémir les orteils.

— Tes affaires semblent te laisser des loisirs, observa Franz-Eckart.

— Tu veux dire que je ne m'en occupe plus.

— Ou que tu y mets moins d'ardeur.

Déodat tira de sa poche l'ustensile d'agrément que lui avait offert Okiepa, puis se pencha sur le pot qui contenait l'herbe aromatique nommée *tabak* et y préleva de quoi bourrer ce qui était somme toute un fourneau. Puis il se leva pour aller demander un tison à Frederica. Cela fait, il aspira une bouffée sous le regard amusé de Franz-Eckart, mais une anxiété lui vint : que ferait-il donc quand il aurait épuisé sa réserve ? Il se demanda s'il serait vraiment à l'épreuve de la tentation et ne traverserait pas de nouveau la Grande Mer pour se réapprovisionner en précieuses feuilles de *tabak*.

— Nous sommes déjà bien riches, observa-t-il philosophiquement, dégustant l'amertume subtile de la fumée et l'arôme évidemment incomparable de cette plante magique.

— Et te voilà soudain bien frugal, repartit Franz-Eckart, en prélevant à l'intérieur du pot un grand débris de feuille brun sombre, à peu près intact.

Il le détailla en transparence, sous l'œil avaricieux de son oncle. Botaniste averti, il procédait par comparaison et, à la dimension du débris, estima que la feuille entière devait mesurer à peine moins d'un pied et qu'elle devait être ovale. Il soupçonna que le plant entier devait avoir cinq à six pieds de haut. Il ne connaissait pas de plantes produisant d'aussi grandes feuilles, à part la rhubarbe sauvage, dont les feuilles étaient cependant bien plus épaisses, et le datura sauvage, moins robuste.

— Il faut te dire, reprit-il à l'adresse de Déodat, que si l'on divisait notre fortune en autant de parts qu'il y a d'héritiers de Jeanne, toi compris, nous serions beaucoup moins riches.

— Dieu garde la vie de ma mère cent ans ! Mais serions-nous si malheureux ? Sur le Grand Continent de l'Ouest, dit Déodat, j'ai vu des gens vivre nus sous des tentes, sans couteaux ni fourchettes et pourtant fort heureux de leur sort.

— Ah, c'est donc cela que tu auras appris là-bas.

— Oui, j'ai découvert l'innocence. On peut vivre sans tous ces beaux vêtements dont nous sommes si fiers, ces dagues et ces épées... Je n'ai pas vu qu'ils se servaient d'argent. Je les ai trouvés ouverts et bienveillants à notre égard.

Franz-Eckart avait soigneusement écouté de la bouche de Jacques-Adalbert, mais en tête-à-tête, le récit pittoresque et teinté d'ironie de la danse des sauvages à laquelle Déodat s'était joint. Il remit le morceau de feuille dans le pot.

— Ils n'ont pas tous été bienveillants, observa-t-il. La preuve en est que vous avez dû battre en retraite à votre première rencontre avec ces gens, sans même que vous ayez fait un geste. Et le chef de ceux que vous avez rencontrés a bien offert un arc à Gaspar Corte Real. C'est donc qu'ils se servent de leurs armes.

Déodat regretta que les récits du voyage eussent été tellement circonstanciés.

— C'est que ces gens-là comme les autres font la guerre à leurs semblables, reprit Franz-Eckart. Cela ne me paraît pas correspondre à l'état d'innocence.

Déodat continuait d'aspirer la fumée de son ustensile.

— Es-tu certain de ne pas confondre le dénuement et l'innocence ? lui demanda Franz-Eckart.

L'objection parut accrocher cette fois l'attention de Déodat, à l'instar de ces échardes qui éraflent la soie et morflent le velours.

— Il ferait beau voir que si l'on jetait un manant tout nu dans la forêt avec un silex pour tout instrument, il redeviendrait innocent, déclara Franz-Eckart.

— Voudrais-tu dire qu'il n'y a pas d'innocence ? demanda Déodat, vaguement irrité.

— Si fait. Mais je ne la crois pas liée au dénuement. Il existe des manants agressifs comme le diable et des princesses parées de perles qui sont innocentes.

— Qu'est-ce alors que l'innocence ?

— Un don naturel qui fait que l'on n'est pas enclin d'emblée à attribuer de mauvaises intentions à toute personne qu'on rencontre, mais qu'on use de discernement.

— Mais c'est l'intelligence ! s'écria Déodat. Assimiles-tu l'innocence à l'intelligence ?

— Pas seulement, je connais des gens intelligents qui ne peuvent résister à la tentation de la malveillance.

— Mais alors ?

— Il y faut en plus la bonne grâce. Et la connaissance intuitive d'autrui.

— Qu'est cela ?

— L'art de déchiffrer l'univers inconnu qu'est le prochain.

— Comment cela s'apprend-il ?

Franz-Eckart sourit.

— Il y faut plus d'une leçon.

Déodat s'empara de son pot pour bourrer à nouveau le fourneau de sa marotte. Son geste fut un peu brusque et attira l'attention de son interlocuteur. Quand Déodat se fut servi, Franz-Eckart saisit le récipient et l'agita doucement, avant de plonger la main à l'intérieur. Déodat l'observait, interloqué. L'autre tira du fond du pot une poignée de graines, pareilles à des lentilles.

— Ton sauvage t'a fait un cadeau charmant, déclara Franz-Eckart, examinant sa trouvaille.

— Des graines ! s'écria Déodat, médusé. Des graines !

Franz-Eckart hocha la tête. Déodat tendit la main vers les graines. L'autre l'en écarta.

— Laisse-moi faire, dit-il. J'ai examiné le débris d'une feuille. Elles sont grandes et sans doute gorgées d'eau. La plante elle-même doit donc être grande. À mon avis, elle aura besoin d'un terreau gras, bien humide. Si tu semais en terre argileuse, tu n'obtiendrais qu'une plante souffreteuse. De plus, nous sommes en août. Quand la plante aura grandi, ce sera le temps des premières froidures, elle s'arrêterait de croître et le premier gel la tuerait. Aussi faut-il planter quelques graines en pots, afin de pouvoir les transporter à l'intérieur, devant une fenêtre, pendant la saison froide. Nous les ressortirons au printemps et, l'an prochain, tu pourras fumer en abondance.

Jeanne, qui se penchait alors à la fenêtre, vit Déodat se jeter au cou de Franz-Eckart ; elle en fut surprise ; qu'avait bien pu dire ce dernier qui enthousiasmât tellement son fils ?

Toujours fut-il que huit jours plus tard, Déodat était parti pour Lyon.

— Je ne sais ce que tu lui auras dit. Mais je me félicite que tu aies tant d'autorité sur lui. Maintenant, je voudrais bien voir les fleurs de cette plante-là, déclara-t-elle.

Franz-Eckart, lui, se dit en riant dans sa barbe que la fleur de l'innocence, fleur de rhétorique s'il en fut jamais, était enfin devenue ce qu'elle n'eût jamais dû cesser d'être, un objet de botanique, tel un lys tripétale.

Soudain, elle se tourna vers lui et après un long regard indéchiffrable, lui dit :

— Que fais-tu avec une vieille femme ?

L'image de ce corps vigoureux qui habitait ses nuits et son ventre lui était revenue avec une force poignante. Or, elle ne pouvait lui donner d'enfants. Elle eut honte de ses plaisirs stériles.

— Ne veux-tu pas d'autres enfants ? reprit-elle.

— Tous les enfants du monde sont les miens, répondit-il. Quant à ma race, Joseph suffira bien à la perpétuer. Et il faudra bien que tu cesses de parler en termes désobligeants de Jeanne Parrish.

Jeanne Parrish ! Elle faillit en rire. Personne ne l'appelait plus ainsi.

— Son ventre est lisse et ses seins sont fermes, poursuivit-il. Le lien qui m'unit à elle est celui d'un mariage à la face des astres. Elle n'est pas ma servante et le berceau de ma progéniture, mais l'autre moitié de l'androgyne parfait que nous constituons.

Il fronça les sourcils.

— Je te serais donc obligé de parler d'elle avec plus de courtoisie.

Elle éclata de rire et le prit dans ses bras.

Ils demeurèrent un long moment enlacés. Il baissa la tête et lui fit baisser la sienne. Quand leurs fronts se furent joints, il lui dit :

— Regarde, nous formons une ogive. La clef de voûte est entre nos têtes.

22

La société secrète des banquiers

Le printemps de l'an 1501 vit bien trois plants de *tabak* pousser chacun dans un pot et développer des feuilles à peu près pareilles à ce qu'avait supposé Franz-Eckart. Il les plaça dans une partie ensoleillée du jardin et sema d'autres graines, toujours en pot. Mais Déodat ne put fumer les premières feuilles tout de suite, comme il en brûlait ; trop vertes et aqueuses, elles se consumaient mal et d'ailleurs, celles que lui avait données Otiepak étaient à demi séchées. Franz-Eckart suggéra d'exposer plusieurs feuilles de sa nouvelle récolte sur une claie au soleil. Il en fut fait ainsi.

Entre-temps, Franz-Eckart avait fait confectionner à Limoges trois copies de l'ustensile de Déodat, en terre fine. Jeanne put donc tâter de cette fumée dont son fils s'était entiché et elle se promit qu'ils fumeraient du *tabak* à trois, à la prochaine visite de Déodat.

Mais à sa visite suivante, des nouvelles imprévues bouleversèrent leurs projets : messire Déodat de l'Estoille s'était fiancé à Lyon avec la fille aînée d'un drapier, Yvonne Doulcet, qui l'accompagnait. C'était une brune aux yeux bleus, âgée de dix-sept ans, dont la famille était apparentée à François Doulcet, maître de la Chambre des deniers du roi. Le cœur de Jeanne se gonfla. Enfin ! Il ne parlerait plus de l'innocence des sauvages et ne retournerait pas danser avec eux.

Les noces furent célébrées en juin à Saint-Maurice, par l'évêque en personne. François et Odile vinrent exprès de Strasbourg et offrirent à la mariée une broche d'or ornée de quatre perles splendides cernées de fleurettes de corail et de pierre turquine. Ferrando et Angèle, arrivés de Genève, lui offrirent pour leur part un miroir serti de pierreries. Comme d'habitude dans le clan L'Estoille-Beauvois, les festivités durèrent trois jours, animées par des danseurs et des musiciens.

Quand elles se furent achevées, Jeanne, Déodat, Franz-Eckart et Ferrando se réunirent pour un entretien réservé. Déodat proposait, en effet, d'engager une somme considérable, vingt-cinq mille écus, dans un prêt au Trésor royal. Louis le Douzième était désormais le prince le plus puissant d'Europe. Ses conquêtes en Italie étaient consolidées, et même le Habsbourg s'y était résigné. Son avenir semblait rayonnant. L'on aurait tout à gagner en faveurs royales et en intérêts si on lui consentait le prêt. D'ailleurs, la belle-famille de Déodat le pressait de réunir cette somme ; c'était dans l'intérêt général, assurait-elle.

Franz-Eckart se montra résolument hostile.

— L'année 1505 sera cruelle pour Louis, déclara-t-il. Nous ne recouvrerons pas les vingt-cinq mille écus. De plus, il vaut mieux ces temps-ci ne pas éveiller l'attention par des signes de richesse. Je te conseille de ne pas faire état de tes activités de banquier, mais de t'en tenir à celles de drapier et de propriétaire de vignes, honnête et aisé, mais non opulent. Abstiens-toi désormais de conclure des affaires en France et même d'en parler, afin que la rumeur n'en parvienne pas aux espions du roi.

Jeanne souscrivit à chaque mot de Franz-Eckart. Ferrando abonda dans son sens.

Déodat avait appris à mesurer le bien-fondé des opinions de son oncle ; il fut néanmoins surpris.

— Que dirai-je à Yvonne ? demanda-t-il.

— Que nous n'avons comme biens que des terres et des pâtisseries à Paris. C'en sera assez pour elle.

Au souper, en effet, Jeanne se plaignit devant sa nouvelle bru de la frivolité des réputations de fortune qu'on lui faisait.

— Mon fils aîné ne possède qu'une imprimerie à Strasbourg, ce qui ne vaut guère un trésor. Quant à moi, outre trois pâtisseries à Paris, cette maison, celle de Paris et deux fermes, je ne suis propriétaire que des vignobles dont Déodat essaie de tirer le meilleur parti. Voilà tout le bien de la famille.

— Vous avez aussi la draperie de Lyon, observa Yvonne Doulcet, qui semblait écouter avec attention.

— C'est à Déodat et François qu'elle reviendra, je ne l'ai donc pas comptée, répondit Jeanne.

C'était un beau mensonge : le clan L'Estoille-Beauvois valait près de trois cent mille écus. Jeanne avait omis de citer les deux maisons de la rue Galande et de la rue de la Bûcherie à Paris, et celle de SanktJohanngass à Strasbourg. Elle possédait bien plus que deux fermes, et l'argent en compte représentait deux fois tout cela. Mais le moment n'était guère propice à ce genre de révélation, surtout devant la nièce d'un maître des deniers du roi en quête de fonds.

Un malin génie sembla, dans la première décennie du XVIe siècle, sévir dans les hautes sphères des humains.

Il s'obstina à humilier les puissants du siècle précédent, sinon à leur faire mordre la poussière. La maison L'Estoille apprit la moitié de ces tribulations par Ferrando, qu'informaient de près les armateurs génois et désormais florentins qui parsemaient la péninsule Ibérique, Espagne et Portugal. Elles concernaient donc les explorateurs.

Les pionniers du monde futur n'en menaient pas large.

Ainsi, quand il était revenu en Espagne, les fers aux pieds, Christophe Colomb avait été désentravé et son persécuteur, Bobadilla, qui lui avait mis ces fers avait été désavoué. Mais Colomb avait perdu son titre de vice-roi des Indes et le prestige qui lui restait. D'abord, ce n'étaient pas les Indes, tout le monde en était désormais convenu. Deux cartes au moins circulaient déjà dans les milieux maritimes, où figuraient le Continent du Sud et celui du Nord ; le premier y était désigné sous le nom de Brésil et l'on voyait bien que ce n'était pas l'Inde ; quant à celui du Nord, s'il n'avait pas encore de nom, il s'avérait néanmoins digne du nom de continent et ne se résumait certes pas à une poignée d'îles. Ensuite, l'amiral n'était plus en état d'assumer de hautes ambitions. Il n'y voyait plus clair, physiquement comme mentalement.

Démenti supplémentaire, éclatant, à l'illusion qu'il avait découvert une route occidentale vers les Indes : le Portugais Vasco de Gama était parti en 1497 avec une véritable escadre pour l'Inde, la vraie, celle d'Asie, mais par la route de l'est. Contournant l'Afrique par le cap de Bonne-Espérance, il avait atteint Calicut. Il y avait fondé une colonie commerciale, placée sous la protection de cinq navires. Et il avait ramené à Lisbonne une véritable fortune : trente-cinq mille quintaux de poivre, de gingembre, de cannelle, de noix de muscade et de gemmes. De quoi pimenter les repas de tous les Portugais pendant cinq ans !

Incidemment, c'était la première compagnie commerciale maritime jamais fondée.

Pis, quand, en 1500, il avait rencontré Colomb à Hispañola, le Florentin Amerigo Vespucci, devenu entre-temps sujet du roi d'Espagne, avait déjà exploré la côte du Grand Continent du Sud, celle sur laquelle Colomb n'avait pas eu l'audace de poser le pied. Il était revenu faire part au roi de sa découverte, mais les rois d'Espagne n'aimant décidément pas plus les Florentins que les Génois, ils l'avaient dédaigneusement rembarré. Peste fût de ces Italiens qui prétendaient avoir découvert ceci et cela !

Vespucci était donc passé au service du roi rival, Jean II de Portugal. L'année suivante, il avait monté une seconde expédition et il avait repris son exploration du Grand Continent du Sud, descendant jusqu'à une baie qu'il nomma, sans grande imagination et en souvenir du mois de la découverte, Rivière de Janvier, *Rio de Janeiro*. Plus bas, ébloui par les reflets d'argent de l'embouchure immense d'un fleuve, il l'avait nommée Rivière de l'Argent, *Rio de la Plata*[1].

---

1. Le détail exact des voyages d'Amerigo Vespucci est toujours sujet à contestation. Les lettres officielles qu'il aurait adressées à Pier Soderini et qui furent publiées en latin à Florence en 1505 font état de quatre voyages et lui attribueraient la découverte du golfe du Mexique et de la Floride. Les lettres privées, adressées aux Médicis, ne font état que de deux voyages en Amérique du Sud seulement. Il semble établi que les premières lettres ont été l'objet d'astucieuses manipulations, et que seules les lettres privées doivent être prises en considération.

Mais pourquoi donc, demanda Jeanne, Ferrando conti-nuait-il à s'intéresser autant à ces voyages ? N'avait-il pas été guéri de l'exotisme par le sien ?

— Non, rétorqua-t-il en riant. Ces voyages vont se multi-plier. Des compagnies commerciales vont se former, sur le modèle de celle de Vasco de Gama à Calicut. Les armateurs qui les financent auront besoin d'assureurs, afin de ne pas perdre toute leur mise dans le cas d'une tempête ou d'un autre accident de ce genre. C'est un domaine d'avenir : si l'assureur ne perd sa mise qu'une fois sur dix, il l'aura quand même gagnée plusieurs fois. Je pense donc que nous devrons associer à la banque une compagnie d'assurances.

Il tira une bouffée de *tabak* de l'ustensile en terre blanche que lui avait prêté Déodat et reprit :

— Ne nous laissons pas leurrer par le dédain que l'Ara-gon témoigne à Colomb et à Vespucci. Il sait bien que ces terres nouvelles sont un billet à échéance indéterminée. La preuve en est qu'il revendique au nom du traité de Torde-sillas le Continent du Nord que nous avons découvert avec Gaspar et Miguel Corte Real. Et puis, ces rois font les dégoû-tés, mais ils financent quand même les voyages. C'est ainsi que les frères Corte Real s'apprêtent à repartir, afin de pour-suivre leur première exploration.

Paradoxalement, le réalisme de Ferrando laissa Jeanne, François, Jacques-Adalbert, Franz-Eckart et Déodat rêveurs. Décidément, la prescience des affaires qu'avait le Milanais valait bien celle de Franz-Eckart dans le domaine des étoiles.

— Ce n'est pas tout, ajouta Ferrando, avec un sourire ambigu, qui ajoutait à son charme canaille. Ce que j'ai vu de ces terres me donne à penser qu'elles sont immenses. On les cultivera tôt ou tard. On ne peut pas réduire ses populations en esclavage, parce qu'elles sont trop peu nombreuses et qu'elles m'ont semblé fières. Elles ne paraissent pas douées pour les travaux du sol, car elles vivent de chasse et de cueillettes. On importera donc des esclaves d'Orient et d'Afrique. On créera d'ici quelques années des compagnies de navires commerciaux, comme celle de Vasco de Gama.

— Des esclaves ? demanda Jeanne d'un ton réprobateur. Est-ce chrétien ?

— Ce n'est pas moi qui réduirais un être humain en esclavage, repartit Ferrando. Mais d'autres le feront. Il faut songer que nous laisserons après nous des enfants et même des petits-enfants.

Il se leva et arpenta la salle à grands pas conquérants.

— Je veux leur laisser des commerces fructueux. Pas seulement la banque, mais aussi l'assurance et la navigation maritimes. Et des commerces qui échapperont au caprice des rois, avec des succursales à Gênes, à Naples, à Marseille, à Barcelone, à Cadix, à Séville. Et même plus loin.

Jeanne hocha la tête.

— Écoutez-le, dit-elle à Jacques-Adalbert et Déodat. Il a raison.

Ultime moquerie de la Ribaude aveugle : le Nouveau Monde, qui, s'il y avait eu quelque justice dans le domaine des noms, eût dû s'appeler la Cabotine, la Corte-Realique, voire la Colombine, finit par porter le prénom du dernier de ses découvreurs, Vespucci. Amerigo fut transformé en Amérique.

L'autre volet des infortunes de ceux auxquels la chance souriait à la fin du siècle précédent était de notoriété publique, puisqu'il concernait le roi de France.

Alors que sa mainmise sur l'Italie semblait assurée, Louis le Douzième la vit chanceler à l'automne 1503. Obstiné dans son entreprise de récupération du royaume de Naples, héritage de feu René d'Anjou, qui s'en était commodément passé, pourtant, il se heurtait à l'armée espagnole de Ferdinand d'Aragon, qui n'en démordait pas non plus. Le temps était affreux, les capitaines français se disputaient et Louis avait constamment besoin d'argent.

Il fit solliciter les banquiers. Ils avaient déjà craché au bassinet. On parlait de quatre ou cinq cent mille écus. Somme aussi fictive que mirifique, parce que, lorsque les rois commencent à emprunter, on ne sait jamais où cela commence et, encore moins, où cela finit. De toute façon, il était passé du monde des clients à celui des emprunteurs foutus. Il s'adressa donc à la cour ; il demanda à emprunter les deniers consignés aux cours des parlements, sénéchaussées, bailliages et justice du royaume. C'était là de l'argent qui ne lui revenait pas. Il avait déjà emprunté deux cent mille livres aux États régionaux, et autant à la municipalité de Paris, qui n'espéraient également plus revoir de sitôt leurs capitaux. Bref, Louis saignait le royaume pour aller régner au-delà des Alpes. On le satisfit néanmoins.

Ses courtisans s'évertuaient à le faire surnommer « Père du Peuple » ; début d'une longue et fâcheuse tradition. Au bout de quelques paternités abusives de la même farine, les nations d'Europe allaient se décider à sacrifier à une tradition plus ancienne encore : comme dans l'Exode de la Bible, elles se détourneraient du Père pour adorer le veau d'or ; personne d'autre que Franz-Eckart et quelques liseurs d'étoiles ne le pressentait encore. Les intimes de Louis, eux, donnaient un autre son de cloche que les flatteurs. Ainsi l'ecclésiastique

Claude de Seyssel, membre du Conseil royal, connu pour avoir publié maints éloges publics de son monarque, avait une façon de tourner le compliment qui invitait à la réflexion. Il écrivit ainsi que Louis avait été, dans sa jeunesse, « nourri en lubricité et lascivité », afin qu'il fût imbécile d'entendement et n'eût ni sens ni autorité…

Tous ces beaux et bons écus que le roi fit rafler dans les coffres du pays étaient fruit du travail de citoyens qui se levaient à l'aube et se couchaient fourbus ; ils ne servirent à rien : bailliages, taxes diverses et amendes mobilisés pour payer des mercenaires, des chevaux, des épées, des lances et des intendances furent dépensés en pure perte. L'hiver s'en mêla. La Providence parfois revêt un manteau de sorcière pour s'occuper de certains ambitieux. L'armée était mal équipée. La tempête s'en prit aux flottes qui tentaient de la ravitailler. L'avoine manqua. Des centaines de chevaux moururent. Les troupes n'étaient pas fières. Les espions en informèrent le général de l'armée de Ferdinand d'Aragon, Gonzalve de Cordoue, qui se cantonna dans une place forte voisine, Sessa, pour attendre son heure.

À la fin de l'année 1503, les Français se trouvèrent bloqués à Gaète, cité portuaire. Magnanime, Gonzalve de Cordoue leur accorda une capitulation honorable. Mais féroce, la Ribaude aveugle décima autant qu'elle pouvait parmi ceux qui sortirent de la ville assiégée : soldats, chevaliers, officiers, généraux.

Louis perdit le royaume des Deux-Siciles, puisque Naples et la Sicile étaient unies sous la même couronne. Il gardait Gênes et le Milanais, mais il restait fort dépité.

Certes, les perdants ont toujours tort, même quand ils auraient eu raison, mais l'inanité de la campagne d'Italie apparut gravée en lettres de feu : *Téméraire, Ruineuse et Inutile.*

— Une couronne, dit un soir Franz-Eckart à Jeanne, est en or, métal pesant qui, à mon avis, gêne la circulation du sang dans le crâne. Elle rend bête.

Jeanne se tordit. Joachim émit un de ces grognements qui lui tenaient lieu de rire. Il avait appris à se servir de l'ustensile de Déodat, ou du moins des copies qu'en avait fait confectionner son fils, Franz-Eckart. Heureusement, la moisson de *tabak* était plus qu'abondante ; toute la maison L'Estoille pétunait, à la grande contrariété des mouches le jour et des zinzares la nuit.

Joseph, qui assistait à la conversation, car il avait alors onze ans, en retint que les rois sont bêtes ou crapuleux, mais chacun sait que les enfants sont parfois excessifs. L'enseignement de Franz-Eckart l'avait en tout cas mal disposé à l'égard de toute puissance terrestre. Il ne respectait que quatre personnes au monde, Jeanne, Joachim, Franz-Eckart et Frederica.

Les conséquences de la défaite de Gaète prirent rapidement un tour qui vérifiait la prudence de Franz-Eckart et de Ferrando. Comme on ne pouvait l'attribuer au roi, immunisé par le droit divin, il fallut trouver un coupable. L'armée s'était sans doute mal battue, mais plusieurs des grands capitaines étaient morts, Sandricourt, le comte de Ligny, ainsi que le vaillant Saluces. Toutefois, accuser des morts fleurait la mauvaise grâce et risquait de retourner contre le roi ceux des capitaines qui avaient survécu. Sa Majesté incrimina donc les financiers, sous le prétexte qu'ils n'avaient pas réuni assez d'argent. On peut toujours accabler des financiers, personne n'en disconviendra : ils sont ladres, usuriers et même voleurs quand l'occasion s'en présente, sans quoi ils ne seraient pas aussi riches.

Aussi Louis fit-il intenter un procès à vingt des responsables, désignés coupables : Antoine de Bessey, bailli de Dijon, Jean Duplessis, trésorier général des guerres, François Doulcet, l'oncle d'Yvonne, l'épouse de Déodat, Jean Herouët, Nicolas Briseau, Bertrand de Villebremes, Gilles Leroux, Jean de Chèdeville… On confisqua les biens de Doulcet et Briseau, on mit trois autres commis au pilori, on emprisonna Duplessis à Loches, le roi ayant commué sa peine de mort en détention. Pour faire bonne mesure, on pendit deux clercs des finances, Leroux et Chèdeville.

On ne le savait que trop depuis Jacques Cœur : il ne fait pas bon être le financier des rois.

Yvonne fut horrifiée : sa famille était d'un même coup ruinée et disgraciée ; elle venait de mettre au monde une fille, Guitonne ; elle en perdit son lait et la bambine fut confiée à une nourrice. Jeanne dut la raisonner ; elle lui fit observer qu'il était des maux plus graves que d'être ruiné, surtout que son mariage avec Déodat l'avait mise à l'abri du besoin. Jacques-Adalbert engagea son beau-cousin Léonce Doulcet dans la draperie. Par reconnaissance, Yvonne se fit engrosser derechef six mois après ses couches.

Mais le sentiment général fut qu'on l'avait échappé belle. Non seulement on n'avait pas perdu les vingt-cinq mille écus que Déodat avait proposé de réunir pour les prêter au monarque, mais encore on n'était ni pendu ni ruiné pour n'en avoir pas prêté cinquante mille.

Le raisonnement, d'ailleurs, fut moins rare qu'on l'eût cru, et bien des gens prirent alors une habitude vouée à un bel avenir, consistant à sceller ses écus dans le plancher de la maison ou à les enfouir dans le champ voisin. Les bourgeois allèrent désormais en vêtements râpés et se reprirent à manger de la soupe au lieu de pintades et d'ortolans. Seuls les étourneaux se montraient en habit de soie et de velours.

L'argent avait appris à se cacher.

Plus remarquable fut le fait que la profession de banquier semblait fort dégarnie dans les villes du royaume : on n'en trouvait plus un. Ils étaient en voyage, ou bien malades, ou bien encore s'étaient retirés des affaires.

Ne faisant même plus confiance à la poste, car les services royaux pouvaient intercepter leurs ordres, ils voyageaient beaucoup, en effet. Ils foisonnaient à La Haye, à Amsterdam, à Francfort, à Genève, à Venise, à Séville, à Cadix, à Lisbonne et même à Londres.

Pour se prémunir des folies royales, ailleurs comme en France, ils avaient fondé une sorte de société secrète de fait, informelle et internationale. Plus n'était besoin de transporter des fonds sur les routes et de les exposer à des cochers malhonnêtes parfois de mèche avec des brigands : un simple billet à ordre, qu'on appelait aussi lettre de change, portant le nom du bénéficiaire, permettait de débloquer des milliers d'écus chez un correspondant de confiance.

Les guerres de leurs nations les affligeaient, mais ne les brouillaient certes pas les uns avec les autres. Dieu les en gardât ! Tandis que les mercenaires ferroyaient et canonnaient pour la plus grande gloire de leurs princes, qu'ils pataugeaient dans la boue, le sang et la pisse, les banquiers d'Augsbourg, de Cologne, de Lyon, de Genève, de Milan, de Séville et de Londres échangeaient studieusement thalers, florins, livres artois, livres tournois, ducados, piccholi et autres.

Cette évolution enchanta Jacques-Adalbert, Déodat et Ferrando, à cela près qu'elle ralentissait un peu leurs affaires pendant l'hiver. Ils voyageaient alors plus souvent vers le sud que le nord.

Mais l'hiver, somme toute, ne dure que trois mois et l'argent pouvait bien suivre l'exemple des marmottes et sommeiller un peu. Ce repos rafraîchissait les esprits.

23

Vendanges des vivants
et moissons des esprits

Au début de l'été 1504, et avec des collègues espagnols et hollandais, Ferrando fonda à Cadix la Compagnie maritime marchande du Nouveau Monde, dont un tiers des capitaux était détenu par le clan Sassoferrato-Beauvois-L'Estoille, et la Compagnie d'assurances maritimes de l'Estoille, ainsi nommée car Jeanne l'y avait encouragé avec chaleur. La première compagnie commanditait la construction de cinq navires sur le modèle dit de la caraque anglaise, sur lequel Ferrando avait navigué avec les frères Corte Real et qui se révélait plus maniable que la nave espagnole.

Jacques-Adalbert et Déodat secondèrent Ferrando, eux-mêmes secondés par les fils de ce dernier, Gian-Severo et Pier-Filippo, qui avaient à peu près leurs âges, trente et un et vingt-sept ans. Lors de leurs allées et venues, principalement entre la Suisse et l'Espagne, tout le monde faisait étape à Angers et, pendant deux ou trois jours, le matin, l'étuve résonnait de voix comme un parlement.

Au cours d'un conseil de famille, Jacques-Adalbert se plaignit bientôt qu'il ne pouvait être au four et au moulin et qu'il serait heureux que quelqu'un le soulageât d'une partie des tâches de la draperie de Lyon.

Je n'ai donc pas eu assez d'enfants, se dit Jeanne.

— Que vaut Léonce Doulcet, le cousin d'Yvonne ? demanda Jeanne.

— Il est diligent, mais n'est pas des nôtres, répondit Jacques-Adalbert.

— Fautes de grives, on mange des merles. Intéresse-le donc aux bénéfices. Cela vaut un mariage. Est-il marié, d'ailleurs ?

— Non, il court la gueuse.

— Est-il plaisant ?

Jacques-Adalbert dévisagea sa mère, interloqué.

— Il est bien fait et sait tenir sa place en compagnie.

— Invite-le ici aux vendanges.

Elle avait son idée. Severina, la fille de Ferrando et d'Angèle, avait perdu son mari près de deux ans auparavant dans les échauffourées du Milanais. Ses parents se désolaient de sa mélancolie, car elle ne voulait plus, disait-elle, aimer un autre homme qui repartirait lui aussi à la guerre ; elle projetait d'entrer au couvent.

Jeanne écrivit à Ferrando et Angèle pour les inviter aux vendanges, ainsi que leur fille qu'elle se désolait de n'avoir pas vue depuis longtemps.

Elle fit venir Léonce Doulcet deux jours plus tôt et, sous l'œil amusé de Franz-Eckart, lui fit passer un examen à son insu. Il avait vingt-quatre ans et, à la bonne heure, le sang chaud.

— J'espérais vous voir avec votre épouse, cousin, lui dit-elle au premier souper.

— Je n'en ai pas, cousine.

Elle feignit l'étonnement.

— La ville de Lyon manquerait-elle de partis ?

— Certes non, cousine, c'est plutôt que je n'en suis plus un. Voyez-vous, l'on se fait des jeunes hommes une idée une fois pour toutes. J'étais un Doulcet, donc j'avais du bien en perspective. Je n'ai plus de bien, comme vous le savez, Léonce Doulcet est donc défunt, répondit-il avec un sourire ironique. Jacques-Adalbert a bien voulu me sauver d'un emploi de manant, mais cela ne fait pas de moi un homme riche.

Elle médita la réponse et s'en trouva satisfaite. Le jeune homme avait escompté un riche mariage et s'en trouvait privé par la ruine de sa famille.

— Vous voilà donc seulet.

Il eut un sourire malin.

— La Providence des solitaires a aussi fait des âmes seulettes.

Franz-Eckart éclata de rire.

— Tant qu'elles ne sont point ribaudes, observa Jeanne.

— Ma foi, cousine, elles sont comme le monde. On y trouve du meilleur et du pire.

— Méfiez-vous du mal de Saint-Méen[1]. Il est comme la mort : il n'advient pas qu'aux autres.

Quand Ferrando, Angèle et Severina arrivèrent, Jeanne se lança dans une autre entreprise : restaurer quelque peu la séduction de cette dernière. Severina était déjetée, fagotée comme l'as de pique et, de surcroît, morose comme un piquet. Elle semblait, en effet, promise au couvent à très brève échéance.

Jeanne la cajola, l'emmena à l'étuve et la fit étriller par Frederica, ce qui lui rendit quelques couleurs.

— Quelle épreuve ! s'écria Severina. Mais cela fouette le sang, c'est vrai. Et vous faites cela tous les jours ?

---

1. La syphilis.

— Comme mes prières, dit Jeanne. Un corps morose et négligé déplairait fort au Seigneur. Ce serait l'offenser que de lui faire don d'une guenille.

L'argument surprit Severina. Par respect pour le Seigneur, elle se laissa coiffer et parfumer par les soins de Frederica.

Restait l'habillement, qui était déplorable. Jeanne appela à sa rescousse Simonetta, l'épouse de Jacques-Adalbert, car elle et Severina avaient la même taille et d'ailleurs, étaient toutes deux milanaises ; cela créait une complicité propice.

— *Santi del cielo !* s'écria Simonetta, en examinant les habits de la jeune femme. *A vederla cosi sciagurata, li si darebbe l'elemosina*[1] !

Elle courut chercher dans sa chambre des effets plus seyants : une gorgerette de lingerie à parements de couleur, qu'on verrait par le décolleté carré et au bas des manches larges d'une robe de drap bleu nuit, laquelle ouvrait sur une jupe coq-de-roche. Et par-dessus les cheveux blond-roux de Severina, elle ajusta un chaperon de velours d'un bleu accordé à celui de la robe et du plus bel effet.

— Mais… Mon Dieu ! s'écria à son tour Severina, en se regardant dans le miroir que lui tendait Jeanne, le premier cadeau de Jacques de l'Estoille, mon Dieu, je n'ai plus l'air d'une veuve !

Les efforts de Jeanne, de Frederica et de Simonetta l'avaient, en effet, métamorphosée. Elle était ravissante ; une touche de fard, si elle y consentait, parachèverait sa renaissance.

— Porterez-vous le veuvage jusqu'au ciel ? rétorqua Simonetta.

---

1. À vous voir ainsi fagotée, on vous donnerait l'aumône.

Les deux femmes se firent face. Au bout d'un moment, un sourire de résignation détendit le masque de Severina.

— L'excès de mélancolie est un péché, le savez-vous ? poursuivit Simonetta. Il signifie que l'on a perdu l'espoir, qui est avec la foi et la charité l'une des trois vertus cardinales.

— Severina, il n'est pas que les nonnes qui soient au service de Dieu, dit à son tour Jeanne. Dieu a séparé la vie de la mort, ce n'est pas pour que les humains les confondent.

— J'aimais mon mari plus que tout, murmura Severina. Les hommes me l'ont pris !

Et elle pleura.

— Il n'était pas à vous, il était d'abord à Dieu, observa Jeanne en lui tendant un linge pour sécher ses larmes. Parler de lui comme d'un bien personnel est une forme d'avarice.

— Et je n'ai pas eu d'enfant de lui ! se lamenta Severina.

— Comptez-vous donc sacrifier votre descendance à un défunt ? intervint Simonetta. Mais c'est barbare !

Severina demeura pensive.

— Vous avez sans doute raison, convint-elle avec un soupir.

— Laissez-moi vous carminer un peu les lèvres, dit Jeanne.

Severina était méconnaissable : Angèle et Ferrando demeurèrent bouche bée quand ils virent leur fille entrer dans la salle, entre Jeanne et Simonetta.

— Mais vous êtes une magicienne ! souffla Angèle à l'oreille de Jeanne.

Léonce Doulcet examina attentivement la jeune femme.

Il ne restait plus qu'à espérer que la nature fît son œuvre.

Le jeune homme, en tout cas, fit sa cour. Tout le monde cacha sa stupéfaction en voyant Severina sourire.

Le lendemain, Léonce et Severina allèrent ensemble aux vendanges. On vit même la jeune femme rire aux éclats. Puis ils devinrent inséparables. Seule une cloison s'interposait la nuit entre eux, car Jeanne les avait installés dans deux pièces contiguës de la nouvelle aile.

Six jours ou plutôt six nuits plus tard, la maison L'Estoille fut réveillée par des cris brefs, mais caractéristiques, ce dont personne ne s'inquiéta, bien au contraire. La redécouverte du plaisir après deux années de veuvage continent avait eu raison de la réserve de Severina.

Franz-Eckart murmura :

— Tu es vraiment une marieuse.

Jeanne pouffa. Le lendemain, la seule mine de Severina, à la fois épanouie et défaite, en dit long. Ferrando prit Jeanne en aparté, lui enlaça la taille et lui chuchota d'un air complice :

— Angèle et moi te remercions.

Paradoxalement, Angèle lui offrit un cadeau de mariage : une grosse perle baroque attachée à un maillon d'or, pour pendre sur le chaperon.

Léonce Doulcet entrait dans le clan.

Le motif mystérieux, tissé d'or et d'argent, qui apparaissait et disparaissait dans la Grande Tapisserie n'avait pas noué ses derniers points.

Ythier vint à la maison L'Estoille, qui n'était qu'à une longue journée de route. La récolte de raisin, dit-il, s'annonçait exceptionnelle. Sa maîtresse lui ferait-elle l'honneur d'y assister ? Il lui offrait comme de bien entendu l'hospitalité de La Doulsade. Ferrando, Angèle et Severina étant repartis pour Genève et Léonce Doulcet pour Lyon, elle jugea qu'un petit voyage dans son ancien domaine lui ferait un changement. Elle était également désireuse de voir comment se faisait ce vin dont la réputation croissait. Aussi accepta-t-elle l'invitation et repartit avec Ythier, accompagnée de Franz-Eckart, de Joachim et de Joseph.

Le garçon atteignait sa onzième année. Modelés dans une pâte pâle, presque translucide, ses traits irréguliers, un nez busqué, une bouche d'un incarnat violent et des yeux effilés et sombres lui faisaient une beauté au-delà de la beauté : saisissante. Sa minceur vigoureuse évoquait un jonc rebelle et, passé l'enjouement de l'enfance, une gravité souriante, bien en avance sur son âge, imprégnait son maintien et ses gestes.

— C'est Joachim tel que je l'ai aperçu la première fois et c'est aussi ton portrait épuré jusqu'à l'essentiel, dit un jour Jeanne à Franz-Eckart.

Quand il passait à cheval dans les rues d'Angers, les gens se retournaient sur son passage et les filles se pâmaient. Joachim était, à l'évidence, épris de son petit-fils comme un amant l'est de sa maîtresse : il s'était fait son écuyer.

Le garçon fit sur Ythier un effet surprenant. L'intendant le dévisagea si longuement qu'il frisa l'indiscrétion. Joseph supporta l'examen avec un sourire immuable. Le devinait-il ? Ythier avait sans doute relevé la ressemblance avec Franz-Eckart ; il n'en dit évidemment rien et déclara en souriant :

— Maîtresse, ce jeune homme va semer le trouble dans tous les cœurs de la contrée.

— N'ayez crainte, il sera bien chaperonné, répondit Jeanne.

Son cœur palpita à la vue de La Doulsade. Le temps, qui efface tant de souvenirs, approfondit la trace des autres. Le manoir était pour elle irrémédiablement lié au jugement des loups.

La chaleur de l'accueil effaça toutefois le malaise. L'épouse d'Ythier, une solide femme aux manières drues, la reçut, non comme la propriétaire, mais comme une parente aimée ; elle savait trop bien ce que sa tribu devait à Jeanne. Car c'était une tribu qu'elle et son époux avaient fondée ; un essaim de filles et de garçons se pressa autour de la légendaire dame Jeanne. On regarda tout autant Joseph que Jeanne, mais avec une réserve qui frappa celle-ci ; l'adolescent inspirait le respect.

Le lendemain, Ythier emmena ses invités assister à la cueillette des grappes, une heure après le lever du soleil, quand la rosée s'était évaporée. Le vignoble était découpé en carrés d'un quart d'arpent chacun, bien séparés par des allées, et Jeanne observa qu'on ne mélangeait pas la récolte d'un carré avec celle d'un autre. Puis elle se pencha pour observer les grappes : elles étaient fournies, avec des grains pas trop gros, pruinés. Le maître de récolte les examinait soigneusement, une à une, avant qu'on les jetât dans le panier.

— Goûtez-en une, conseilla Ythier.

Jeanne croqua quelques grains.

— La peau est épaisse, observa-t-elle. Vous n'aurez pas trop d'eau, ni besoin de laisser la peau trop longtemps avec le moût.

— Juste, dit-il. Trois jours au plus si le temps reste au beau. C'est un vin de bonne garde, au moins trois ans. Il ne sera pas nécessaire de le bouillir, ajouta-t-il, en lançant un clin d'œil goguenard à Franz-Eckart et à Joseph.

Comme ils paraissaient surpris, il expliqua que bien des vignerons cuisaient leur vin pour lui donner du goût. Ils y ajoutaient couramment du thym ou du jus de groseille ou de cerise.

— Il tient donc le voyage ? demanda Jeanne.

Elle savait que le vin secoué dans les tonnes, pendant le transport en chariot ou en coche d'eau, s'altérait souvent. Au bout de trois cents lieues, un vin honnête se transformait en raqué tout juste consommable comme vin de ménage.

— Hah ! fit Ythier. Le transport, voilà la grande affaire ! Le nôtre tient en tout cas jusqu'à Angers, à Tours, à Limoges et à Poitiers. J'en ai bu là-bas, il a bien plus de vertus que beaucoup d'autres qui n'ont pas fait le quart du trajet. Je pense que c'est le talent de notre maître de chais.

Celui-ci suivait justement un vendangeur chargé de son panier et croquait des grains d'un air pensif. C'était un sexagénaire aux yeux de furet.

— Pouzat ! cria Ythier.

Il vint d'un pas lourd et toisa Jeanne, puis ses compagnons.

— Notre maîtresse, dit Ythier. Elle vient pour nos belles vendanges.

L'autre retira sa coiffe, un bonnet de lapin gris dont la forme originelle était indiscernable, et ses joues se plissèrent dans un sourire prudent.

— Notre maîtresse veut savoir pourquoi notre vin tient le voyage.

Pouzat se gratta l'oreille et son regard erra jusqu'à Joachim, qui se penchait curieusement sur un cep, à vingt pas de là.

— Faut le décuver avant la fièv'e, dit-il enfin. S'y chauffe trop, y d'vient faible. Y en a pas trop qui le sachent.

307

— Pouzat veille sur sa fermentation comme une sage-femme, dit Ythier.

Ils quittèrent le vignoble et se dirigèrent vers les chais. Jeanne fut émerveillée ; elle se rappelait dans quel état était cette bâtisse quand elle était venue visiter la ferme, plus de quarante ans auparavant. Elle ne l'avait pas revue depuis. Elle s'avisa que les frais de reconstruction que lui avait comptés Ythier avaient été bien employés, car elle s'était parfois demandé s'il ne se graissait pas la patte au passage. Mais non, il avait même dû y mettre de sa poche. Sous un long et opulent auvent menant aux chais, de beaux bâtiments tout neufs, aux épais murs de pierre, un tonnelier achevait de cercler une barrique.

— Du beau chêne, dit Ythier, en caressant le bois. Regardez, maîtresse : pas un nœud.

Jeanne hocha la tête.

— Que deviennent les vieilles barriques ? demanda-t-elle.

— Le bois est bouché, elles ne peuvent plus servir. On les brûle. C'est fameux pour faire rôtir le canard !

Une puissante odeur aromatique emplissait les lieux : un aide vigneron aromatisait les barriques au-dessus d'un feu de bois de genévrier ; un soupçon de ce parfum passerait dans le vin.

Ils remontèrent à cheval et gagnèrent la ferme voisine, le Grand Bussard, où Ythier avait fait préparer un en-cas par le fermier.

— Vous vous rappelez Bertrand Gonthard ? demanda Ythier.

— L'échevin de La Châtre ?

Encore un souvenir qui la ramenait bien loin en arrière.

— C'est son fils qui tient la ferme.

Jeanne chercha du regard Joachim et Joseph.

— Où sont-ils ? demanda-t-elle.

— Joseph m'a dit qu'ils allaient explorer la région.

Après avoir dégusté du pâté de lièvre et bu un verre de bon vin chez le jeune Gonthard, elle et Franz-Eckart s'en retournèrent à La Doulsade. Joachim et Joseph n'étaient pas rentrés. Jeanne s'alarma, mais Franz-Eckart ne semblait inquiet ni pour son père, ni pour son fils.

— Je ne saurais souper, dit-elle, agitée. Ces parages sont pleins de loups.

— Je ne les crois pas en danger, dit Franz-Eckart. Les loups les protégeraient plutôt.

Elle luttait contre des pressentiments sinistres.

— Allons les chercher, dit-elle, mesurant pourtant l'ina-nité de la proposition.

Aller battre les bois la nuit ! observa-t-il.

— Tel que je connais mon père, dit Franz-Eckart, il sera près d'une pièce d'eau.

— Une pièce d'eau ? répéta-t-elle.

Elle se rappela tout à coup l'étang où elle avait jadis fait une longue halte, non loin de la ferme du Grand Bussard, dans la forêt de Chanteloube, après la mort de Denis. La Mare au Diable. Elle se souvint aussi des brumes épaisses qui l'avaient enveloppée et lui avaient apporté la paix. Oui, c'était là qu'ils devaient être.

— Allons, dit-elle, sans s'arrêter un instant sur la témérité d'aller à cheval la nuit dans les bois.

Si ses souvenirs ne la trompaient pas, c'était à quatre ou cinq lieues de là. Franz-Eckart la suivit aux écuries.

— Sais-tu au moins où tu vas ? demanda-t-il.

— Je crois connaître l'étang où ils seront, dit-elle en mettant le pied à l'étrier. C'est la Mare au Diable.

Elle enfourcha sa monture, gagna le petit pont qu'elle connaissait bien et qu'Ythier avait fait rebâtir, et s'élança au galop dans l'obscurité. Elle rejoignit la route. Franz-Eckart se tenait à sa hauteur, sans mot dire. La nuit était claire et fraîche.

À un certain moment, elle ralentit son allure ; ils entraient dans la forêt de Chanteloube. Ils allaient maintenant au pas, entre les arbres. Une biche effrayée s'enfuit à leur approche.

Elle ne savait depuis combien de temps elle avançait ainsi dans la forêt. Le cœur lui battait et elle ignorait pourquoi. Elle se retenait de pleurer. Soudain, elle aperçut devant elle une clarté infime. Franz-Eckart l'avait-il vue, lui aussi ? Elle se tourna vers lui ; il lui parut grave.

La clarté devint plus intense : ils entrèrent dans une nappe de brume grisâtre, pareille à une perle immense dissoute dans l'eau de la nuit. Les contours des arbres devinrent incertains. Au cœur de cette brume, elle devina une palpitation. Une vive fraîcheur lui annonça que l'eau n'était pas loin. Elle étouffa un cri, tira sur la bride de son cheval et mit pied à terre. Franz-Eckart fit de même.

Elle avança vers le bord de l'eau. Des joncs accrochèrent sa jupe. Dans la brume palpitaient des formes lumineuses. Jeanne saisit le bras de Franz-Eckart.

Elle regarda les formes, fluides, souples, paraissant vibrer au moindre souffle.

— Mais où sont-ils ? articula-t-elle d'une voix étranglée.

Il lui serra la main.

— Paix, répondit-il à mi-voix. Ils ne sont pas loin.

Une brise agita la brume et la dissipa par endroits. Les formes voltigèrent. À travers ce rideau déchiré, Jeanne aperçut deux silhouettes, bien terrestres celles-là, sur la rive opposée.

Joachim et Joseph.

Franz-Eckart lui mit la main sur la bouche.

— Silence, enjoignit-il.

Joseph était nu, debout, les pieds dans l'eau. Joachim, sur la rive, le surveillait.

Un essaim de formes tourbillonna autour de Joseph. Le garçon leva la tête. Puis il écarta les bras.

Comme animées d'un seul mouvement, les formes tissèrent un faisceau de lumière autour de lui et l'entourèrent de plus près. On eût dit qu'elles voulaient pénétrer dans son corps. Il fut secoué d'un spasme. Elles se fondirent soudain en lui. Il ouvrit la bouche, elles en jaillirent. Il leva les bras, dans un geste d'orant. Elles dansèrent follement autour de lui, mais désormais, elles s'écartaient, montaient plus haut, s'égaillaient dans tous les sens, effleurant parfois la surface de l'eau. Des miettes de lumière pailletèrent la surface liquide.

Jeanne se tourna vers Franz-Eckart. Il haletait. Elle fut abasourdie. Elle allait parler. Il la retint d'un doigt sur la bouche.

Le silence. Père et fils lui étaient donc voués.

Les formes dérivèrent en direction des deux guetteurs. L'une d'elles glissa vers Jeanne, qui fut prise d'effroi. Car un visage habitait cette forme. Et elle le reconnut, c'était un visage aimé, ô combien !

— Jacques ! s'écria-t-elle, en dépit de l'interdit.

Elle tendit la main. La forme demeura immobile, à peine frémissante, pleine de chaleur en dépit de la fraîcheur environnante, puis une autre se joignit à elle et sembla vouloir caresser Franz-Eckart.

Les larmes jaillirent des yeux de Jeanne.

La forme avait le visage d'Aube.

Joseph les avait vus. Il avança dans l'eau, vers eux. Son corps ruisselait d'une lumière nacrée. Il tendit le bras. Jacques et Aube tournoyèrent et le rejoignirent.

Jeanne tomba à genoux, la tête dans les mains. Elle avait vu Jacques. Son cœur allait éclater.

Elle comprit ce que Aube avait vu.

Franz-Eckart la releva et l'entraîna. Il dut la soutenir. Oui, elle n'aurait pas dû céder à sa curiosité. Franz-Eckart l'enlaça.

— Viens, dit-il.

Elle regarda une dernière fois Joseph nu au milieu de l'étang. Vision insoutenable. Et là-bas, sur la rive, Joachim debout, comme le prêtre d'une religion inconnue.

Franz-Eckart dut aider Jeanne à remonter en selle.

Le ciel pâlissait quand ils rentrèrent à La Doulsade. Un clocher lointain sonna quatre coups.

Jeanne monta se coucher. Elle s'endormit comme on perd connaissance.

Elle ne se réveilla qu'à midi.

Franz-Eckart, déjà habillé, était assis près du lit. Il la contemplait. Quand elle ouvrit les yeux, il lui sourit.

Comme égarée, elle regarda le visage aimé, les courtines, les murs, le plafond, et elle poussa un soupir. Elle mit péniblement les pieds par terre et alla au cabinet d'aisance.

Quand elle en revint, Franz-Eckart avait quitté sa place. Quelques moments plus tard, il lui apporta un bol de lait chaud. Elle posa sur lui un regard interrogateur.

— Sont-ils rentrés ?

Il hocha la tête.

— Comment sont-ils ?

— Comme à l'ordinaire, répondit-il en souriant. Joseph est impatient d'assister au foulage des grappes.

Elle secoua la tête.

— Qu'était-ce ? Qu'avons-nous vu ?

— La grande initiation, répondit-il. La saison des vendanges, je le sais, y est la plus propice. La terre donne ses fruits, les esprits y sont sensibles. Ils livrent leurs moissons. Mon père a décidé d'initier Joseph. Je le soupçonnais, mais je n'en étais pas sûr. Je craignais surtout que l'émotion fût trop intense pour toi.

— Qu'est-ce que la grande initiation ?

— C'est l'introduction à la communauté universelle de l'esprit. L'initié qui est accepté par elle, car on peut être refusé, participe à la connaissance des mouvements du monde. Il est préservé des erreurs communes, il voit et entend ce que les autres ne voient ni n'entendent. Il est protégé par les grandes puissances. Joseph est désormais un être de lumière. Il ne tombera jamais malade.

Elle but pensivement son lait, s'efforçant d'assimiler ces mots et ces notions inconnues. Elle n'avait pas encore dissipé l'émotion que lui avaient causée les visages de Jacques et d'Aube. Elle ne voulait d'ailleurs pas la chasser. Elle avait vécu le moment le plus intense de toute sa vie.

— Revoir Jacques, murmura-t-elle, cela était indicible… Et puis Aube… Que faisaient-ils là ?

— La présence d'Aube était naturelle, répondit Franz-Eckart, sans soupçonner l'étrangeté de sa phrase. C'était son fils qu'on introduisait dans la grande communauté. Quant à Jacques, il a dû être attiré par ta présence.

Un long silence suivit. Franz-Eckart évoquait ces choses comme si elles étaient aussi naturelles que le pain et le vin.

— As-tu été initié ? demanda Jeanne.

— Non, car j'ai été élevé loin de Joachim. L'initiation se fait à l'adolescence, et presque toujours par le père ou la mère, qui auront donc été initiés eux-mêmes. Après, c'est trop tard, l'esprit est trop pénétré par le monde matériel. Je le savais, et j'ai tenté d'y remédier par l'étude.

— Mais tu parais pourtant avoir des lumières ?…

— Le peu que j'en ai me vient sans doute par le sang. Mais l'initiation se fait d'ordinaire de père ou de mère à fils. Joachim a été initié par ma grand-mère, Mara, sans doute peu avant qu'elle meure. Il est possible qu'elle ait entrevu sa mort et qu'elle ait avancé la cérémonie.

La stupeur causée par la découverte de ce monde mystérieux se renouvelait sans cesse dans l'esprit de Jeanne, suscitant des questions sans fin. Pourquoi ses parents n'avaient-ils pas été présents ? Et Denis ? Serait-il venu ? Et Matthieu ? François de Montcorbier ? Barthélemy ?…

En comparaison, la découverte d'un continent de plus lui parut dérisoire.

Elle regarda par la fenêtre. Joachim et Joseph étaient tranquillement assis sur un banc, une poignée d'abricots entre eux. Elle les observa un long moment, guettant un indice qui révélerait une transformation quelconque. Mais rien. Joachim mangeait un fruit. Joseph se leva, tira à lui une branche de tilleul en fleurs et la huma.

La femme d'Ythier entra, le visage tourmenté.

— Maîtresse, êtes-vous bien ?...

— Tout va très bien, Gersende, répondit Jeanne en souriant. La fatigue du voyage... Je descends bientôt.

24

La Danse de Mort,
la Danse de Vie et le Conseiller

Ils allèrent au foulage, menés par Ythier.
Cela se passerait dans une salle du grand bâtiment neuf.
Une quarantaine de paniers remplis de grappes occupaient
l'espace sous l'auvent. À l'intérieur, le fouloir, une sorte de
grand baquet, était déjà plein. On l'emplirait au fur et à
mesure du foulage. Une cuve récurée se dressait tout près,
posée sur un support à quatre gros pieds. Une petite échelle
y était flanquée.

Un rudiment d'orchestrion, deux joueurs de violes et un
de tambourin, attendait aussi, mangeant du pain et du fromage frais et sirotant du vin. Une fermière balayait les
grains tombés sur le sol dallé, trois hommes bavardaient
avec Pouzat, les manches de leurs chemises retroussées jusqu'aux épaules.

Deux jeunes gaillards, jambes nues, les braies remontées
jusqu'à l'aine, se lavaient les pieds dans un autre baquet, plus
petit. Ils avaient des mollets appétissants, se dit Jeanne. Une
paysanne vint jeter du vinaigre dans l'eau.

Jeanne se pencha sur le fouloir posé à terre et demanda à
Ythier :

— On n'égrappe pas ?

317

— Non, répondit Ythier, les rafles font un vin moins aigre. Ça réduit un peu la couleur et ça ralentit la fermentation, mais les peaux sont déjà assez colorées. Puis le moût reprend encore de la couleur aux peaux.

Pouzat vint vers Jeanne et ses compagnons et ôta son bonnet. Il avait entendu la question, car, après les civilités, il expliqua :

— C'est' cause des rafles que not' vin voyage bien, maîtresse.

Elle comprit que, moins aigre, le vin avait donc moins tendance à tourner.

— Prêts ? demanda le maître de récolte.

Il claqua dans ses mains. Les musiciens s'essuyèrent les leurs sur leurs braies. Quatre paires de bras soulevèrent le fouloir et le posèrent sur la cuve. Les deux gaillards pieds nus grimpèrent dessus, l'un après l'autre. Le maître de récolte tapa une fois de plus dans les mains. Les musiciens entonnèrent leur ritournelle. L'air était simple, le rythme aussi. Une, deux – trois, quatre. Une, deux – trois… Les fouleurs, face à face, s'empoignèrent les épaules et dansèrent en rond. Leurs pas puissants ébranlaient le fouloir et la cuve.

Les paysannes battirent des mains en cadence. Joachim et Joseph, hilares, se joignirent à elles.

Jeanne les regarda faire, surprise. Le grand-père et le petit-fils, qui s'étaient, quelques heures auparavant, tenus aux portes de l'au-delà, battaient joyeusement des mains comme des paysans qui n'avaient jamais rien fait d'autre de leurs vies ! Elle se tourna vers Franz-Eckart qui souriait.

Il comprit son étonnement.

— Le vin, lui dit-il, c'est l'âme de la terre.

Les mots filtrèrent lentement en elle.

Le monde changea de couleur. Les bas pourpres des fouleurs devinrent des parures précieuses. Les raisins rutilèrent dans les paniers. Des centaines, des milliers d'yeux qui regardaient le ciel.

Au terme d'une dizaine de minutes, les deux fouleurs s'interrompirent, fatigués. Leurs jambes étaient presque noires. On entendait le glouglou du moût s'écoulant dans la cuve, par les trous ménagés dans le fond.

Jeanne écoutait ce bruit comme si ç'avait été le premier vagissement d'un nouveau-né. L'âme de la terre se formait là.

Et le fouloir, c'était la vie qui vous piétinait, grains et rafles ensemble.

Un bourdon entra et dansa dans la salle, lui aussi. Elle éprouva le besoin soudain et fou de danser comme lui.

Le maître de récolte monta jeter un coup d'œil au fouloir et frappa de nouveau dans ses mains. Les musiciens reprirent leur ritournelle et les fouleurs, leur bourrée.

C'était une danse de vie pour eux et de mort pour les raisins. Toute danse avait deux visages.

Elle se tourna vers celui de Franz-Eckart. Même s'il n'avait pas été initié, il était un magicien.

Léonce et Severina se marieraient à Genève. Tout le clan y fut, ainsi que de nombreux étrangers, invités par Ferrando, ses fils Gian-Severo et Pier-Filippo, son frère Tanzio, les fils et les filles de celui-ci. Seuls Joachim et Joseph s'abstinrent du voyage.

— Ces fêtes sont sans mystère, expliqua Joseph à Jeanne. Il y a là du vin et des pâtés, des compliments et des mensonges, n'est-ce pas ?

Stupéfaite par le réalisme insolent du propos, elle se mit à rire.

— Joachim paraîtrait étrange dans ce monde et l'on me demanderait quand je vais me marier, n'est-ce pas ?

C'étaient presque exactement les propos que Franz-Eckart lui avait tenus maintes années plus tôt, quand, à Gollheim, elle s'était plainte de son absence.

— Aussi permettez-moi d'être plus à mon aise ici. Nous ferons préparer par Frederica de la soupe d'orties au lard et des gélinottes au thym. D'ailleurs, comment me présenteriez-vous ? De qui serais-je le fils, puisque ma mère n'était pas mariée ? Vous avez eu la bonté de me donner votre nom, poursuivit-il. Mais il suffit de me voir auprès de Franz-Eckart et Franz-Eckart auprès de Joachim pour saisir les évidences. Croyez-moi, je vous embarrasserais.

Onze ans. Il avait tout compris.

Il se passa la main dans les cheveux, doigts d'ivoire dans une crinière de nuit. Ce geste banal revêtait ici un tout autre sens : perplexité devant la difficulté de trouver les mots justes pour exprimer son attachement à Jeanne et son détachement du monde.

Elle fut saisie par l'intensité qui se dégageait de ce corps adolescent, pareil à une épée et pourtant exhalant la tendresse.

— Nous nous sommes vus à l'étang, Jeanne, conclut-il en la regardant dans les yeux. Tu comprends.

Il passait imprévisiblement du vouvoiement au tutoiement ; elle s'y était accoutumée. Elle rajusta ses besicles, car elle en portait depuis quelque temps, et hocha la tête. Elle posa la main sur la joue du garçon :

— Ta présence et celle de Joachim auraient été bienvenues. Mais fais comme tu l'entends, dit-elle.

Puis ce fut le hourvari des malles, de la couturière venant essayer de nouvelles robes. Enfin l'on partit dans deux chariots.

Cinq jours de voyage, de somnolences dans les cahots, de haltes hygiéniques, d'étapes nocturnes dans des auberges. On croisa des archers à cheval, qui remontaient vers Lyon ou Dijon, l'air déconfit. Des pions déplacés sur un échiquier de milliers de lieues carrées.

Les retrouvailles, les baisers, les cadeaux, les prêtres, les fleurs, la cérémonie à l'église de Notre-Dame-la-Neuve, les badauds, les mendiants attendant l'aumône, les enfants ébaubis demandant ce qu'était un mariage.

Jeanne eut envie de leur expliquer que c'était le début de la Danse de Vie, laquelle s'achevait immanquablement sur la Danse de Mort, puisque la Danse de Vie recommençait iné-luctablement, mais sous une autre forme.

Severina était ravissante et Léonce un rien avantageux.

Après le souper du premier soir, à l'auberge du Rhône, l'un des convives, un quinquagénaire majestueux et taci-turne, auquel Ferrando témoignait d'égards particuliers, prit Franz-Eckart à part. C'était le moment où l'essentiel des plats ayant été servi, des baladins, danseurs et jongleurs venaient divertir la compagnie. Plusieurs des invités s'étaient alors retirés dans une salle voisine, pour vaquer à leurs besoins, deviser ou simplement se dégourdir les jambes. Le quinqua-génaire se rapprocha de Franz-Eckart.

— C'est donc vous, monseigneur, dit-il en souriant, dont les conseils inspirés guident les décisions des vôtres.

Franz-Eckart le dévisagea, surpris, car il ne portait aucun titre ; il n'était que Franz-Eckart de Beauvois et, son frère putatif Jacques-Adalbert étant fort vaillant, il ne pouvait espé-rer avant longtemps hériter le titre de baron.

— Pardonnez-moi, messire, il ne me souvient pas d'avoir entendu votre nom.

— Egon von Salzhof, conseiller impérial.

Franz-Eckart s'inclina.

— Pourquoi m'appelez-vous « monseigneur » ? demanda-t-il.

L'autre leva la main.

— Là n'est pas l'objet de mon propos, rassurez-vous, monseigneur. Ce qui m'intéresse, ce sont vos lumières. Je me suis souvent demandé les raisons de la réserve que les familles de Beauvois et de l'Estoille témoignent à l'égard des entreprises militaires de Louis le Douzième. Votre cousin Gian-Severo Sassoferrato m'a répondu un jour qu'elle se fondait sur votre conseil. J'ai demandé si vous étiez banquier, il m'a répondu que non, mais que vous lisiez dans les étoiles et que vous aviez conclu que les efforts de conquête de votre souverain s'achèveraient sans gloire ni bénéfice. Est-ce exact ?

Salzhof saisit le hanap que son interlocuteur venait de poser sur un rebord de fenêtre, alla le remplir et le lui tendit.

Pris de court, Franz-Eckart réfléchit un moment. L'homme qui se trouvait en face de lui était donc conseiller de Maximilien d'Autriche, le plus ardent ennemi de Louis le Douzième. Une parole imprudente ou indiscrète risquait, à son retour à Angers, de lui valoir l'inimitié d'une personne en cour qui en aurait eu vent. Par ailleurs, Salzhof, s'il était invité à cette noce, devait être un personnage influent en plus d'un ami des Sassoferrato, et l'empereur Maximilien n'était certes pas un monarque qu'on pouvait se mettre à dos.

L'heure était à la diplomatie la plus fine. D'autant que Salzhof semblait au fait des origines de Franz-Eckart, puisqu'il usait de la formule « monseigneur » pour s'adresser à lui.

Le temps que Franz-Eckart mit à répondre était en lui-même éloquent. Salzhof eut un petit rire :

— Permettez-moi de vous assurer, monseigneur, que cette conversation est placée sous le sceau du secret. Je vous en donne ma parole. Je suis ami de votre oncle Ferrando Sassoferrato, nous sommes de surcroît liés par les affaires et je ne saurais rien dire ni faire qui puisse embarrasser le moins du monde un membre de sa famille.

Franz-Eckart hocha la tête.

— Il est exact, dit-il enfin, avec un sourire, que j'ai déconseillé certains placements, après avoir interrogé les astres sur l'issue de certaines conquêtes.

— Vos lectures du ciel étaient judicieuses, observa Salzhof. Je veux espérer qu'elles ne se seront pas arrêtées en aussi bon chemin.

— À vrai dire, messire, je les ai interrompues, car j'ai été absorbé par l'éducation d'un jeune cousin.

Un éclair imperceptible anima le regard de Salzhof.

S'il connaît mes origines, se dit Franz-Eckart, il doit être au fait de l'existence de Joseph et savoir que c'est mon fils. Mais que me veut-il donc ?

La réponse vint sur-le-champ.

— Au double titre de conseiller impérial et d'associé des Sassoferrato, reprit Salzhof, je serais vivement heureux que vous trouviez le temps de les reprendre. Pour mon compte personnel, précisa-t-il en fixant Franz-Eckart du regard.

Jeanne observait l'entretien de loin ; en jugeant le ton amène, elle se garda d'en approcher, quelle que fût sa curiosité.

— Sans vous offenser, monseigneur, je serais flatté que vous acceptiez une rémunération de votre travail.

Franz-Eckart leva les sourcils, surpris ; il n'avait jamais pensé qu'il pût tirer un denier de ses travaux.

— C'est vous qui m'honorez, messire, répondit-il. Mais il faut que je vous confie un souci.

— Je vous en prie.

— C'est une chose que de dresser, et sur sa demande, un horoscope pour une personne, et une tout autre de le dresser à son insu pour un prince aussi puissant que celui dont vous êtes le conseiller. Annoncer un revers de fortune à un homme qui se trouve au faîte de sa puissance est aisément mépris, la contrariété d'un courtisan s'en mêlant, pour de la malveillance. Lui révéler que les astres prédisent une défaite pour la bataille où lui et ses généraux brûlent de s'engager peut passer pour une trahison. L'astrologue serait alors taxé de sorcellerie et même, promis au bûcher.

Franz-Eckart observa une pause et reprit :

— Je sais que bien des princes brûlent de connaître l'inclination des astres à leur égard, mais pour ces raisons, je n'ai jamais envisagé de la révéler qu'à des proches, dont le bien-être m'est cher.

Salzhof à son tour médita la réponse.

— Monseigneur, répondit-il, avec une légère inclinaison du buste, je rends hommage à votre sagacité et à votre connaissance du cœur humain. Puisqu'elle est si profonde, elle connaît aussi le principe d'exception : c'est que toute loi comporte ses exceptions, car le savoir humain n'est pas si étendu qu'il connaisse tout de la façon dont une loi régit le monde. Le commun, dont le savoir est réduit, s'effraie des éclipses, alors que le savant, lui, les prévoit à l'heure dite et ne s'en effraie pas. Mais il est d'autres exceptions que le savant ne peut prévoir, parce qu'il n'en connaît pas la cause.

Ainsi de la raison pour laquelle les enfants de parents blonds sont bruns.

L'allusion, soulignée par un regard malin, était bien introduite et Franz-Eckart se retint d'en sourire. Ils étaient près d'une fenêtre qui ouvrait sur le Rhône : des lumignons qui brillaient çà et là jetaient des pièces d'or sur l'eau noire.

— Parmi ces exceptions, il faut compter l'Empereur, reprit Salzhof. À cette hauteur de puissance où Dieu l'a placé, il est bien conscient que la Fortune ne distribue pas seulement des faveurs. S'il venait donc, et ce ne saurait être que par accident, à prendre connaissance de vos horoscopes, il saurait en accepter les augures avec discernement. Mais, je vous le répète, ces horoscopes ne seraient destinés qu'à moi.

L'homme était instruit et, mieux, intelligent et courtois ; Franz-Eckart y fut sensible.

— Vous le concevrez, messire, un patronage aussi prestigieux mérite réflexion.

— Certes, monseigneur. M'autoriserez-vous à vous proposer la somme de mille thalers pour la peine que vous prendrez à lever à nouveau les yeux vers les étoiles, puis à les poser sur vos livres savants. Ferrando se prête à être mon relais postal et le vôtre.

Mille thalers. La somme était prodigieuse. Franz-Eckart reposa son verre et s'inclina. Les deux hommes allaient se séparer quand Franz-Eckart demanda :

— Dites-le clairement, je vous prie, messire : pourquoi m'appelez-vous « monseigneur » ?

Salzhof sourit.

— L'Empereur ne saurait être étranger à rien de ce qui se passe en Hongrie, dit-il. Vous avez été sage, il y a quelques mois. Ou bien vous avez déchiffré les astres avec justesse.

Sur quoi ils regagnèrent la première salle.

— Que voulait cet homme ? demanda Jeanne, quand ils furent seuls dans leur chambre, trouvant à Franz-Eckart l'air songeur.

Il le lui révéla. Ce fut elle qui devint songeuse.

— Est-ce pour ses affaires ? Ou bien pour conseiller l'Empereur ?

— À mon avis, pour les deux. Mais surtout, pour croître en importance.

— Tu n'as pas besoin de mille thalers, dit-elle. Mais tu as raison : il ne faut pas mécontenter cet homme, puisqu'il est associé à Ferrando.

— Et alors ? demanda-t-il.

— Je songeais à un horoscope sur l'état du monde, dit-elle en se déshabillant. Tu ne contrarierais personne en particulier. Et tu aurais du même coup deux clients, Louis et Maximilien. Et bien d'autres sans doute.

— Mais comment connaîtraient-ils cet horoscope ?

— Tu le ferais publier par François.

Il sourit.

— Jeune dame ma mie, dit-il d'un ton plaisant en se mettant au lit, vous avez oublié d'être sotte. Mais me voilà contraint de me remettre au télescope et surtout, à mes livres.

25

Le trône de Pierre

L'Aigle ne mange point de Lys,
Le Porc-épic ne vole point.
Tel qui pour l'autre en hâte aiguise
Sa dague soupera de foin.

Jeanne, à laquelle Franz-Eckart avait confié les épreuves des textes astrologiques rédigés pour Salzhof et destinés à l'impression par les Trois Clefs, venait de lire à haute voix le premier quatrain ; elle leva les yeux vers leur auteur. Le feu crépitait dans l'âtre. La voix de Frederica tançait une servante. La fenêtre était entrouverte sur le ciel d'octobre 1505, royalement pur.

— L'Aigle et le Lys, je comprends bien, dit-elle. Il s'agit de Maximilien et de Louis. Mais le reste ?…

— Le Porc-épic est encore Louis, expliqua Franz-Eckart, car il fait parfois figurer sur ses médailles cet animal, surmonté d'une couronne ouverte, emblème de la royauté de Milan. Nos monarques connaissent mieux que quiconque les emblèmes de l'autre, ils se reconnaîtront.

— Le sens est donc que ni l'un ni l'autre ne triompheront jamais dans leur lutte et que celui qui le croit est un âne ?

— C'est bien cela, répondit Franz-Eckart en souriant.

Jeanne passa au quatrain suivant :

> *La jouvencelle au jouvenceau*
> *Promise en vain, la nuit de noces*
> *Faillira. Las ! Point de berceau,*
> *Forclose dot, promesse véloce.*

— Comment le comprendre ? demanda-t-elle, perplexe.
— À Blois, contraint et forcé, Louis a dû promettre la main de sa fille Claude au duc Charles, fils de Maximilien…
— *Forclose dot* est donc un jeu de mots ?
Il hocha la tête et poursuivit.
— Elle recevait en dot Gênes, le Milanais, la Bourgogne et la Bretagne…
— … et comme Louis n'a pas d'héritier mâle, à sa mort la couronne d'Autriche s'emparerait de tous ces royaumes, compléta-t-elle, amusée. Mais comment sais-tu que le mariage n'aura pas lieu ?
Franz-Eckart pointa le doigt vers le ciel.
— Il n'aura pas lieu, affirma-t-il.
Jeanne reprit sa lecture.

> *L'an quinze cent et onze, le Lion*
> *Vaincu avecques l'Aigle, l'Ibère*
> *Et l'Albe tous se ligueront*
> *Sous la houlette de Pierre.*
>
> *Lors le Barbare sera sommé*
> *Par Rome de vider la botte,*
> *Pontife sera dénommé,*
> *Et l'Aigle saisira la botte.*

— Je n'y comprends rien, avoua Jeanne.

— Le Lion est l'emblème de saint Marc, donc de la république de Venise. L'Aigle, c'est évidemment Maximilien. Pour l'Albe et l'Ibère, tu les connais, les Anglais et les Espagnols. Ils formeront une ligue contre le roi de France, qu'ils qualifieront de « barbare », afin de le chasser d'Italie.

— Mais pourquoi?

— Parce que Louis, qui s'est nommé lui-même Roi Très Chrétien de Jérusalem, aspire à devenir le chef suprême de la chrétienté et que déjà il reproche secrètement au pape d'avoir des ambitions bien plus temporelles que spirituelles. Il tentera de démettre Jules II, probablement en convoquant un concile, je ne sais où encore.

Il s'interrompit un moment.

— Louis, reprit-il, est dévoré de l'ambition secrète des rois de France de devenir empereurs. Toutes ses conquêtes ne visent qu'à s'assurer suffisamment de pouvoir pour forcer sa candidature à l'élection, car il sait que ce n'est que parce qu'ils étaient les plus forts que Charlemagne, Othon et les Hohenstaufen sont devenus empereurs.

Il haussa les épaules.

— Mais les puissances qui l'entourent ne le laisseront pas faire. Et quand il aura perdu ses possessions italiennes, il ne lui sera pas donné de reprendre la lutte. Il sera mort au premier jour de l'an 1515.

Jeanne fut effrayée.

— Tu connais si exactement la date de sa mort?

— C'est écrit. Il est né le 28 juillet 1462 à la cinquième heure du matin. Le 1er janvier 1515, il aura le Soleil, maître des fièvres et des hémorragies, à l'ascendant de sa Maison Six, et la Lune en aspect maléfique avec Mars. C'est un faisceau de conjonctions fatal. Je crois pouvoir prédire que Louis mourra d'une fièvre intestinale sanglante.

Jeanne ravala sa salive et lut le sixième quatrain :

> *Deux fois le quinze, couronne en deuil,*
> *Couronne aurée, manque le seuil.*
> *Jupiter client de Mercure,*
> *La Némésis en aura cure.*

— Rien compris, dit-elle.

— Deux fois le quinze, quinze cent quinze. Le roi mort, le roi suivant triomphera.

— Manque le seuil ?

— Il voudra lui aussi être empereur, mais l'autre paiera plus cher et l'emportera. Le pouvoir sera aux mains des banquiers. Mais Némésis, déesse de la vengeance, y pouvoira. L'Empereur ne triomphera pas longtemps.

— Je n'oserai jamais plus regarder le ciel ! s'écria-t-elle. C'est une congrégation de sorcières !

Il s'esclaffa.

— Et tu connais la date de ma mort ? demanda-t-elle.

Il secoua la tête.

— Non, je me suis refusé à la calculer. Même si tu me le demandais, je ne le ferais pas.

— Pourquoi ?

— La nature humaine est trop faible pour supporter un tel savoir.

— La tienne ou la mienne ?

— Les deux.

— Et la tienne, de mort ?

Il éclata de rire et secoua la tête, refusant de répondre.

— À partir de quel moment, dit-il pensivement, mes actions me paraîtront-elles frappées d'inanité ? Un an avant la date fatale ? Un mois ? Un jour ? Une heure ? Ne devrais-je pas d'emblée, ici et maintenant, considérer que rien de ce que je fais ou pense n'a d'intérêt ? Que l'amour que je te porte est dérisoire, car c'est l'ombre future que je dois aimer ? Que le souci que je me fais pour Joseph est frivole, puisque je ne serai plus là pour veiller sur lui ? Devrais-je donc mourir bien avant l'heure ?

Il soupira.

— L'ignorance est, d'une certaine façon, un bien.

Elle tenait en mains les feuillets d'épreuves.

— Donc, tu cèleras à Maximilien la date de sa mort.

— Je ne sais si c'est à Maximilien même que mon travail est destiné. Sans doute en prendra-t-il connaissance. Mais je lui cèlerai sa date de mort, en effet. J'ignore quelle folie fermente dans le cerveau des princes. Le pouvoir allié au savoir peut devenir effroyable. Un empereur qui apprend que tel jour, à telle heure, toute sa puissance tombera en poussière, risque de se changer en un tyran saisi de démence.

Elle secoua la tête. Plus elle y songeait et plus le métier de Franz-Eckart lui paraissait effroyable.

— François demande combien d'exemplaires tu veux faire tirer de ton recueil, rappela-t-elle.

Celui-ci comptait soixante-dix-sept quatrains.

— Il dit que des libraires qui ont pris fortuitement connaissance des épreuves en ont commandé cent exemplaires.

— Me voilà contraint de paraître en lumière, dit-il sans gaîté.

Elle lut le dernier quatrain de la série :

Dix rois de Saturne enfantés
Ne voient sur l'onde occidentale
Monter le griffon affronté
Ni le dragon sur l'orientale.

Elle attendit l'explication.

— Les querelles des rois d'Europe, qui se comportent comme les jouets du destin, les aveugleront longtemps sur les menaces et convoitises du continent qui naît à l'Occident et du monde musulman à l'Orient.

François écrivit qu'il avait déjà vendu quinze cents exemplaires des *Dits des Étoiles* de maître Franz-Eckart de Beauvois.

« Ils s'arrachent comme des échaudés tout frais », précisa-t-il, sans doute à l'intention de sa mère.

Egon von Salzhof accusa réception de son exemplaire, déplora courtoisement de n'avoir pas obtenu, selon son souhait, une prescription personnelle et demanda une explication du sixième quatrain.

Franz-Eckart lui répondit qu'aucun homme ne saurait s'engager à être l'interprète exclusif des étoiles auprès d'un homme. Quant au sixième quatrain, il signifiait qu'en 1515 l'argent déciderait du sort d'une couronne, mais que le triomphe ainsi acheté comporterait son revers.

Le 23 février 1506, à midi, six cavaliers s'arrêtèrent devant la maison L'Estoille à Angers et mirent pied à terre, demandant à voir maître Franz-Eckart de Beauvois. Il suspendit la leçon qu'il donnait à Joseph pour descendre les recevoir.

Jeanne, alarmée par la visite, s'installa dans la grande pièce où se ferait la rencontre.

Leur chef était un personnage jabotant qui se présenta comme le chevalier Raymond d'Amboise, neveu du cardinal Georges d'Amboise, précisa-t-il, mandé exprès par le Parlement de Paris pour interroger le sieur Franz-Eckart de Beauvois sur ses horoscopes. De notoriété publique, Georges d'Amboise, principal conseiller du roi, était homme de Dieu comme la bête du même nom est missionnaire du Créateur ; il ne pensait qu'à l'argent et à la tiare pontificale. Le reste de la famille se conformait scrupuleusement au modèle de ce prélat.

Après s'être brièvement inclinés devant Jeanne, les six hommes prirent place dans la salle comme s'ils investissaient le lieu.

— Vous êtes astrologue de profession ? demanda Raymond d'Amboise, tirant de sa poche un exemplaire des *Dits des Étoiles*.

— Cela fait quelques années que je déchiffre les étoiles, répondit Franz-Eckart, d'un ton réservé. Comme il n'existe pas de confrérie des astrologues, ni de salaire prévu pour l'observation du ciel, je ne saurais dire que c'est ma profession.

— Est-ce votre gagne-pain, alors ?

— Ma situation de fortune m'assure déjà mon pain.

— Tirez-vous profit de vos horoscopes ?

— Nenni, répondit Franz-Eckart, s'avisant que les hommes présents se comportaient comme des juges, attitude qui lui était désagréable, mais qu'il résolut de traiter par une indifférence à peine courtoise.

Que venaient-ils donc faire ?

— Nous apprenons pourtant qu'ils se vendent bien, dit Raymond d'Amboise.

— Il y a longtemps que je dresse des horoscopes. Ce n'est que tout récemment que j'ai décidé d'en publier quelques-uns. Je suis flatté que certains y aient pris de l'intérêt.

— Certains sont bien sibyllins, d'autres semblent plus clairs. Ainsi du premier.

Raymond d'Amboise lut à haute voix le quatrain en question :

> *L'Aigle ne mange point de Lys,*
> *Le Porc-épic ne vole point…*

— Le Lys et le Porc-épic semblent de claires allusions à la couronne de France, dit-il. Que voulez-vous dire par là ?

— Je ne veux rien dire, messire. Je rapporte ce que j'ai cru discerner dans les astres : que le conflit entre le roi Louis le Douzième et l'archiduc Maximilien s'achèvera sans conférer de victoire finale à l'un ni à l'autre.

— Comment le sauriez-vous ?

— Je ne sais rien, messire, je vous le redis : j'interprète ce que disent les astres. Je ne suis que leur humble scribe.

La réponse les laissa perplexes. Jeanne écoutait l'interrogatoire d'un air sombre et tendu. Franz-Eckart se tenait près d'une table où était posé un crâne humain. Il mit la main dessus, comme s'il prenait l'au-delà à témoin. Le geste, symbolique, constituait aussi un rappel du *memento mori* ; il parut contrarier les visiteurs. Ils fixèrent d'un œil de pie les orbites vides et le ricanement éternel qui les narguait.

— Seriez-vous donc dans le secret de Dieu ? demanda un autre des personnages d'un ton ironique.

— Il plaît parfois à sa Providence de laisser les hommes entrevoir certains de ses desseins. N'est-ce pas dans la Bible ?

— Dans la Bible ? demanda Raymond d'Amboise, les sourcils froncés.

— Oui, quand un doigt divin écrivit en lettres de feu, sur les murs du palais de Balthazar, Mané, Thécel, Pharès.

Un silence suivit la repartie. Sans doute ces esprits chatouilleux n'avaient-ils pas lu le Livre de Daniel et ignoraient-ils l'avertissement céleste adressé au tyran Balthazar, en pleine orgie, au moment où Cyrus venait d'entrer dans Babylone.

Justement, Joachim entra dans la pièce, suivi de Joseph, qui revenait du collège ; Raymond d'Amboise et ses acolytes les dévisagèrent comme des intrus, mais ceux-ci ne s'en laissèrent pas conter ; ils allèrent prendre place près de Jeanne.

— Plusieurs membres du Parlement se demandent s'il n'y aurait pas dans vos quatrains une intention de lèse-majesté, reprit Raymond d'Amboise. Que veut ainsi dire ce quatrain :

> *Deux fois le quinze, couronne en deuil,*
> *Couronne aurée, manque le seuil...*

— Il s'en faut, messires, que les astres soient des chroniqueurs, repartit Franz-Eckart. Ils n'ont point désigné telle ou telle couronne, mais simplement indiqué qu'à l'année dite adviendra un deuil pour une couronne et qu'une autre ne parviendra pas à son but.

— Vous écrivez donc n'importe quoi sans en savoir le sens, comme un fol ? s'écria un troisième des enquêteurs – car quel autre nom leur donner ?

— Ou peut-être pratiquez-vous la nécromancie ! s'écria un autre. D'où la présence de ce crâne.

Franz-Eckart considéra ses questionneurs avec froideur et prit son temps pour répliquer.

— Je répondrai d'abord à la première question. Les astres dispensent parfois leurs avertissements en termes obscurs. Seuls les esprits vigilants savent déchiffrer leurs mises en garde. Mes quatrains ne sont pas un almanach sur les saisons de semailles. À la seconde question, je ferai observer que le soupçon qu'elle soulève est grave et risque de se retourner contre son auteur. La calomnie est un crime. Vous venez m'accuser dans ma demeure. Vous savez ce qu'il peut vous en coûter !

Et il fixa son interlocuteur d'un regard menaçant. Celui-ci n'était sans doute pas habitué à ce qu'on le tançât ainsi ; il fit mine de se lever ; un rappel de Raymond d'Amboise le fit rasseoir.

— Vous me menacez ? cria l'homme.

— Je vous rappelle les règles de la bienséance, messire. Vous vous dites mandés par le Parlement de Paris. Je n'ai pas vu le mandement. Pour moi, vous n'êtes qu'un citoyen inconnu.

— Vous avez entendu ? répéta l'autre à l'adresse de ses associés. Ce devin m'a menacé !

À l'évidence, il cherchait querelle. Ces gens étaient venus provoquer Franz-Eckart. Il les toisa calmement.

L'homme agita les jambes, mais ses compagnons n'approfondirent pas son accusation.

Un silence suivit.

— Nous vous montrerons le mandement, dit évasivement Raymond d'Amboise.

L'incident était significatif, se dit Jeanne. Ces hommes n'étaient pas investis d'une mission officielle, sans quoi la repartie de Franz-Eckart eût eu d'autres conséquences.

— Vos quatrains seraient donc des oracles, reprit Raymond d'Amboise sur un ton ironique. Notre sentiment est que vous entretenez la superstition chez des esprits crédules. Cela est contraire à l'enseignement de l'Église.

Puis il se pencha vers son voisin et échangea avec lui quelques mots inaudibles. Les autres aussi s'entretenaient à mi-voix. Ils ne paraissaient guère disposés à s'en aller. Étaient-ils venus arrêter Franz-Eckart pour l'emmener juger à Paris ? Joachim alla remettre une bûche dans le feu et tisonna furieusement les braises.

Sur quoi la porte s'ouvrit et, à la surprise générale, le père Mauroy Lebailly entra. Il jeta un coup d'œil circulaire sur l'assemblée, sans grande aménité, et alla saluer Jeanne, stupéfaite, adressant au passage un salut à Franz-Eckart, à Joseph et à Joachim. Puis il se tourna vers les visiteurs, déconcertés.

— Lequel d'entre vous, messires, est le chevalier Raymond d'Amboise ?

— C'est moi, dit ce dernier.

Le père Lebailly hocha la tête.

— Vous êtes allé ce matin demander à l'évêque de notre ville, monseigneur Morny, de bien vouloir prononcer une condamnation contre messire Franz-Eckart de Beauvois, pour ce que vous appelez ses divagations astrologiques séditieuses.

Raymond d'Amboise fronça de nouveau les sourcils et se congestionna, visiblement contrarié qu'on dévoilât publiquement ses intentions.

— Il m'a chargé de vous porter sa réponse, reprit le père Lebailly.

— Fort bien, nous en prendrons connaissance en privé, dit Amboise en se levant.

— Je ne crois pas, dit le père Lebailly, car l'évêque a tenu à ce qu'elle vous soit communiquée publiquement. Il la fera d'ailleurs afficher dès demain matin à la porte de la cathédrale Saint-Maurice, afin que chacun en prenne connaissance.

Tout le monde se figea. Le père Lebailly promena sur l'assemblée le regard sec et froid que lui faisaient ses besicles.

— Monseigneur Morny, déclara le religieux, estime que le respect qu'on doit à l'astrologie nous est recommandé par les saints Évangiles. Ce sont eux qui nous enseignent l'importance qu'on doit accorder aux mouvements des astres. Car c'est grâce à eux que les Rois mages ont pu trouver la crèche de Bethléem et rendre leurs hommages à notre Sauveur.

Plusieurs des visiteurs se levèrent, abasourdis. L'un d'entre eux grommela. Raymond d'Amboise tendit le cou vers le religieux. Celui-ci, impassible, reprit :

— Monseigneur Morny a pris connaissance des quatrains de messire Franz-Eckart de Beauvois et n'y a rien décelé qui soit attentatoire à la foi chrétienne.

Le père Lebailly tira de la poche de sa robe un rouleau cacheté et le tendit à Raymond d'Amboise.

— Voici la réponse de l'évêque, telle que toute la ville pourra la lire demain à la porte de Saint-Maurice.

Jeanne se leva alors de son faudesteuil.

— Messires, déclara-t-elle d'une voix forte, je pense que votre visite n'a plus d'objet. Veuillez quitter ma demeure.

Déconfits, muets, ils se consultèrent du regard.

— Je voudrais savoir…, commença l'un d'eux.

Mais personne ne faisait attention à lui.

Toujours assis, il répéta sa question inachevée. Joachim alla ouvrir la porte, pour rendre plus évidente l'invitation à quitter les lieux. Raymond d'Amboise se tourna vers Jeanne ; elle l'assassina du regard. Il s'inclina à peine. Il considéra Franz-Eckart, puis le père Lebailly. Ils lui rendirent son regard sans plus de chaleur. Il sortit. Les autres lui emboîtèrent le pas, y compris celui qui voulait savoir on ne savait quoi et qui se résigna à suivre le mouvement, en maugréant. Ils traversèrent lentement le jardin pour récupérer leurs montures.

Une fiente d'oiseau tomba sur la tête de Raymond d'Amboise. On l'entendit jurer et pester. Il s'essuya les doigts brenneux sur un tronc d'arbre.

Joachim se tordit de rire. Le père Lebailly se laissa aller à sourire. Joachim, sans qu'on le lui eût demandé, alla chercher une carafe de vin et des verres et revint servir le religieux.

— Le Parlement de Paris n'y est pour rien, dit le père Lebailly, sans quoi il eût adressé d'abord une prière de requérir au Parlement de Tours et l'évêque en aurait été informé d'office, puisqu'il s'agissait d'une question religieuse. Ces hommes sont venus vous intimider et, sans doute, vous provoquer. C'est une cabale de la famille d'Amboise. Monseigneur Morny l'a subodoré à la lecture de l'un de vos quatrains.

Il récita le quatrain, qu'il avait donc appris par cœur :

Trône de Pierre n'est pas en bois,
Marieur du chou et de la chèvre,
Méfie-toi d'être aux abois
Quand pourpre cherra en fièvre.

Garde-toi bien de torte tour,
Tort conseil en donne l'ombre.
Maître criard fait le chien sourd,
Et chien sourd chasse son maître.

Mauroy Lebailly s'esclaffait comme un bossu.

— Où avez-vous été chercher ça ! *Trône de Pierre n'est pas en bois...*, répéta-t-il, et là-dessus, il fut pris d'une quinte de rire qui se communiqua à Jeanne, Joachim, Joseph et même Franz-Eckart. N'empêche, reprit-il une fois calmé, c'est presque un crime de lèse-majesté que de s'attaquer à Georges d'Amboise[1]. Méfiez-vous ! Ah, vous êtes un farceur !

---

1. Abbé à quinze ans, évêque à vingt-quatre, cardinal à trente-huit, puis légat des Gaules, Georges d'Amboise fut trente ans durant le plus fidèle exécutant de la politique de Louis XII. Candidat malheureux à la papauté, il mit ses redoutables talents de diplomate au service de son maître, sans oublier cependant de s'enrichir ni d'enrichir sa famille. Sa carrière s'acheva évidemment à la mort du roi. On ne sait quelle fut sa part exacte dans la convocation du concile de Pise, qui visait à faire déposer le pape Jules II comme schismatique, mais il est évident qu'il ne le déconseilla pas à Louis XII, espérant se coiffer de la tiare pontificale à l'issue de ce coup de force (qui échoua). Georges d'Amboise fut l'un de ces trop nombreux hommes d'Église de l'époque dont les excès somptuaires, le népotisme et les scandales suscitèrent la Réforme.

À vrai dire, Jeanne non plus ne connaissait point cette veine gouailleuse à Franz-Eckart.

On garda le religieux à souper.

Jeanne mesura une fois de plus le bon effet de ses dons généreux à la paroisse.

26

Les clients du devin

Franz-Eckart écrivit à son père officiel pour lui conter la visite des intrigants d'Amboise et le prier de ne plus imprimer les *Dits des Étoiles*. La réponse qu'il reçut le laissa perplexe :

> *Mon cher fils, je suis trop soucieux de la tranquillité des miens pour refuser de déférer à ton désir. Toutefois, il faut que tu saches que deux imprimeurs, l'un à Paris et l'autre à Avignon, se sont emparés de tes soixante-dix-sept quatrains et en font leurs choux gras. J'apprends que celui de Paris en a déjà vendu deux mille exemplaires et celui d'Avignon, mille huit cents. Étant donné que j'en ai, moi-même, vendu près de trois mille à dix-huit sols, ce qui représente deux mille cent soixante livres, dont il te revient la septième part, soit quelque trois cent huit livres, je me demande et te demande également si tu préfères te priver de ce revenu et laisser des profiteurs te tondre la laine sur le dos plutôt que d'en tirer profit et d'en faire faire aux Trois Clefs.*

> *J'attends ta réponse.*
> *Ton père aimant,*
> *François de Beauvois.*

Franz-Eckart tendit la lettre à Jeanne. Ils étaient dans l'étude de ce dernier, au troisième étage.

— Le sort en est jeté, dit-elle. Il est trop tard pour te retrancher dans l'ombre. Près de sept mille personnes ont déjà pris connaissance de tes quatrains. Tu susciteras bien des inimitiés, mais aussi des fidélités.

L'attestation de monseigneur Morny avait été affichée à la porte de la cathédrale Saint-Maurice. Personne à Angers n'ignorait plus que maître Franz-Eckart de Beauvois était astrologue. Frederica en était « retournée », comme elle disait. Elle lui témoignait depuis un respect craintif.

— Pourquoi me suis-je donc laissé tenter ! se lamenta-t-il.

Deux jours plus tard, six lettres arrivèrent, toutes adressées à « Messire Franz-Eckart de Beauvois, à l'Imprimerie des Trois Clefs à Strasbourg » et réexpédiées par François.

Elles émanaient de la comtesse Marie d'Orléans, comtesse de Narbonne, propre sœur du roi, du prophète italien Michel Marulus, d'Albert, duc de Bavière et de son épouse Kunigond, fille de l'empereur Frédéric III, d'Étienne de Poncher, évêque de Paris, de Nicole de Penthièvre, ancienne duchesse de Bretagne, et de la marquise douairière Thérèse de Mantoue.

Les *Dits des Étoiles* avaient beaucoup voyagé.

Ces lettres demandaient toutes des éclaircissements sur tel ou tel quatrain – le sixième était évidemment celui qui suscitait le plus de curiosité – et deux d'entre elles, celles de Marie de Narbonne et de Nicole de Penthièvre, requéraient une entrevue avec l'auteur.

— Quatre femmes sur six requêtes, observa Jeanne avec un sourire.

Il convenait de répondre.

— Franz, dit Jeanne, à l'évidence il te faut un protecteur. Il me semble que le plus indiqué est une femme, Marie de Narbonne. Elle a un accès direct à Louis. Si quelqu'un d'autre venait à te chercher querelle, sur l'exemple de Raymond d'Amboise, elle pourrait te défendre. Elle demande à te voir. Nous la recevrons avec les honneurs dus à son rang.

— Te voilà ministre délégué des Étoiles, déclara plaisamment Joseph.

Il tisonna le feu, l'air de ravaler ses paroles.

— Misère ! s'écria-t-il soudain.

Jeanne et Franz-Eckart, surpris, le regardèrent, car il s'était retourné, le tisonnier en main et l'air enflammé.

— Nourrir des misérables, reprit-il. Jeter des perles aux cochons. N'est-ce pas ce que Jésus avait interdit de faire ? On leur ouvrirait le propre Livre de Dieu, celui où il inscrit toutes les destinées, qu'ils continueraient de se comporter comme des reîtres et des ribaudes ! On peut leur déverser tout le savoir de l'univers sur la tête et qu'en feront-ils ? Ils fouilleront le monceau, tels des porcs sur le fumier, à la recherche de ce qui peut servir leurs desseins ignobles ! Enfler leurs déplorables personnes, ces tas de tripes glaireuses emballées dans de la soie et du drap d'or !

Jeanne fut saisie. Ce n'était certes pas là les paroles du garçon qu'elle avait vu se baigner avec les esprits et proche de la désincarnation.

— Jésus lui-même leur apparaîtrait qu'ils lui demanderaient comment faire fructifier leur magot, en finir avec leur belle-mère, capter l'héritage qui ne leur revient pas, coucher avec la fille du voisin et occire leur ennemi ! Faut-il que la vie

même soit une maladie avilissante pour que tenir l'âme che-
villée au corps exige tant de vilenie !

Il se tourna vers Franz-Eckart :

— Que viendra donc te demander Marie de Narbonne ?
La date à laquelle son frère rendra son âme au diable, afin
qu'elle prépare plus sûrement sa retraite ? Et Albert de
Bavière ? Comment faire pour tenir son nouveau royaume
ficelé ! Tu vas jeter des perles et des diamants à ces cochons !

Jeanne n'avait jamais entendu Joseph parler si longtemps,
ni avec tant de passion. Elle ne l'avait jamais non plus
entendu invectiver son père. Elle n'en revenait pas.

Un silence s'abattit sur la salle. Le soleil, sans doute d'humeur facétieuse, scintilla sur le télescope de cuivre à la
fenêtre.

Franz-Eckart soupira.

— Joseph, répondit-il enfin, ton discours est inspiré par
la pureté, n'est-ce pas ?

Joseph hocha faiblement la tête. Sans doute commençait-
il seulement à s'aviser de l'impertinence de son éclat.

— Ce que tu dis est excessif. Il est exact que des gens
avides d'explications sur mes quatrains vont en premier
lieu chercher ce qui peut les servir et contribuer à la réus-
site de leurs entreprises terrestres. Mais on ne peut exclure
qu'ils y trouveront aussi un aperçu des desseins de la Providence. Ils concevront qu'ils ne sont que des êtres infimes
en regard de l'immensité de l'univers. Peut-être aussi, songeant qu'ils ne sont pas les maîtres de cet univers, un sentiment comparable à la modestie naîtra-t-il en eux. Cela ne
serait pas négligeable. Et peut-être encore peut-on espérer
mieux.

Joseph écoutait avidement.

— La tentation de la pureté absolue est un mal qui menace tous les êtres humains. Elle est immodeste. Tu n'es pas absolument pur, Joseph.

Une roseur gagna le visage du garçon.

— La connaissance des esprits n'a pas fait de toi un pur esprit. Quand ils sont descendus te nourrir, la nuit de ton initiation, c'est ta chair qu'ils ont nourrie, ta chair qui est faillible et qui périra un jour. Ce corps qui pisse et qui mange et qui chie. Si tu ne tempères pas ton aspiration à la pureté, tu les trahiras.

Un battement de paupières anima à peine le visage de Joseph.

— Les esprits sont venus à toi par tendresse, en raison des mérites de ta race, tels qu'ils t'ont été transmis par la mère de Joachim. La tendresse est pétrie de charité. Tu as manqué de charité envers ces gens qui m'ont écrit.

Un soupir souleva la poitrine du garçon. Il semblait au bord des larmes.

— Pardonne-moi, dit-il à la fin. Pardonne-moi.

— C'est fait, dit Franz-Eckart.

Joseph s'élança vers son père. Ils s'étreignirent. L'adolescent se tourna vers Jeanne :

— Et toi aussi, dit-il.

Elle sourit et hocha la tête.

— Tu as un père remarquable, dit-elle à Joseph.

— Je vais donc répondre à mes quémandeurs, annonça-t-il.

Elle eût voulu savoir des mots nouveaux pour dire à Franz-Eckart le sentiment qu'il lui inspirait. Chaque homme évoquait une substance particulière et revêtait une couleur incomparable. François Villon, un bois noueux et tourmenté comme un cep de vigne ou un thuya, Matthieu, du sapin odorant, Philibert, un bois fruitier, Barthélemy, du chêne, Joseph, du cèdre… Jacques et Franz-Eckart étaient des exceptions, parce qu'ils rappelaient d'autres substances : l'ivoire et l'ambre.

Quand ils faisaient l'amour, elle ne se retrouvait que plusieurs heures plus tard, parfois plusieurs jours. Il embaumait. Elle éprouvait du regret à se laver ensuite.

Marie de Narbonne fut la première à venir à la maison L'Estoille parmi ceux et celles qui avaient demandé à rencontrer Franz-Eckart ; la fille du poète Charles d'Orléans habitait à Tours, à moins d'une journée de chariot. Bien plus jeune que Jeanne, puisque née en 1457, elle se donnait pourtant l'apparence d'une vieille femme. Vêtue de velours noir, fût-il ciselé, sans l'ombre de fard, son visage déjà blanc en paraissait plus pâle encore ; sans doute considérait-elle qu'elle s'était retirée du monde et plus encore de celui de son frère. Elle n'était accompagnée que d'une dame de compagnie et d'un valet qui l'attendait à la porte ; presque un équipage de bourgeoise riche, sans plus.

Elle dévisagea Franz-Eckart avec surprise :

— Je m'attendais à trouver un vieillard chenu. Et je découvre un beau jeune homme.

Elle coula un regard bref vers Jeanne. Puis elle s'assit dans le siège qu'il lui avançait.

Elle avait le verbe simple et direct :

— Messire, je devine que la prudence vous inciterait à user avec moi d'un langage obscur. N'en faites rien. Parlez sans crainte, dit-elle d'emblée. Je ne vois guère le roi. Je ne présente pas d'intérêt pour les affaires royales, car je n'ai pas enfanté de garçon et ne suis plus d'âge à marier. Louis et moi ne sommes donc pas en confidence. 1515, c'est bien la date de sa mort, n'est-ce pas ?

— Il semble, madame.

— Ça ne m'étonnerait pas. Voilà des années que ses entrailles lui donnent des fièvres. Et que signifie le reste ? Cette couronne qui manque le seuil, Jupiter client de Mercure et la vengeance de Némésis ?

— Le successeur du roi briguera, si je ne me trompe, un plus grand honneur, qui ne peut être que la couronne impériale, mais ce ne seront pas les mérites qui l'emporteront, c'est l'argent.

— J'en déduis que le prochain empereur n'obtiendra son titre que grâce aux banquiers, dit Marie d'Orléans. Et que vient faire Némésis ?

— L'empereur suscitera contre lui-même une alliance puissante.

— Avez-vous du vin blanc, madame ? demanda à Jeanne la royale visiteuse.

— Certes, madame.

— Si l'on m'y faisait presser du jus de groseilles, j'obtiendrais ma boisson favorite.

Par bonheur, Frederica conservait aux cuisines un flacon de ce jus. Marie d'Orléans se déclara ravie. Elle se tourna vers Franz-Eckart :

— J'ai lu attentivement tous vos quatrains. Pour ce que j'en ai pu déchiffrer, vous me semblez de bonne foi. Mais que faites-vous donc de tout ce savoir ? Vous pourriez être l'un des hommes les plus puissants d'Europe. Je vous trouve vivant dans une retraite sans doute charmante – elle se tourna vers Jeanne – mais une retraite quand même.

— Le goût de la puissance n'est pas également réparti chez les hommes, madame, répondit Franz-Eckart avec un sourire.

— C'est-à-dire que vous vous en fichez ?

— Non point, madame. Nous dépendons tous du pouvoir et même les rois doivent tenir compte de celui des autres rois. Mais c'est un métier que de l'exercer.

— Vous pourriez être conseiller de mon frère, dit-elle après avoir dégusté son vin à la groseille. Cela ne vous tente pas ?

— Madame, je serais embarrassé qu'il me le proposât, car il a bien d'autres conseillers, avec lesquels il faudrait que j'ose être en désaccord, parfois.

— Vous avez eu maille à partir avec les Amboise, dit-elle.

Il parut surpris qu'elle en fût informée.

— L'évêque d'Angers l'a rapporté à celui de Tours qui me l'a raconté. Oui, je vous comprends, les Amboise ne sont pas des gens commodes, dit-elle d'un ton coupant. Heureusement qu'il n'y a pas de théologiens dans le tas, sans quoi nous verrions le veau d'or à la place du crucifix !

Jeanne éclata de rire.

— S'ils revenaient vous embêter, avertissez-moi, j'en toucherais un mot à Louis, dit Marie de Narbonne.

C'était bien ce qu'avait espéré Jeanne. Elle se faisait désormais une idée plus claire de la visiteuse : une femme consciente de sa haute naissance, mais guère enflée d'illusions pour autant ; elle en avait trop vu. Élevée dans un milieu d'intrigues souvent infâmes, dont celle qui avait conclu le mariage de son frère cadet, elle n'en était pas moins fille de poète ; elle aspirait sans doute à des échanges humains qui fussent moins intéressés, voire sordides, qu'à l'ordinaire. Ce liseur d'étoiles lui en offrait l'occasion. Mais elle le sondait avant de lui accorder sa confiance.

— Et l'Autrichien ? demanda Marie de Narbonne. Il ne vous a pas demandé d'être à son service ?

— L'un de ses courtisans m'a pressenti, en effet, répondit Franz-Eckart. Mais irais-je conseiller le principal adversaire du roi ?

— Non, vous avez raison, convint Marie de Narbonne. D'ailleurs il vous faudrait émigrer à Vienne. L'hiver y est affreux et l'on n'y mange que des saucisses et des goulaches, comme ils appellent leurs ragoûts. Oui, vous avez raison. Vous regardez les étoiles et vous écrivez. Mais dites-moi, cela n'est pas écrasant, tout ce savoir ? Cela ne vous ôte pas le goût de vivre, de savoir que tel roi trépassera dans dix ans et tel autre dans treize ? De connaître les secrets de Dieu ?

La simplicité rude du ton le laissa interdit.

— Cela m'incite à la modestie, madame, répondit-il enfin.

Elle garda son regard attaché sur Franz-Eckart.

— Mais la gloire, le pouvoir, le luxe, tout ça ? Vous n'avez jamais été tenté ?

Était-elle plus informée qu'il n'y paraissait ? Connaissait-elle l'affaire hongroise ? Il rit :

— Me tromperais-je, madame, si je vous disais que vous me paraissez en avoir la même idée que moi ?

Elle esquissa un sourire et se leva.

— Je reviendrai vous interroger sur vos quatrains. Ou bien vous viendrez à Tours me les expliquer, dit-elle, en adressant à Jeanne un regard incertain.

Elle lui tendit la main ; il la baisa. Elle se tourna vers Jeanne, qui se tenait à côté ; dans un geste inattendu, elle lui ouvrit les bras ; les deux femmes se donnèrent l'accolade. Sur le pas de la porte, Marie de Narbonne se retourna :

— Que signifie ce quatrain étrangement obscur, le tout dernier ?

Il le lui expliqua comme il l'avait fait pour Jeanne.

— Les infidèles et les sauvages, donc, dit-elle.

— Les premiers bientôt, les seconds plus tard, ajouta-t-il.

— Au revoir, dit la comtesse.

— Voilà la protection que je te souhaitais, dit Jeanne quand elle eut raccompagné la visiteuse. Car maintenant que tu es célèbre, les envieux vont pulluler.

Nicole de Penthièvre arriva aux premiers jours de novembre avec une suite bien plus importante que Marie d'Orléans ; aussi son rang était-il moindre ; de fait, elle n'en avait plus aucun ; Louis le Onzième lui avait acheté vingt ans plus tôt tous ses droits sur le duché de Bretagne.

Elle était fardée comme une madone de châsse.

Il apparut rapidement qu'avec la date de la mort du roi, l'avenir de la Bretagne était le seul sujet qui l'intéressait. Elle exposa ses alarmes : le traité de Blois, qui avait été imposé au roi par Ferdinand d'Aragon et Maximilien d'Autriche, exigeant que Claude, la fille de Louis, fût fiancée à Charles de Habsbourg, fils de Maximilien, et qu'elle reçût en dot le Milanais, Gênes, la Bourgogne et la Bretagne.

La Bretagne ! Mais c'était, s'exclama-t-elle, la propriété de sa famille ! Elle se lamenta. Jeanne et Franz-Eckart y prirent l'aune de son insincérité : pendant des lustres les Penthièvre et les Montfort s'étaient disputé le duché au prix du sang. Mais ni les uns ni les autres n'avaient de descendant mâle pour en hériter. Louis le Onzième avait donc tranché. Que venait-elle clamer son attachement à cette province !

— Je ne vois guère que la Bretagne quitte le giron de la couronne, répondit Franz-Eckart.

L'affirmation la rendit perplexe ; à l'évidence, elle avait espéré qu'une embrouille lui permît de récupérer le duché.

— Mais le traité ?…

— Madame, je ne suis pas dans le secret des conseillers, mais il me semble qu'il ne porte que sur une promesse de fiançailles.

— Voulez-vous dire que le roi ne tiendra pas sa parole ?

— Je veux plutôt dire qu'il conservera sa fidélité à la couronne de France.

Elle se mordit la lèvre et réfléchit :

— C'est donc le sens du second quatrain ?

Il hocha la tête.

— Faites-moi un horoscope sur la Bretagne ! commanda-t-elle.

Et elle posa une bourse sur la table.

Elle regarda autour d'elle, comme éperdue.

— 1515, vous êtes sûr ? reprit-elle.

— Je ne sais que ce que disent les astres, madame.

À la fin elle se leva, majestueuse, tendit sa main et déclara qu'elle attendait l'horoscope de la Bretagne au plus prompt.

Quand elle fut partie, Franz-Eckart explosa.

— Mais quel métier je fais ! Joseph avait raison ! « Faites-moi un horoscope sur la Bretagne ! » On croirait qu'elle s'adressait à son sellier ! Me voilà devenu devin de foire !

— On ne peut pas gagner à tous les coups, observa Jeanne, placide. Tu as eu Marie de Narbonne. En tout cas, pour un devin de foire, tu serais bien payé. La bourse contenait dix livres.

Il s'était à peine remis de la contrariété causée par la visite de Nicole de Penthièvre que le père Lebailly vint le rappeler aux devoirs du métier de liseur d'étoiles.

— Monseigneur Morny m'a prié de vous informer qu'il a reçu une lettre de l'évêque de Paris, Étienne de Poncher, qui se déclare très satisfait de votre réponse à ses questions et désireux de vous en poser d'autres.

Le père Lebailly leva son visage sec et une étincelle d'astuce brilla dans ses yeux. Ce religieux faisait penser à ces rameaux de bois oléagineux, comme l'if ou l'olivier, qui lâchent de temps à autre une longue flammèche lorsqu'ils brûlent.

— L'opinion de monseigneur Morny est qu'il serait de bonne politique, dans votre métier, de lui témoigner une marque d'estime particulière, telle que de vous rendre à Paris pour lui exprimer votre respect.

La suggestion parut à Jeanne doublée d'un sous-entendu, indiqué par l'accent que le père Lebailly avait mis sur les mots « dans votre métier ».

— Je vous prie de bien vouloir remercier l'évêque de son conseil et l'assurer que j'y prête la plus grande attention, répondit Franz-Eckart.

— Ce sera l'occasion de revoir Paris, dit Jeanne.

— Et de le faire connaître à Joseph, dit-il.

Un peu plus tard, il ajouta :

— Voilà, on se voulait libre et l'on se retrouve courtisan. Mais grâce à toi, ajouta-t-il en se tournant vers Jeanne, je finis par devenir docile.

Et après moi ? se demanda-t-elle. Comment fera-t-il ? Puis elle se jugea vaniteuse : les cimetières étaient peuplés de gens indispensables.

Entre-temps, dix-sept autres lettres étaient arrivées. On eût cru que Franz-Eckart de Beauvois était le seul astrologue du royaume. En réalité, toutes les villes dignes de ce nom en comptaient au moins dix et, dans les foires, il en était vingt qui, pour cinq sols, mélangeaient leur art à celui des tarots et promettaient une descendance abondante à des ribaudes déguisées en bourgeoises.

27

L'aumône détournée

À Paris, en novembre, le jour durait huit heures, sans aube ni crépuscule. Le matin, l'encre de la nuit se diluait dans une eau sale et, peu après le dernier coup de quatre heures, un voile gris tombait comme un crêpe mortuaire, parfois pailleté d'argent : la neige ou le grésil.

Joachim s'enchanta de l'hôtel Dumoncelin. Le lendemain, il fallut lui donner de la liqueur d'anis pour le remettre d'une émotion apparemment violente.

Il était allé se promener avec Joseph. Ils avaient poussé jusqu'au Grand Châtelet, où trois pendus se balançaient au gibet. Joseph avait été épouvanté du spectacle, et bien davantage lorsque Joachim s'était mis à trembler, baver et expulser de sa gorge des sons atroces et rauques, les yeux quasi révulsés. Ils avaient rebroussé chemin sous les quolibets des mendiants.

— Mais cette puanteur ! s'était écrié Joseph. Comment ces gens-là supportent-ils ces miasmes ?

Il découvrait qu'à Paris, tout ce qui n'était pas vif puait : du rat et du trognon de chou à l'humain que la camarde avait saisi dans la rue. La voirie faisait de son mieux, mais elle ne pouvait empêcher les gens de chier non plus que de mourir, et où les pauvres pouvaient-ils rendre l'âme, sinon dans la rue ? Celui que la mort fauchait y gisait jusqu'à la tournée suivante, soit un jour entier, et si le malheureux s'avisait de mourir un samedi, son cadavre y demeurait jusqu'au lundi puisque dimanche, jour du Seigneur, était chômé. Toutefois, pour peu que l'on donnât la pièce aux sergents, on vous en débarrassait promptement : le corps, charrié sur un tombereau, était conduit aux caves de l'Hôtel-Dieu ou, plus discrètement, jeté à la Seine.

— Et c'est là que le roi habite !

— C'est la vie, dit Franz-Eckart. La vie telle que tu ne l'as pas vue. Tu fais tes classes.

Jeanne alla rendre visite à Ciboulet, à Guillaumet et à Sidonie. Le premier traînait la jambe, à cause d'un rhumatisme, le deuxième avait, l'âge aidant, passé la main à son fils et sa fille et la troisième, qui n'y voyait plus très clair, n'avait d'abord pas reconnu sa visiteuse. Puis Jeanne était allée au cimetière de Saint-Séverin, prier sur la tombe de Barthélemy.

Que venait-elle faire à Paris ? se demanda-t-elle en payant au bedeau un cierge à brûler pour le repos de l'âme de ce premier mari. L'ouvrage était achevé : François s'était remarié, Déodat et Jacques-Adalbert s'étaient mariés. Franz-Eckart avait enfin trouvé un semblant de profession. Draperie, banque, armement maritime, assurance, le patrimoine était assuré, diversifié, mis à l'abri des guerres et des querelles de princes. Il ne restait plus que Joseph à établir.

Son regard glissa sur un paquet de haillons gisant près de l'autel de saint Antoine, quand elle alluma son cierge avant de le piquer dans le plateau. Elle balbutia une prière simple : « Sois heureux là-haut comme tu m'as rendue heureuse ici-bas. » Le tas de hardes remua. Un visage en émergea. Un visage ? Une sorte de tissu sale, fripé, froissé dans lequel on pouvait distinguer un nez, deux yeux et une fente au-dessous ; cela avait été une femme. Les yeux se rivèrent sur Jeanne, mais de la bouche aucun son ne sortit.

Donner une aumône à cela ? Prolonger cette vie atroce ? La charité chrétienne eût exigé que, si l'on portait une dague, on la plongeât sur-le-champ dans le cœur de cette créature misérable, pour abréger ses souffrances.

Jeanne ne portait pas de dague ; elle donna l'aumône, en murmurant :

— Que la mort bientôt te délivre !

Elle avait néanmoins commis un meurtre mental. Par charité.

Elle quitta l'église en songeant que tout roi et tout pape, pour prétendre régner sur le monde, méritaient d'être égorgés sans jugement. Car s'ils régnaient, de cela aussi ils étaient responsables.

Elle avait vu les esprits à la Mare au Diable ; ils n'obéissaient à aucune juridiction. Ni roi ni pontife n'avaient d'autorité sur eux.

Ils n'entendaient que la voix de l'Esprit. Elle se rappela ce que Franz-Eckart lui avait dit un soir : au XIᵉ siècle, le moine Joachim de Fiore avait annoncé dans son livre *L'Évangile éternel* que l'avènement du règne de l'Esprit aurait lieu en 1260. Elle haussa les épaules. Deux cent quarante-cinq ans plus tard, c'était la misère qui régnait.

Elle éprouva le besoin de fuir, comme une criminelle ou une hérétique devant le bûcher. Eût-elle été à Cadix qu'elle se fût incontinent embarquée sur le premier navire venu, pourvu qu'il partît à destination de ce continent sans nom qu'avaient vu Jacques-Adalbert et Déodat.

À la même heure, Franz-Eckart était à l'évêché.

Le bâtiment, à hauteur du chevet de Notre-Dame, à droite si l'on considérait la cathédrale de face, était en réalité une forteresse, d'ailleurs gardée par des archers.

Une odeur de soupe aux choux émanait de la salle du bas, glacée par des courants d'air droit venus de la mort. On conduisit Franz-Eckart à l'étage où des relents d'encens se mêlèrent à l'odeur du chou. Un dominicain toqua à une épaisse porte bardée de lourdes ferrures. Un autre dominicain l'ouvrit qui laissa entrer le visiteur dans une vaste salle. Une douce chaleur régnait à l'intérieur, diffusée par une cheminée où l'on eût pu faire rôtir ensemble trois Infidèles embrochés. Un pot de fer marmonnait au bout d'une crémaillère ; sans doute récitait-il du latin.

Après un temps d'attente, Franz-Eckart fut admis devant l'évêque.

Étienne de Poncher était assis devant une table tendue de damas pourpre, sur laquelle se dressait un crucifix d'ébène incrusté de filets d'or ; s'y tordait une figurine d'ivoire, un homme nu cloué au bois d'infamie : Jésus.

L'évêque leva la tête ; cou et menton étaient fondus dans le même sac. Au-dessus s'étalait un masque lisse et frais piqué de fossettes de bambin, garni d'yeux de furet, d'un nez délicat et d'une bouche spirituelle. Une coiffe carrée sommait le tout. De sa bedaine, on pouvait déduire qu'Étienne de Poncher n'était pas miné par le jeûne.

Le prélat tendit la main ; Franz-Eckart s'inclina pour baiser une améthyste sertie d'or. Le dominicain attendit un signe ; Poncher le donna ; un siège droit fut avancé. Le visiteur n'étant pas là pour une réprimande, il pouvait s'asseoir.

— Je ne vous ai point vu de tonsure, déclara Poncher. N'êtes-vous donc pas clerc ?

— Non, monseigneur.

— La protection de notre sainte Église vous assurerait quelque confort.

Et m'exposerait à votre censure, songea Franz-Eckart.

— Avez-vous, vous ou les vôtres, eu maille à partir avec Georges d'Amboise, notre cardinal ?

— Non, monseigneur.

Poncher hocha la tête.

— L'avertissement que vous lui adressez était donc dicté par un esprit de charité ?

— Oui, monseigneur. Plus précisément par les configurations célestes.

— *Ad limina apostolorum non it ?*

— *Nec omne tulibet punctum* [1], répondit Franz-Eckart en secouant la tête.

— Ce n'est pas un avis personnel ?

— Non, monseigneur.

— Si vous l'aviez dit de façon moins plaisante, vous eussiez moins irrité le clan d'Amboise. *Trône de Pierre n'est pas en bois...*

Le prélat pouffa.

— Vous croyez donc fermement au langage des astres ?

— Si l'on sait le déchiffrer, monseigneur.

— Vous connaissez pourtant l'objection de Cicéron : « Tous les soldats tombés à la bataille de Cannes avaient-ils donc le même horoscope ? »

---

1. « Il ne franchira donc pas la frontière des Apôtres [*Rome*] ? »
« [*Car*] il n'emportera pas tous les suffrages. »

— C'est là le point, monseigneur. Ce n'est pas sur les soldats que la sentence fatale des astres était tombée, mais sur la ville de Cannes. De même, si vous évitez d'aller dans une ville où sévit la peste, vous ne serez pas exposé.

L'évêque réfléchit à la réponse.

— L'argument est intéressant. Un astrologue aurait donc déconseillé aux Romains d'affronter Hannibal dans cette ville ?

— Oui, monseigneur.

— La décision des astres est-elle sans appel ?

— Je le crois, monseigneur. Aucune prière n'a jamais fait reculer une éclipse de soleil ou de lune.

— C'est donc la volonté de Dieu ?

— Je le crois, monseigneur.

— Et le diable, n'agit-il pas sur les astres ?

— Seulement si Dieu l'y autorise.

L'évêque agita une clochette ; un dominicain apparut.

— Faites-nous donc, je vous prie, porter deux verres de vin épicé.

Poncher prenait donc plaisir à son entretien. Il tira son exemplaire des *Dits des Étoiles* de sous une pile de documents et, après l'avoir feuilleté, retrouva le passage qu'il cherchait. Franz-Eckart releva que les pages en étaient écornées ; l'évêque avait fatigué l'ouvrage.

— Quel est le sens du quatrain suivant : « *Garde-toi bien de torte tour, tort conseil en donne l'ombre…* » ?

Un famulus apporta une carafe d'argent et deux verres d'Italie ; il remplit un verre, le goûta, l'offrit à son maître, avant de remplir l'autre et de le tendre au visiteur.

— Les astres indiquent une tour tordue…

— Mais c'est Pise ! s'écria Poncher.

Franz-Eckart hocha la tête et tâta du vin ; il était cuit et adouci à la cannelle.

— Et ce mot *conseil*, n'est-ce pas plutôt « concile » ?

— L'un et l'autre, peut-être, monseigneur. Mais j'ai pu me tromper.

Poncher vrilla le jeune homme du regard :

— Messire de Beauvois, ne finassez pas avec moi, je vous prie. Je vous ai témoigné de la confiance. Vous avez voulu dire qu'un concile se tiendra à Pise ?

Franz-Eckart hocha la tête.

— Pise est dans le Milanais, hors des territoires pontificaux. Or, c'est le pape seul qui peut convoquer un concile. Vous rendez-vous compte de ce que vous avez écrit ?

— Ma main seule a écrit, ce sont les astres qui ont dicté.

Poncher se reversa du vin.

— Mon fils, vous annoncez que le roi de France convoquera un concile à Pise. Ce ne pourrait être que pour déposer le pape[1]. C'est gravissime !

Franz-Eckart s'alarma ; où mènerait tout cela ? L'évêque se pencha vers lui ; il n'était donc pas mal disposé à son égard.

— Mon fils, dit Poncher, se radossant, faites-moi parvenir un exemplaire frais de votre recueil. Ornez-le d'une très respectueuse dédicace à Sa Sainteté Jules II. Je vous la dicterai. Je le lui ferai parvenir. Je ne crois pas que la protection de notre Saint-Père sera superflue.

— Suis-je en danger ?

---

1. Le concile de Pise commença le 5 novembre 1511, aux fins de déclarer le pape Jules II schismatique et de le déposer. Le 19 avril 1512, le pape ripostait par le concile de Latran, qui excommuniait Louis XII.

— Vous risquez de l'être. Pour votre bonheur, les gens de Georges d'Amboise tiennent vos quatrains pour des vaticinations confuses et insolentes. Ils n'auront pas lu le quatrain suivant.

— Notre Saint-Père accordera-t-il sa protection à un astrologue ?

— Je suis convaincu de la droiture de votre jugement de chrétien. Allez en paix. En attendant, je vous accorde, moi, ma protection.

Franz-Eckart se leva. Il s'inclina et baisa de nouveau l'améthyste.

Il traversa les effluves d'encens, puis ceux de la soupe aux choux avant de retrouver la froidure acérée de novembre. Midi sonna à la volée. Une mômerie se tenait sur un échafaud, devant une petite foule ; il vit de loin la Mort assommer à coups de tibia un manant vêtu de jaune et la foule s'esclaffer. Novembre était le mois des morts et l'on trouvait partout des rappels des fins dernières, fussent-ils grotesques, comme ces baladins en maillots noirs, dits justement maillotins, qui se tortillaient dans des cabrioles obscènes et puis demandaient l'aumône. Il rentra transi et perplexe à l'hôtel Dumoncelin. Jeanne et Joachim étaient assis au coin du feu, l'air morose. Joseph arriva, exaspéré, car il s'était battu avec deux manants auxquels il avait refusé la pièce.

Jeanne fit servir une soupe chaude au lard et aux miettes de volaille et se fit raconter l'entrevue avec l'évêque de Paris.

— Hier Marie de Narbonne, aujourd'hui Étienne de Poncher, demain le pape, je me réjouis de ces protections, dit-elle.

Joseph en était excité et les yeux de Joachim en disaient long.

— Bon, la mission est accomplie. Rentrons à Angers, proposa Franz-Eckart.

Tout le monde en fut content. Jeanne promit de se procurer un chariot pour le lendemain. Franz-Eckart emmena Joseph et Joachim visiter Notre-Dame et les y laissa une heure pour aller prendre sous dictée la dédicace au Très Saint-Père le pape Jules le Deuxième, chef suprême de la chrétienté et vicaire du Seigneur tout-puissant sur la terre, auquel il adressait quelques quatrains, fruit d'un labeur de contemplation des trésors de la Création et des mécanismes incomparables de leurs agencements.

Après quoi, il rejoignit son père et son fils devant l'autel, comme convenu. À la sortie, comme ils frissonnaient tous trois, ils allèrent boire un vin chaud dans une taverne. Joseph parla de la cathédrale :

— On dirait que les pierres volent.

Franz-Eckart sourit. Oui, les compagnons qui avaient bâti l'édifice avaient allégé la pierre ; elle volait.

Ils longèrent la rive sud de l'île Notre-Dame, observant les derniers chalands qui chargeaient et déchargeaient avant les glaces de l'hiver : des pierres, des briques, du bois de chauffage, des madriers, des roues de chariot, des caisses de tuiles, des barriques de vin, des pièces de drap emballées dans de la toile…

— Ce lieu s'appelait jadis l'îlot des Juifs, dit Franz-Eckart. C'est ici qu'en 1314, le grand maître de l'ordre des Templiers, Jacques de Molay, et le commandeur de l'ordre pour la Normandie, Gaufrid de Charney, furent brûlés vifs sur les ordres conjoints de Philippe le Bel et du pape Clément le Cinquième.

Le garçon et son grand-père promenèrent leurs regards horrifiés autour d'eux.

— Sur le bûcher, Jacques de Molay a donné au roi et au pape rendez-vous devant le tribunal de Dieu. Ils sont morts tous deux quelques mois plus tard.

Joseph frissonna.

— Quel était leur crime ?

— Ils étaient trop riches et trop vertueux.

Joachim fit un geste de malédiction. Franz-Eckart leur raconta l'histoire des Templiers. Puis ils reprirent le chemin de l'hôtel Dumoncelin.

À l'aube, ils grimpèrent avec empressement dans le chariot, et quand le fouet du cocher ébranla les chevaux, leurs cœurs tressautèrent de joie. On eût dit des fuyards.

Une petite neige poudrait la porte Saint-Jacques. Les officiers d'octroi étaient blêmes avec des nez rouges. Des charrettes de salades, de sacs de froment, de cages de volailles, des ballots de saucissons et de jambons, des pots de beurre, de fromages et de laitages, des barriques de vin, des sacs d'épices, encombraient le passage. Tout cela se dirigeait vers le ventre de Paris, comme un tribut versé à un Léviathan jamais repu.

Palaiseau, Chevreuse, Dampierre, Rambouillet... Ils firent l'étape à Nogent-le-Rotrou.

— J'ai l'impression que des branches de pierre se forment en moi, confia Jeanne à Franz-Eckart, quand ils se furent retirés.

Il la prit dans ses bras et s'endormit.

28

Loin des mufles

Le 20 mai 1506, la Ribaude aveugle fit une fois de plus une de ces ironies grossières dont elle garde le secret. Christophe Colomb mourut à Valladolid, au cœur de la Vieille-Castille, seul, aveugle, fou et ruiné, quasiment oublié de tous, sauf de ses créanciers. Le même jour, dans le chantier du port de Cadix, la caraque *Ala de la Fey,* « Aile de la Foi », de la Compagnie maritime marchande du Nouveau Monde, glissait sur ses étais avec des craquements alarmants et, dans une formidable gerbe d'écume, prit son baptême d'eau salée après celui du prêtre, à l'eau douce. Croupe fièrement relevée et l'étai de misaine pointant à la proue, pas encore mâtée, semblant chevaucher une monture invisible, elle considéra calmement l'horizon, sans appréhension et sans témérité non plus. Un soleil généreux prodiguait ses écus d'or à la surface de l'eau. Une centaine de personnes sur le quai la regardèrent se balancer crânement dans les scintillements de la Méditerranée : Ferrando, son frère Tanzio, ses fils Pier-Filippo, Gian-Severo et sa femme Angèle Sassoferrato, Jeanne, François, Odile, Jacques-Adalbert, Simonetta et Franz-Eckart de Beauvois, son oncle Déodat, Yvonne, l'épouse de ce dernier et Joseph de l'Estoille, Joachim Hunyadi, une douzaine d'enfants, une brochette de financiers génois et espagnols, le chef du chantier, les charpentiers et ouvriers calfateurs, le prêtre, un moinillon et des badauds.

Des applaudissements éclatèrent. Un bruit terrifiant et rocailleux annonça que l'ancre avait été jetée.

À la poupe du navire, un officier déplia la bannière du Roi Très Catholique d'Espagne.

Des bouteilles attendaient sur des tréteaux : on but donc.

Voir lancer un bateau est comme voir naître un enfant. Une autre vie commence. Il ira loin, se disent ses parents.

La première mission de l'*Ala de la Fey*, affrétée par la Casa de Contratación, bureau colonial qui avait valu tant d'avanies à Colomb, serait d'emmener à Hispañola des administrateurs de la couronne et leurs épouses, plus un armateur génois.

Une chaloupe de charpentiers, armés de scies, de maillets, de marteaux, de sacs de clous, de tarières, de gouges, de patarasses, de cordages et d'on ne savait quoi d'autre s'apprêtait à aller installer les gréements sur le navire. Jeanne demanda à se joindre à eux. Ferrando jugea prudent de l'accompagner. Franz-Eckart fut curieux de voir à quoi ressemblait cette embarcation. Joseph aussi. Puis Simonetta, Yvonne, Pier-Filippo et, bien sûr, les enfants, qui trépignaient d'impatience… Bref, il fut décidé qu'on laisserait les charpentiers partir les premiers et que la chaloupe emmènerait tout ce monde.

Quand vint le tour des visiteurs, ils grimpèrent sur la passerelle, non sans cris, terrifiés à l'idée de perdre l'équilibre.

Jeanne explora le bateau comme si c'était elle qui devait en prendre le commandement. Elle fit le tour du château d'arrière, examina le beffroi de la cloche, posa ses mains sur la barre, alla faire le tour du gaillard d'avant, descendit l'échelle raide, au mépris d'un genou arthrosique, afin de reconnaître les quartiers des marins et des passagers, se fit expliquer ce qu'était un hamac et où on le pendait et inspecta les soutes.

Jeanne Parrish retrouvait son sang de Normande.

— C'est un bon bateau, dit-elle, à la surprise de Franz-Eckart, comme si elle savait ce qu'était un bateau.

Il devina bien plus.

On soupa tard dans un bodegon du port. Soupe de poisson, poisson frit aux œufs, tranches de panais frites, le tout arrosé d'un vin andalou, râpeux et parfumé. Après le souper, des musiciens vinrent chanter et jouer. Jeanne ne comprit rien à ce qu'ils débitaient, de ces voix rocailleuses qui pouvaient monter soudain à des aigus de castrat, mais elle devina qu'ils célébraient le défi au destin, dans un mélange de rage et de douceur. Ils avaient à peine fini que des couples se formèrent et dansèrent devant l'établissement, dans la rue. Jeanne les regarda, fascinée par le rythme ondulant, presque reptilien et la prestesse avec laquelle les femmes pirouettaient et tapaient le sol du talon. Le chef du chantier, un petit homme sec comme un sarment, l'invita à danser. Elle éclata de rire. Même si elle en paraissait vingt de moins, elle comptait soixante et onze ans. Mais, nouvelle surprise, non seulement pour Franz-Eckart, mais pour tous les autres, elle se leva et dansa avec lui. Elle dansa fort bien. Elle avait maîtrisé le tour de reins et le coup de talon. On l'applaudit. Joachim, qui l'observait, se tapait sur les cuisses. À la fin, Joseph aussi se leva et alla danser.

Quand son cavalier la reconduisit à sa place, Joachim la prit dans ses bras et l'étreignit. Il pleurait. Il l'embrassa.

Cadix, c'était une fête.

L'auberge était affreusement bruyante la nuit. Les Espagnols semblent croire que la vie est trop courte pour la gaspiller à dormir ; c'est donc la nuit qu'ils raccourcissent. À l'heure où le soleil est trop chaud, même pour les chiens, ils se retirent pour méditer dans la fraîcheur une heure ou deux, et parfois s'endorment, ce qui est humain. Jeanne en fit de même.

Le lendemain, à la *colación de mediodia,* elle annonça à Ferrando, médusé, ce que Franz-Eckart avait deviné la veille :

— Je pars.

Tout le monde avait compris où.

— Jeanne… dit Ferrando.

Franz-Eckart sourit. Ils savaient tous deux qu'on ne discutait pas avec elle.

Ferrando but un coup. Joseph se jeta au cou de Jeanne.

— Les tempêtes…, objecta Ferrando.

— Qu'une fille de marin meure en mer, quoi de plus naturel ? rétorqua-t-elle.

— *¡ Locura !* s'écria en riant l'agent de la compagnie.

— Quatre passagers, donc, dit Jeanne.

— Quatre ?

— Franz-Eckart, Joachim, Joseph et moi.

Joachim lui lança un long regard de miel.

— Ai-je assez vu de souillures humaines, assez humé de haines recuites, assez ouï les crécelles des ambitions vipérines, assez touché de paumes gluantes de malhonnêteté ! déclara-t-elle à Franz-Eckart. Ai-je assez pleuré et foulé l'herbe des cimetières ! Je suis lasse des messagers hongrois et des sbires du cardinal d'Amboise ! Je veux voir des fientes de dragon et humer le parfum de fleurs carnivores ! Je veux voir des sauvages sans couronne et des villes sans cardinaux ! Je veux voir des messagers nus me porter des fruits inconnus !

L'*Ala de la Fey* ne partait que le 10 juin ; cela laissait le temps de rentrer à Angers et de s'organiser pour une longue absence.

Ils furent de retour à Cadix le 9 à midi.

Elles furent cinq femmes à bord, une Génoise, trois Espagnoles et Jeanne.

Dès le départ, elles furent en proie au mal de mer, à l'exception de Jeanne. Elles gisaient, tantôt vertes et tantôt jaunes, sur la banquette de la cabine du capitaine. Jeanne leur fit boire un godet de la liqueur à l'anis de dame Contrivel et les convainquit de remonter sur le pont. La brise et la vue de l'horizon les calmèrent. Elle les fit également renoncer à leurs bas et à leurs chaussures à talons, qui menaçaient déjà leur équilibre sur le sol ferme. Et quand vint l'heure du souper, honteuses d'être moins vaillantes qu'une femme qui aurait pu être leur mère, elles s'activèrent autour du fourneau de bord, qui chauffait au bois. Il en fallait au moins une pour maintenir la bassine en place pendant que la soupe cuisait : des fèves au lard avec des miettes de porc. Jeanne avait espéré faire la soupe pour deux jours ; il n'en resta pas une cuillerée. Le lendemain, elle choisit une bassine de contenance double. Les hommes s'émerveillèrent, y compris le capitaine.

Dormir dans un hamac ne l'incommoda pas, à la différence des voyageuses, qui s'en épouvantèrent. Mais là où elles se récrièrent carrément, ce fut à la vue des lieux, car il fallait s'exposer les fesses et les parties aux quatre vents. Et nulle d'elles n'avait songé à emporter de pot ! Aussi bravèrent-elles la fluxion de cerise.

La Génoise souffrit de la courante : Jeanne la mit un jour entier au régime d'eau de fèves et d'argile blanche et la guérit.

Le capitaine s'appelait Elmiro Carabantes. Le troisième jour, il la surnomma *La Capitana*. Elle se tenait souvent près de lui, sur le château d'arrière, et se fit expliquer par son second le maniement de l'astrolabe, en espagnol par-dessus le marché. Le septième jour, par plaisanterie, il lui demanda de faire le point ; elle le fit très exactement. Il en fut ébaubi.

— *¡ Se jo no tenea mujer a casa, me esposario esa dama !* déclara-t-il devant son second et ses matelots, hilares.

— *¡ Y que podria usted hacer pejor, porque jo soy hija de marinero !* rétorqua-t-elle plaisamment.

Franz-Eckart en était stupéfait. Elle avait appris l'espagnol et le parlait même avec l'accent castillan !

Joseph n'était pas moins étonnant : le troisième jour, Franz-Eckart l'aperçut dans le nid de perroquet du mât de misaine, aidant un matelot à carguer la grand'voile parce que le temps fraîchissait ; puis partager le saucisson, le verjus et le pain rassis des matelots sur le pont.

Que dire ? Jeanne de l'Estoille s'était muée en bourrasque. L'âge, qui alourdit certains, l'avait allégée. Elle était parvenue à cette altitude où les oiseaux captent les grands vents d'ailleurs et se laissent porter par eux, comme des voiliers vivants. Il avait uni sa vie à la sienne ; dans la compagnie des humains, sur terre, il s'était armé de prudence, tel son compagnon de jadis, ce renard qui changeait d'allure à l'approche des maisons. Mais loin des pièges de la société, il se trouva entraîné dans le mouvement et l'insouciance de Jeanne. Bien qu'il fût naturellement jeune, il le redevint. Il goûta de jour le balancement du navire sous ses pieds, les claquements des voiles et la rudesse des embruns, et de nuit, les grincements et les craquements qui rythmaient le tangage et le roulis de l'*Ala de la Fey*, tandis que le mouvement du hamac le berçait.

Ils étaient partis depuis quinze jours quand, par vingt-trois degrés de latitude nord, direction ouest-sud-ouest, le temps se refroidit brusquement après le crépuscule et tourna au grain. L'*Ala de la Fey* devint une cavale furieuse qui bondissait sur une houle folle et creusait des vallées de plus de six coudées. Jeanne courut chercher la capote de toile huilée dont Ferrando lui avait conseillé l'achat et se trouva brutalement plaquée contre une paroi du château d'arrière. Comme elle se débattait pour retrouver son équilibre sur le sol trempé, elle manqua s'étaler pour s'être pris le pied dans un rouleau de cordages.

Sur quoi un éclair formidable fendit le monde à une encablure, glaive céleste décidé à trucider l'océan. Au tonnerre de celui-ci, puis de plusieurs autres, en rafale, aux cris des matelots, aux sifflements du vent dans les vergues, aux craquements, crissements et gémissements de la caraque, aux mugissements et au grondement des vagues se joignit le branle de la cloche de bord, dont le battant s'était bizarrement libéré de son manchon de sécurité et qui sonnait le tocsin de sa propre initiative. Et les hurlements des femmes !

Les matelots s'attachaient aux mâts en trébuchant. Franz-Eckart traversa le pont contre son gré et fut retenu de justesse par un matelot avant qu'il passât par-dessus bord. Les jambes écartées pour se tenir à la verticale du pont, Jeanne se trouva frappée de stupeur.

Non seulement l'heure était rude, mais il fallait encore remédier à la panique qui s'était emparée des quatre autres femmes.

— ¡ *Capitana !* cria Carabantes. Allez tenir les dames en sécurité !

On les entendait, en effet, hurler à la mort.

Elle en trouva une étalée sur le pont, où elle avait tenté de rejoindre son mari, et trempée par une crête de vague qui avait déferlé par-dessus le bastingage. Elle pleurait et criait et, quand Jeanne l'eut enfin remise sur pied et vérifié qu'elle ne s'était cassé aucun os, elle dut encore la soutenir et l'aider à descendre l'échelle, ce qui était déjà un exploit pour un homme vaillant. Elle y parvint enfin avec l'aide de Joachim et trouva les trois autres femmes dans la cabine du capitaine, plus mortes que vives. Affalées sur la banquette des repas, glissant de droite et de gauche et d'avant en arrière, elles roulaient l'une sur l'autre cependant que des ustensiles divers volaient autour d'elles, plats, brocs et gobelets d'étain. De temps à autre, l'une d'elles laissait échapper un cri perçant ou un râle affreux.

— Où est Franz ? demanda-t-elle à Joachim. Et Joseph ? Fais-les descendre !

Ce fut alors qu'ils déboulèrent dans la cabine, déséquilibrés par une secousse plus brutale que les autres. Jeanne les fit tous asseoir sur la banquette, intercalant un homme entre deux femmes et formant ainsi un bloc compact qui prenait appui sur les parois. Comme deux voyageurs arrivaient en titubant, Jeanne les fit également asseoir. Ils s'occupèrent de consoler leurs épouses, encore qu'ils fussent eux-mêmes terrifiés. Au moins évitait-on que, laissées à elles-mêmes, les passagères allassent se heurter aux parois ou autres surfaces dures.

Une heure s'écoula de la sorte, tandis que, dans les ténèbres, l'on entendait les pieds des matelots marteler précipitamment le pont. Les femmes semblèrent se résigner à l'épreuve, inspirées par l'exemple de Jeanne et de ses compagnons. Joseph se leva, s'affaira et parvint, on ne sut comment, à allumer une des trois chandelles d'une lanterne pendue au plafond. Une lumière sépulcrale autant que vacillante baigna la cabine. Elle révéla des visages luisants et hagards et des traits creusés. Une autre heure passa. Les mouvements se firent moins violents. Au terme de la troisième heure, la tempête était passée, même si la houle était encore forte.

Quelle heure était-il ? L'horloge de bord, précieuse mécanique que Ferrando avait achetée à Nuremberg, indiquait dix heures du soir et des fractions. Mais on savait aussi que ces mécaniques avaient leurs humeurs.

Les passagers sur la banquette, hommes et femmes, avaient sombré dans la torpeur. Joseph alluma les deux autres chandelles et monta sur le pont. Une trouée de ciel clair laissa apparaître quelques étoiles.

— C'est passé, dit-il quand il fut redescendu. Et maintenant, j'ai quand même faim, dit-il.

Franz-Eckart se mit à rire. Les passagers se réveillèrent, hébétés, pâteux, et s'avisant que le pire était passé, se ruèrent vers les lieux. Quand les femmes revinrent, dépenaillées et reniflantes, Jeanne s'avisa qu'il serait bon malgré tout de se mettre quelque chose de chaud dans le ventre. Aucune de ces dames ne semblait en état d'y songer.

— Joachim, viens, on va faire de la soupe !

Il s'occupa d'allumer le fourneau, elle hacha du céleri, dont elle avait pensé à emporter des bottes, des carottes et des navets, coupa du lard et remplit la bassine d'eau et de pain sec.

À onze heures et demie du soir, Joachim descendit la bassine et la posa sur la table du capitaine. Ce fut toute une affaire que de retrouver la louche. Et les plats d'étain, égaillés dans la tourmente. Et les cuillers. Et les gobelets, car il faudrait bien du vin pour fortifier les âmes éprouvées par les éléments.

Mais l'odeur de la soupe rameuta les mourants. Ils arrivèrent des portes de la mort et s'assirent. Sitôt engloutie la dernière cuillerée de soupe, les huit passagers espagnols et génois se traînèrent en gémissant vers les hamacs, telles ces ombres lamentables des défunts, dont les Anciens peuplent les Champs d'Asphodèles. La digestion achevait d'épuiser leurs réserves de fortitude.

Le lendemain à l'aube, Jeanne était sur le pont. La brise était douce. Elle se rendit près du second, qui assurait la navigation de nuit et attendait le capitaine pour sa relève.

— Cette tempête, dit-il, nous a fait gagner un jour de navigation.

Levées tard, éplorées, échevelées, les femmes fondirent dans les bras de Jeanne, en proie à une nouvelle intempérie, celle de la gratitude.

Au souper, Carabantes sortit quelques flacons de choix et décida qu'on rendrait hommage à *La Capitana*.

— *¡ Esa mujer, es un hombre ! ¡ No, jo digo, es un caballero !*

Et il leva son verre. Jeanne éclata de rire. Cela lui rappelait des souvenirs anciens. Très anciens.

Les vivats fusèrent.

Cinq jours plus tard, à sept heures du matin, un cri tira tous les passagers de leurs hamacs.

— *¡ Tierra !*

Les femmes s'exclamèrent et, peu après, descendirent s'attifer, remettre leurs bas et leurs chaussures et se refaire une contenance d'épouses d'administrateurs royaux.

Jeanne contempla cette ligne sombre que se disputaient des rois. Hispañola, la Petite Espagne[1]. Elle se fichait du Nouveau Monde. Elle pensa à ce jour récent où elle, Franz-Eckart, Joachim et Joseph avaient quitté Paris comme des fuyards. Ce n'était pas Paris qu'elle fuyait, c'était l'Ancien Monde.

Elle comprit pourquoi. Il devait exister un univers où l'on était innocent.

Franz-Eckart, Joseph et Joachim se serrèrent près d'elle.

— Loin des mufles, murmura Franz-Eckart.

Il s'avisa qu'il ne s'était pas trompé : c'était une jeune fille qui avait toujours voulu s'envoler.

C'était fait.

---

1. Il s'agit de l'île actuellement partagée entre Haïti et la République de Saint-Domingue.

29

Maravédis et bananes

Le paradis était peuplé par des Terriens. Dont beaucoup d'Espagnols.

Au moins deux mille, avait estimé l'administrateur Esteban de Villacer.

Le port en fourmillait : on les reconnaissait à leurs vêtements noirs et leurs chapeaux à larges bords, arpentant l'unique môle d'un air martial. Quel que fût le mépris affiché de la couronne d'Espagne pour la découverte de Colomb, la catholicité ibérique s'était empressée d'assurer son emprise sur la Petite Espagne.

Quand les « Indiens », *Indios*, comme on les appelait, des gens qui allaient pieds nus, avec un pagne sur les reins pour tout vêtement, eurent transporté les coffres des voyageurs de la chaloupe à terre, le capitaine du port de Saint-Domingue donna à d'autres « Indiens » l'ordre de les convoyer à la *Casa de los Viajeros* ou Maison des Voyageurs.

Comme le fit observer le commerçant génois, Silvio Manicozzi, qui connaissait déjà l'île, c'était quand même étrange que cette appellation absurde, née de l'illusion de Colomb qu'il avait atteint les Indes, alors que tout le monde savait désormais que ce n'était pas vrai. Ces « Indiens » se répartissaient en deux groupes principaux, les Arawaks et les

Caribes. Les premiers comportaient trois tribus, les Taïnos, les Ciguayos et les Lucayos.

— Ici, à Saint-Domingue, dit-il, vous êtes dans le territoire des Caribes. Ils ont proclamé leur nom avec force, mais on n'allait tout de même pas laisser des sauvages non baptisés se nommer comme il leur plaisait, non ?

Et il éclata de rire.

— Est-il vrai qu'ils sont sanguinaires ? demanda sa femme, apeurée.

— La première fois qu'il a abordé sur l'île, Colomb avait laissé une douzaine de ses compagnons à terre, dans une anse appelée La Navidad. À son retour, tous avaient été massacrés, de même que les Taïnos qui les avaient accueillis. Lorsque Colomb est revenu avec des hommes bien plus nombreux cette fois, il a fait massacrer les massacreurs, avant de réduire le peu qui restait à sa merci.

La femme poussa un cri d'horreur.

— C'était le seul moyen de leur faire entendre raison. Ces gens sont belliqueux et, avant l'arrivée des Espagnols, ils étaient toujours à se faire la guerre et même se mangeaient entre eux.

La *signora* Manicozzi poussa un autre cri encore plus perçant. Apparemment insensible aux émois de son épouse, le *signor* Manicozzi reprit d'un ton facétieux :

— Tous les indigènes sont désormais réduits en esclavage. D'une certaine manière, c'est une mauvaise affaire pour les Espagnols et d'une autre, une aubaine pour les esclaves.

— Comment cela ? demanda Jeanne.

— Les Espagnols voudraient bien leur faire travailler la terre, mais les Indiens, comme ils les appellent, n'ont guère envie de travailler pour le bénéfice des autres. En revanche, ils sont bien contents d'être protégés par les Espagnols, parce que, depuis que la colonisation a commencé, il n'y a quasiment plus de guerres tribales. Ils ont gardé un souvenir épouvantable des mousquets et des canons.

Comme description du paradis, se dit Jeanne, c'était raté.

— Qu'est-ce que vous venez acheter ici ? lui demanda-t-elle.

— Acheter ? Ici ? Mais il n'y a rien à acheter ! Je viens leur vendre des tissus et de la verroterie ! Du fil et des aiguilles ! Des bottes ! Des roues de carriole. Des peignes. Des clous. Des chandelles. Des pierres à feu. Des haches. Votre bateau était chargé de mes marchandises. On ne trouve rien sur cette île.

— Et où va-t-on passer la nuit ? demanda Franz-Eckart.

— En attendant de trouver une habitation qui vous convienne, la *Casa de los Viajeros*, où nous envoie le capitaine du port, est notre seul recours, dit-il.

Le soleil commençait de chauffer les crânes et les peaux devenaient moites.

On ne pouvait se rendre à cette Maison des Voyageurs qu'à pied, à moins qu'on ne s'assît à croupetons sur une sorte de carriole tirée par des esclaves ; c'est que l'île en effet ne connaissait ni les ânes ni les chevaux, tout juste la roue, et encore.

— Comment se fait-il qu'on n'ait pas pensé à importer des chevaux ? demanda Jeanne à Villacer, qui allait aussi avec sa femme à la même auberge.

— On y a bien pensé, mais sur les six chevaux qu'on avait fait venir d'Espagne pour le gouverneur, trois seulement ont survécu au voyage. L'un d'eux est devenu fou et s'est enfui dans les montagnes. On n'a donc pas recommencé. À quarante écus le cheval…

— Et les ânes ?

— Pour quoi faire, puisqu'on a les indigènes ? répondit Villacer avec un petit sourire. D'ailleurs, les ânes ne supporteraient pas davantage la traversée.

Les bagages furent chargés sur les carrioles tirées par des ânes humains. Jeanne décida de faire le trajet à pied, alors que les Espagnoles et la Génoise, trop éprouvées, s'installèrent sur les véhicules. Elle était trop contente de fouler la terre ferme. Ses compagnons firent comme elle.

Arrivée à destination, une vaste case à l'intérieur des terres, elle embrassa du regard la terrasse que des femmes indigènes moroses balayaient interminablement.

L'aubergiste donna deux chambres aux Français. Un peuple de lézards vibrionnait sur les murs. Fourbus, Jeanne et ses compagnons s'allongèrent sur des lits, pour la première fois depuis quatre semaines. Ils n'avaient jusqu'alors dormi que d'un œil. Surprise : faute de paille, les paillasses étaient fourrées de palmes ; au moindre mouvement, elles produisaient des chuintements d'enfer. De plus, l'air était peuplé d'esprits piqueurs, non les ordinaires moustiques violonistes des paludes, mais des vipères ailées de la taille de virgules, et silencieuses.

Ils avaient pensé faire une sieste : ils se réveillèrent à l'aube, déconcertés. Jeanne et Franz-Eckart retrouvèrent Joseph et Joachim sur la terrasse. Des chants d'oiseaux les saluèrent. Le jour se leva promptement, car l'on se trouvait près de l'Équateur. Une jeune Caribe, nymphe brune et svelte, apporta aux voyageurs un plateau chargé de singularités. Un jus clair et douceâtre dans des calebasses qui n'étaient autres que de gros fruits décalottés, des fruits phalliformes et jaunes, d'autres fruits écailleux et gros comme des melons, et en guise de pain, des galettes vertes. Un Espagnol passait sur la terrasse ; Jeanne le héla pour lui demander ce qu'étaient ces mets ; le premier s'appelait noix de coco, le second, des moses ou bananes et le troisième, des « pommes d'épée », *manzanas de spada*, ou encore ananas, comme disaient les *Indios*. Il parut surpris qu'elle ne connût pas les bananes, puisqu'on en trouvait souvent sur les marchés de Cadix et de Séville, en provenance d'Afrique. Du lait ? demanda-t-elle. Point, puisque la production des trois seules vaches de l'île était réservée au gouverneur. Du pain ? Non plus, car l'on n'amenait pas de froment d'Espagne.

Les questions sur les ablutions à l'eau douce laissèrent perplexe la femme Caribe. Parlait-elle espagnol ? *Si, Señora.* Mais apparemment, les voyageurs ne se lavaient pas. Quant aux besoins naturels, dans la brousse ! Elle finit au bout d'un moment par indiquer un torrent à dix minutes de là. Ce fut une trouvaille : une cascade s'y déversait. Pur et parfait bonheur : les voyageurs se dessalèrent la peau sous des flots d'eau cristalline, en compagnie de petits Caribes nus comme des vers et qui, bizarrement, pêchaient à l'arc.

Quand ils furent de retour à la Maison des Voyageurs, un officier du gouverneur vint s'enquérir de la mission des arrivants. Seule Jeanne parlait espagnol. Elle lui répondit qu'elle et ses compagnons étaient venus visiter Hispañola. Comme explication, on n'eût pu imaginer plus suspect. Deux des Espagnols du voyage, Esteban de Villacer et Gonzalo Bracamonte, intervinrent et lui expliquèrent avec chaleur que ces gens étaient propriétaires du navire *Ala de la Fey*. Ah bon, la dame était venue surveiller son bien, voilà qui était rassurant.

L'officier déclara qu'il ferait son rapport et pria Jeanne de se rendre le lendemain à la Casa de Contratación pour « établir sa situation ».

— Nous vous y accompagnerons, dirent les deux Espagnols.

Depuis la traversée, eux et leurs épouses vouaient à Jeanne une gratitude expansive.

— C'est grâce à l'intendant royal que vous obtiendrez une maison, ajouta Bracamonte.

Puisqu'il était formulé, le principe même d'une maison posait, mais en d'autres termes, la question de la situation. Combien de temps Jeanne comptait-elle séjourner à Hispañola ?

— Toujours ! s'écria Joseph, que ce monde étrange fascinait.

— Que veux-tu faire ? demanda Franz-Eckart à Jeanne.

— Pour une fois dans ma vie, je ne sais pas, répondit-elle. N'est-ce pas un bonheur que de n'être pas pressé de contraintes ? Voilà un demi-siècle que je me suis dévouée aux miens. Ils sont établis. Je voudrais vivre un peu sans devoirs.

La journée se passa en promenades. L'île était montagneuse et la végétation y dépassait en luxuriance tout ce que Jeanne eût pu imaginer. Une seule feuille de certains arbres était grande comme un plat, des fleurs inconnues et splendides semblaient éclore d'un instant l'autre sur des lianes enlaçant des troncs qui paraissaient vouloir atteindre le ciel. Des oiseaux inconnus, au caquetage étrange, des rouges, des jaunes, insolents et familiers.

— Voilà les arbres aux cocos ! s'écria Joseph, qui venait de ramasser un de ces fruits.

Une cathédrale aux piliers irrégulièrement disposés s'étendait devant eux jusqu'à la grève. Les fruits mûrs gisaient à leur pied, d'autres achevaient de se dorer là-haut. Une mer plus claire que le saphir s'étendait au-delà, léchant paresseusement une plage d'or pâle.

Depuis quelque sept ans que l'île avait été découverte, la colonisation avait commencé : on distinguait à flanc de coteau deux maisons aux soubassements de pierre, entourées de terrasses couvertes et coiffées de palmes. À leur pied, on reconnaissait des plantations de bananiers.

Des cris leur firent tourner la tête. Par-dessus les hautes herbes, un bras se leva et fit claquer un fouet. Un bras blanc. On ne distinguait pas la créature fouettée, mais le doute n'était pas permis : un *Indio,* quoi d'autre ? Des cris véhéments ponctuaient la raclée ou la correction, qu'importait ? Des cris en espagnol.

La colonisation.

Cela gâcha la promenade. Les quatre promeneurs rentrèrent à la Maison des voyageurs, dans la chaleur moite qui s'exhalait des terres. Joseph s'était mis torse nu. Une cloche aigrelette répandit son carillon à travers le paysage embrasé. Il y avait donc une église.

La jeune Caribe du matin vint leur proposer une *colación.* Jeanne lui demanda avec douceur, en espagnol, ce qu'elle proposait. La jeune femme la regarda surprise.

— Du poisson grillé, répondit-elle. *Con palta y sara.*

Palta y sara ? Jeanne se le fit répéter deux fois et ne comprit toujours pas. Comme la Taïno se mit à rire, Jeanne rit aussi.

— *La palta es la pera de manteca.*

Poire de beurre ; comme quoi les explications ne valent souvent que pour l'expliqueur.

— *Y el sara es lo trigo indio.*

385

Blé indien. Va pour le poisson grillé *con palta y sara*, on verrait bien.

La Caribe revint près d'une heure plus tard, portant un grand plateau, plusieurs plats et trois assiettes de porcelaine espagnole.

— *Palta*, dit la Caribe en indiquant des fruits pareils à des poires, mais dont l'écorce était rigide et l'intérieur vert pâle serti d'un gros noyau.

Quant au *sara* ou blé indien, cela ne ressemblait à rien de connu : des épis grillés, longs comme le doigt et garnis chacun d'une vingtaine de gros grains.

Les convives sortirent leurs fourchettes. Stupeur de la Taïno devant ces instruments.

Jeanne tâta de la poire de beurre sous l'œil curieux de Franz-Eckart, Joseph et Joachim.

— On dirait, en effet, un beurre très fin, dit-elle.

Elle saisit un épi de blé indien et le grignota.

— On dirait du gros blé mou.

Le poisson était exquis. La Caribe apporta un flacon de vin d'Espagne et des gobelets. Le vin avait un goût étrange : du vinaigre un peu sucré.

Une demi-heure plus tard, il ne resta rien sur le plateau que le squelette du poisson, les écorces et les noyaux de poires de beurre et les trognons de blé indien. Les convives s'accordèrent à trouver que le repas avait été délicieux puis se traînèrent jusqu'au lit.

— Et le Paradis, demanda Jeanne d'une voix dolente avant de s'endormir, comment est-ce ?

Le souper fut comparable : des quartiers de ce qui semblait être du porcelet, mais dont Bracamonte expliqua que c'était un animal sauvage, qu'ils appelaient cochon d'Inde.

Encore l'Inde. Comme légumes, des fèves noires et des tranches d'un fruit farineux et sucrailleux, qui s'avéra pousser en terre et non dans l'air : *patatas dolces*. Le vin ne valait guère mieux qu'à midi et le *señor* Villacer et sa femme recommandèrent plutôt du vin d'ananas ou de palme, boissons indigènes. C'étaient des liqueurs fortes qu'on troublait avec de l'eau et qui, à leur tour, se chargeaient de troubler l'esprit.

Il y avait un jeu d'échecs à la Maison des voyageurs. Jeanne et Franz-Eckart laissèrent Joseph et Joachim y jouer sur la terrasse, à la lumière de lampes à huile, et se retirèrent tôt. Jeanne sombra dans un sommeil sirupeux que même les zanzares ne parvinrent pas à perturber. Elle avait eu la bonne idée de se protéger le visage de sa chemise.

Vint, le lendemain, l'heure de se rendre à la Casa de Contratación. Villacer et Bracamonte y accompagnèrent Jeanne, et Franz-Eckart se joignit à eux. L'intendant royal était un mirliflore moustachu et sourcilleux ; il redemanda ce que faisaient là ces quatre Français. Jeanne répéta ses explications. Villacer et Bracamonte firent un éloge exalté de la dame armateur, qui avait assuré la sécurité de leurs épouses et d'autres dames dans une tempête affreuse. L'intendant avait sans doute eu des échos de la traversée, mais jamais rencontré une femme armateur et qui plus était, montait sur ses propres navires et qu'on surnommait *La Capitana*.

— Vous êtes propriétaire de l'*Ala de la Fey* ? demanda-t-il, incrédule.

— La compagnie que la baronne de l'Estoille a fondée a mis quatre autres navires en chantier, précisa Bracamonte.

Mazette ! L'intendant royal frisa la pointe de sa moustache et dut ravaler sa morgue. Il se fit même gracieux.

— Nous sommes très honorés de votre présence, déclara-t-il.

Jeanne et ses compagnons venaient-ils faire du commerce ? Non, répondit-elle, ils étaient venus admirer les nouvelles terres du roi d'Espagne, dont tout le monde parlait en Europe, et cela suffisait.

S'établissait-elle pour toujours à Hispañola ?

— Je ne sais, répondit Jeanne. Mes affaires et la plus grande partie de ma famille sont en Europe. J'ignore combien de temps me retiendront les charmes d'Hispañola.

Il fit mine de réfléchir, appela un secrétaire, et décida finalement d'assigner à la baronne de l'Estoille la Casa Nueva de San Bartolome. Villacer et Bracamonte hochèrent la tête et, se tournant vers Jeanne, l'assurèrent que c'était l'une des plus belles de l'île après la maison du gouverneur lui-même ; elle comptait quinze chambres sur la mer, non loin du port de Saint-Domingue. Elle aurait à son service dix esclaves, dont la moitié de femmes. Le loyer mensuel qu'il proposait était de cent soixante-dix maravédis, soit un demi-ducat à deux têtes de Castille ou son équivalent français, le vieil écu.

Elle fut ébahie. Quinze chambres sur la mer et dix esclaves pour la moitié d'un écu ! Elle remercia l'intendant royal, qui s'inclina magnifiquement et la pria à souper pour le jour suivant.

— Vous m'avez valu une belle affaire ! dit-elle aux Espagnols quand ils furent sortis.

— La vie ne coûte rien, ici, répondit Bracamonte. Pour cinq maravédis, vous donnez un festin tous les jours. À la condition que vous n'achetiez rien d'importé. Un seul jambon vaut une centaine de maravédis.

Elle avait emporté avec elle cinq cents écus, confia-t-elle à Franz-Eckart.

— Je pourrais donc vivre ici mille mois !

— À peu près quatre-vingt-trois ans, quatre mois et dix jours, répondit-il avec un sourire.

Puisqu'on comptait en maravédis, elle décida de s'arrêter chez un changeur pour monnayer deux écus français. Il les connaissait et lui donna d'emblée sept cent cinquante maravédis.

Un papillon jaune et noir les escorta une partie du chemin.

Ce fut toute une caravane de charrettes à bras, d'esclaves et de voyageurs qui se rendit de la Maison des voyageurs à la Casa Nueva de San Bartolome, à travers des chemins rocailleux, des bananiers sauvages et des broussailles pleines de mystères.

La maison se dressait à flanc de coteau, tournée vers la mer dans une végétation furieuse qui ne le cédait qu'à la plage, au bas de la pente. La construction en était simple : un socle de pierres noires soutenant de gros piliers de bois. Les toits étaient couverts de palmes clouées, les murs en torchis chaulé, au sommet desquels était ménagée une ouverture pour l'aération. Les fenêtres étaient garnies de simples volets, car la vitre, à l'évidence, et même le papier huilé étaient un luxe inconnu à Hispañola. Il apparut plus tard que les lézards et margouillats étaient friands de ce papier-là. Une large terrasse faisait le tour de la maison. Les quinze chambres étaient sommairement meublées. Les lits, rudimentaires, avaient visiblement été confectionnés sur l'île. Les sièges étaient rares et c'étaient surtout des tabourets. Une table sur la terrasse et des tréteaux dans la salle principale complétaient le mobilier. Point d'âtres, évidemment inutiles dans ce climat. À l'arrière, dans la cour, un entassement vaguement rectangulaire de pierres noircies par le feu et surmontées d'un gril indiquait que c'était là qu'on faisait cuire la nourriture. Trois pots de fonte, une poêle et une pile d'assiettes sur une étagère dans la dernière pièce témoignaient que les précédents occupants avaient bien accommodé là des aliments.

Cela ne valait pas beaucoup plus que cent soixante-dix maravédis. Cela valait aussi des fortunes.

Les chants des oiseaux, des parfums inconnus et des papillons emplissaient l'air. En basse continue, le murmure d'un torrent.

Joachim était béat.

Joseph était dans un arbre.

Franz-Eckart assistait Jeanne.

Les dix esclaves déposèrent les quatre coffres dans trois chambres, puisque Joachim et Joseph auraient chacun la leur, et se tinrent au garde-à-vous, l'air soumis et sombre. Ils parlaient peu l'espagnol. Jeanne leur sourit et demanda à chacun leur nom. Apparemment, ils avaient tous été baptisés, car il eût été curieux que des Caribes s'appelassent Sebastian, Juanita, Vincente ou Prudencia.

La plus âgée des femmes, qui répondait au nom de Stella, vint s'enquérir auprès de Jeanne de ce qu'elle souhaitait pour le souper.

— Ce qu'on mange ici, répondit sa maîtresse. Achetez-en assez pour tous, dit-elle en indiquant les esclaves.

La femme la regarda sans comprendre.

— Les esclaves mangent les restes, dit-elle.

— Pour tous, répéta Jeanne. Où faites-vous les achats ?

— Il y a un marché.

Jeanne lui donna dix maravédis. Stella les regarda, interdite.

— C'est trop.

— Eh bien, vous me rendrez le reste. Achetez aussi du vin de palme et des chandelles.

Les regards jusqu'alors baissés convergèrent sur Jeanne. Mais elle n'en dit pas davantage et, sur un signe de tête, s'en fut dans sa chambre.

— Tu bouleverses les habitudes locales, semble-t-il, lui dit Franz-Eckart.

— L'idée de l'esclavage m'est odieuse, répliqua Jeanne, et il semble qu'elle l'ait également été à feu Isabelle la Catholique. Maintenant, il faut aérer nos vêtements, qui ont pris beaucoup d'humidité ces dernières semaines. S'il faut aller souper chez l'intendant royal, je serai attifée comme un épouvantail.

Elle se pencha pour déverrouiller son coffre et Franz-Eckart en fit de même. Elle s'avisa alors qu'une esclave, Juanita, se tenait à la porte. Elle lui demanda comment on pouvait pendre ses vêtements pour les sécher. Juanita hocha la tête et disparut ; elle revint un moment plus tard avec des piquets en T et, prenant des mains de Jeanne une chemise de toile fine, l'enfila sur l'un d'eux.

— Et comment fait-on tenir cela debout ?

Juanita sortit de nouveau et revint en traînant un madrier piqué de trous ; elle y planta le piquet puis, l'air satisfait, se tourna vers sa maîtresse : cette invention, expliqua-t-elle, était due à la précédente occupante de la maison.

Un moment plus tard, la chambre était occupée par une armée d'épouvantails.

Le retour de Stella, une bonne heure plus tard, attira les quatre voyageurs sur la terrasse.

Elle avait ramené un plein cageot d'animaux terrifiants. Longs comme l'avant-bras, écailleux, noirs et hérissés, ils stupéfièrent Jeanne.

— *Langostas de arroyo.*

Des « langoustes d'eau douce » ? Cela ressemblait plutôt à des écrevisses monstrueuses. Une seule suffisait comme repas.

Des tubercules rouges.

— *Patatas.*

Sans doute ce qu'ils avaient mangé à midi.

Et ainsi de suite.

De beurre point ; mais en revanche, de l'huile de palme. Et trois chandelles. Jeanne s'étonna. Les chandelles étaient rares ; ici, on s'éclairait aussi à l'huile de palme. Elle avait rapporté du marché cinq petites lampes en terre cuite et se mit en demeure d'en allumer une, avec l'aide de son compère, Rigoberto, qui se battit férocement avec une pierre à feu et parvint enfin à enflammer la mèche. La lumière valait bien celle d'une chandelle. Elle servit à allumer le bois du four en plein air.

Avec trois cruches de vin de palme et les lampes, tous ces achats avaient coûté six maravédis. Stella en rendit quatre à Jeanne.

Jeanne décida que la dernière pièce, en face du four, servirait de cuisine. Elle fit récurer tous les ustensiles de cuisine au sable et rincer dans le torrent. Puis elle surveilla la cuisson des monstres au feu de bois et la friture des légumes à l'huile de palme. On soupa au crépuscule, sur la terrasse.

— Dans quoi boira-t-on ? demanda Jeanne.

Les précédents occupants avaient apporté et emporté leurs gobelets. Stella et Juanita proposèrent des noix de coco étêtées en guise de récipients. Redoutables hanaps, car on ne pouvait les reposer avant de les avoir vidés.

Les écrevisses grillées furent proclamées délicieuses. Il fallait s'habituer aux patates et à des tiges pulpeuses d'on ne savait quelle plante frites à l'huile de palme. De petits fruits parfumés à peau fine achevèrent le repas sur des exclamations d'extase. Jeanne en ignorait le nom.

— J'ai l'impression que je viens de naître, dit Joseph.

— Nous tous, dit Franz-Eckart.

— Voilà bien ce que nous sommes, observa Jeanne : des sacs. On nous change de nourriture, de climat et de maison et nous ne sommes plus les mêmes. Depuis mon départ de Cadix, je ne me rappelle pas que je suis sujette de Louis le Douzième et je n'ai jamais pensé à lui. J'ai oublié le cardinal d'Amboise et les querelles dynastiques des Hongrois. J'aurai bientôt oublié jusqu'au goût du pot-au-feu. Je me fous éperdument du Milanais et de Maximilien d'Autriche. Qui donc était Jeanne de l'Estoille ?

Joseph éclata de rire.

— Une femme de cœur et de courage, répondit Franz-Eckart. Le sac dont tu parles était plein. Durant ce voyage, j'ai eu l'impression d'assister à ta vie en quelques semaines. J'ai vu ta ténacité.

Joachim agita la main et se frappa le cœur en regardant Jeanne. Puis il toqua sur son crâne avec le coude de son index.

Jeanne aussi se mit à rire.

La nuit était tombée, avec la soudaineté d'une passion. Des crapauds-buffles poussaient leurs clameurs langoureuses. On entendait aussi les esclaves rire.

Bientôt Stella et le doyen des esclaves, Rigoberto, apparurent. Les autres se tenaient derrière eux.

— Maîtresse, nous voulons te remercier de notre festin. Personne ne nous a jamais ainsi traités. Que les esprits bienveillants te protègent.

Les esprits bienveillants. C'était sans doute leur façon de dire pour les anges gardiens.

Jeanne se leva et tendit les mains à Stella. Elles s'étreignirent avec force tapes sur le gras des bras. Rigoberto secouait la tête en riant.

Le souper chez l'intendant royal valut une mômerie.

Les rares dames d'Hispañola avaient exhibé leurs plus beaux atours et bijoux. Une fortune en chandelles les faisait scintiller et Jeanne comprit pourquoi Stella n'en avait trouvé que trois au marché.

Jeanne fut accueillie avec des bravos et célébrée une fois de plus comme *La Capitana*. L'on s'émerveilla de la prestance de Franz-Eckart et l'on déplora qu'il ne parlât pas espagnol comme… mais quel était donc son lien de parenté avec Jeanne ? Elle était, précisa-t-il, sa grand-mère. Et les deux autres Français ? L'un était son fils, qu'il avait laissé à la garde de l'autre, un ami qui voyageait avec eux.

Deux grands éventails de vannerie, mus par des cordes, pendaient au-dessus de la table de la salle de réception ; c'étaient évidemment des esclaves qui les mettaient en mouvement pour tenir les zanzares à l'écart pendant le souper de ces Blancs mirifiques. N'eût été leur présence, on se fût cru à un souper de l'aristocratie à Cadix, Séville ou Carthagène.

L'intendant avait amené beaucoup d'argenterie d'Espagne. Il avait également fait fondre plusieurs bijoux d'or confisqués aux indigènes. Les rôtis de cochon d'Inde furent ainsi servis sur des plats en or. Les rôtis de volaille et les poissons, sur des plats en argent.

Le vin était à peine meilleur qu'à la Maison des voyageurs.

On questionna Jeanne sur la France. Où donc le roi habitait-il ? Avait-elle vu la reine ? Savait-elle qu'une couturière s'était installée à Saint-Domingue ? Avait-elle fait la connaissance du vice-roi ? Comment s'accommodait-elle de la Casa Nueva de San Bartolome ?

Elle échangea quelques regards avec Franz-Eckart et se rappela les soupers de Gollheim auxquels il refusait d'assister.

Jeanne s'inquiéta de savoir comment elle rentrerait chez elle. Elle était venue avec Franz-Eckart sur une carriole tirée par deux de ses esclaves, mais il faisait encore jour. La nuit, le retour sur ces chemins tortueux serait une tout autre affaire. Un spectacle inattendu se présenta à la porte de la résidence de l'intendant royal. Une escouade d'esclaves portant des torches attendait dehors. Les convives montèrent sur leurs carrioles et deux esclaves porte-flambeaux furent assignés à chaque véhicule. Ils couraient au-devant, créant des ombres extravagantes dans les frondaisons qui se penchaient sur eux.

Jeanne et Franz-Eckart trouvèrent Joachim et Joseph mangeant des fruits sur la terrasse, à la lumière d'une lampe à huile et de part et d'autre d'un échiquier de fortune : une planche gravée de carrés sombres et clairs, avec des cailloux noirs et blancs pour pions.

À propos de sacs, ils avaient conservé leurs identités. Ils dévisagèrent les soupeurs d'un air amusé.

— C'était bon ? demanda Joseph, goguenard.

À ce moment-là, Jeanne poussa un cri d'effroi.

Un serpent noir, gros comme le bras et long de trois toises, ondulait tranquillement sur la terrasse. La présence d'humains ne semblait aucunement l'inquiéter.

Joachim suivit le regard de Jeanne et vit l'animal. Il se leva et se planta devant lui. Le python, car c'en était un, leva la tête. Joseph le saisit par la tête et la queue avant de le jeter dans les broussailles. Puis il alla à la cuisine, se lava les mains à l'eau vinaigrée et revint s'asseoir.

La seule présence animale sur la terrasse fut celle des phalènes qui tournoyaient autour de la lampe comme des étoiles autour du soleil.

Le lendemain, le capitaine Elmiro Carabantes vint présenter ses respects à la baronne de l'Estoille, l'informer qu'il lèverait l'ancre dans deux jours et lui demander si elle désirait faire porter un message en Europe. Elle n'avait ni encre, ni papier, et le pria de faire savoir à son fils François de Beauvois, par l'entremise de la Compagnie, qu'elle et ses compagnons se portaient bien et qu'elle souhaitait qu'il en fût de même pour eux. Carabantes précisa qu'il ne pensait mouiller de nouveau à Saint-Domingue que vers la fin d'août ou le début de septembre, selon les ordres de la Compagnie. Mais comme le voyage inaugural n'avait pas été très lucratif et qu'il repartait avec des cales quasiment vides, il supposait que la prochaine expédition au long cours de l'*Ala de la Fey* se ferait à destination des Indes, par la route orientale. Il ne doutait cependant pas qu'elle et ses compagnons trouveraient passage sur l'un des navires qui lèveraient l'ancre de

Saint-Domingue à l'été ou à l'hiver pour regagner l'Espagne, si tel était leur désir. L'équinoxe d'automne, ajouta-t-il, soulevait des vents effroyables dans l'Atlantique et il déconseillait à *La Capitana* de risquer la traversée de retour à cette époque-là.

Elle le remercia de ses informations et il s'en fut après un grand salut.

Demeurée seule, elle songea qu'elle était en quelque sorte prisonnière d'Hispañola. Les paradis sont délectables, à condition qu'on puisse en sortir et faire de temps à autre une excursion dans les purgatoires et, même, les enfers.

30

Joseph le perroquet et Pégase

Point n'était besoin d'être grand clerc pour comprendre l'empressement des trois dames espagnoles à accompagner leurs maris dans ces « terres sauvages », comme elles disaient. Il suffisait de voir la curieuse jeunesse qui parsemait l'île et dont le type était trop évidemment métis ; des enfants de Blancs et de femmes caribes. Non seulement les colons étaient, pour la plupart, contraints au célibat, mais encore la joliesse lisse de ces femmes était difficilement résistible, d'autant plus qu'elles allaient volontiers les seins nus, en dépit des recommandations du curé local, le *padre* Vasco Balzamor, et qu'elles les avaient fort jolis. Mieux : leurs scrupules concernant l'acte sexuel n'étaient guère ceux des chrétiennes. La virginité leur paraissait une disgrâce. Elles ignoraient aussi bien les monitions de saint Paul aux Éphésiens, selon lesquelles l'homme serait la tête de la femme, que le mépris de saint Augustin à l'égard de ces « vases d'impureté ». Si le Blanc devenait la tête d'une Caribe, c'était simplement qu'il était plus puissant et plus riche. Quant à l'impureté, le ciel savait qu'il en existait des fontaines autant que des vases.

Les colons les plus riches ne se contentaient d'ailleurs pas d'un seul vase : ils entretenaient deux ou trois femmes caribes, qu'ils honoraient au gré de leur caprice.

On murmurait aussi qu'ils ne répugnaient pas à quelques variantes, d'autant plus commodes qu'elles étaient stériles.

La *señora* Villacer, qui était venue rendre visite à sa bienfaitrice, s'en lamenta en termes à peine voilés :

— Qu'allons-nous faire de ces bâtards ! Car leurs pères naturels ne veulent pas s'en défaire et, quand ils rentrent en Espagne, les emmènent le plus souvent avec eux !

Jeanne observa qu'elle n'y voyait pas de mal.

— *¡ Señora !* répliqua l'autre avec passion. Ces filles et ces garçons emportent avec eux leur hérédité de sauvages ! Aucun baptême ne peut les laver de la faute originelle !

Discours qui indisposa violemment Jeanne. La faute à laquelle pensait la *señora* Villacer n'était ni la colère, ni la gourmandise, mais la sensualité. Et comme ces enfants s'annonçaient ravissants, on pouvait craindre, en effet, qu'ils fissent une rude concurrence aux petits Espagnols. Elle s'abstint de contester la menace qu'ils représentaient pour l'Espagne Très Catholique.

— Gardez bien vos hommes ! recommanda la visiteuse à mi-voix, jetant des regards subreptices à Franz-Eckart et Joachim, qui jouaient aux échecs au bout de la terrasse, sous les yeux de Joseph.

— Je vous remercie, dit Jeanne. Je ne crois pas le péril imminent.

Pour la remercier de son accueil chrétien, la *señora* Ermelinda Villacer lui fit porter quatre gobelets d'étain en accompagnant son cadeau du souhait de revoir Jeanne à l'église, le dimanche suivant.

Jeanne ne put faire autrement que de déférer à l'invitation. Elle convainquit Franz-Eckart, Joseph et Joachim de l'accompagner, car Hispañola était, tout compte fait, un village ; mieux valait ne pas s'y distinguer comme mécréants.

Peu après, le gouverneur lui-même vint à la Casa Nueva San Bartolome. Il souhaitait, comme le déclara son secrétaire, présenter ses hommages à la dame française dont il avait entendu tant d'éloges. Jeanne se déclara honorée de la visite. Elle sortit l'accueillir sur le perron de la maison, tout sourire dehors.

Il montait l'un de ses deux chevaux, suivi par quatre hommes sans monture. Il mit prestement pied à terre et ôta son chapeau dans un grand geste chevaleresque. Jeanne lui tendit la main ; il s'empressa de la baiser. Quand il se redressa, elle reconnut l'œil aigu de l'homme de pouvoir qui jauge vite son interlocuteur. Elle l'invita à entrer et à prendre place. Elle lui présenta Franz-Eckart, Joseph et Joachim et demanda à Stella d'apporter un cruchon de vin de palme et les gobelets. Il jeta un coup d'œil circulaire sur les lampes à huile posées sur la balustrade, sur les sièges, sur toute l'installation.

Les esclaves parurent terrorisés par la présence du gouverneur.

Francisco de Bobadilla, l'ennemi juré de Christophe Colomb, était un quinquagénaire dont l'autorité transparaissait dans tous ses gestes.

— C'est un don du ciel que la présence d'une dame telle que vous sur l'île, déclara-t-il galamment.

— Et c'est un grand honneur que votre visite.

Il tâta du vin de palme, surpris. Comment cette dame de qualité buvait-elle cette boisson d'esclaves ?

— Au moins celui-ci ne souffre pas du voyage, dit-elle.

Il sourit.

— Vous avez raison. Il faudra un jour que nous songions à planter ici des vignes.

— Cela fera au moins un commerce pour l'île, dit-elle.

Il plissa des yeux.

— Est-ce le but de votre séjour à Hispañola ?

— Non, gouverneur. Je laisse cela aux vignerons espagnols. Mais je vois que cette île ne produit rien qui puisse intéresser le Trésor espagnol. Il faudra bien qu'on y plante quelque chose qui justifie tant de frais.

— Vous au moins, dit-il en riant, ne parlez pas d'épices ! Et que proposeriez-vous de planter d'autre que des vignes ?

— De la canne à sucre.

Il fut saisi. Il se pencha vers elle et la fixa du regard.

— Comment savez-vous ?

— Je ne sais rien ! répliqua-t-elle en riant. J'ai des fermes en France et je ne saurais les laisser en friche plus qu'il ne faut. C'est un regard de fermière que je porte sur Hispañola.

— ¡ *Señora* ! Je comprends qu'on vous ait surnommée *La Capitana* !

Le gouverneur but une gorgée de vin de palme. Jeanne songea à certaine conversation de jadis avec Charles le Septième, roi de France.

— C'est exactement à la canne à sucre que je pense, dit Bobadilla.

— Vous importerez donc des esclaves, dit Franz-Eckart, intervenant dans la conversation.

Bobadilla se tourna vers lui, stupéfait.

— Suis-je dans une maison de devins ?

Tout le monde se mit à rire.

— C'est l'évidence, gouverneur. Il y a trop peu d'indigènes sur l'île, dit Franz-Eckart.

— Que faites-vous donc sur Hispañola ?

— Toute ma vie a été consacrée au commerce et à ma famille, répondit Jeanne. J'apprends qu'on a découvert un Nouveau Monde. On croit que ce sont les Indes. On change d'avis. Des administrateurs de votre Casa de Contratación s'y rendent sur le premier lancé de mes bateaux. Je me suis embarquée avec eux pour voir ce monde. J'ai emmené mon petit-fils et son fils, ainsi qu'un vieil ami, Joaquín Esteves. Le climat est exquis et le lieu paradisiaque. Je m'y délasse.

— Mais il n'y a pas de commerce à faire, reprit Bobadilla. Cela signifie-t-il que vos bateaux ne toucheront pas souvent ici ?

— Il reviendra aux administrateurs d'en décider, répondit-elle.

— Et qui décidera de planter la canne à sucre ?

— Vous.

Bobadilla éclata d'un rire homérique.

— Il faudra des capitaux, dit-il.

— Je vous ai compris, répondit-elle. J'en parlerai à mon beau-frère, don Ferrando Sassoferrato.

Il se leva et fixa Jeanne du regard.

— Vous êtes une femme remarquable, dit-il. Et vous parlez l'espagnol !

Elle inclina la tête.

— Votre langue est comme une chanson aimée. On s'en rappelle les mots après les avoir entendus une fois.

— Je comprends que même vos esclaves se répandent en éloges sur vous.

— Je les traite chrétiennement.

— Pas trop, quand même ? dit-il avec un sourire. N'oubliez pas qu'ils ont massacré les premiers compagnons de Colomb.

— Gouverneur, vous me direz quelles limites notre mère l'Église a fixées à la charité ?

— Par la bouche de Jésus-Christ, répondit-il en levant le doigt d'un air théâtral. Charité bien ordonnée commence par soi-même.

Elle sourit. Il s'inclina et lui baisa la main. Il remonta sur son cheval, son secrétaire en fit de même et leur petit cortège quitta les jardins de la Casa Nueva San Bartolome.

Dans l'après-midi, deux esclaves tirant une carriole y apportèrent un tonnelet de xérès, quatre sièges de fabrication espagnole, avec les coussins, et deux candélabres de bois à six bras, avec une vaste provision de chandelles.

— On n'échappe pas au pouvoir, observa-t-elle ce soir-là en dégustant du poisson grillé, à la lumière de douze chandelles.

On y échappait quand même.

Franz-Eckart avait emporté des livres, dont *L'Énéide* de Virgile et les *Entretiens* de Sénèque, dans l'édition des Trois Clefs, évidemment. Tous les matins, il en faisait la lecture commentée à Joseph, du petit déjeuner à la onzième heure, après quoi le garçon avait le champ libre. On ne savait l'usage qu'il faisait de la philosophie distillée par son père, mais dès que la leçon était achevée, Joseph disparaissait dans la nature. Il partait pieds nus, en braies, et, le plus souvent, gagnait la plage et se jetait dans l'eau. Joachim lui apprit à nager et, bientôt, le garçon s'aventura jusqu'aux rochers au large où il se mettait entièrement nu, ignorant qu'il refaisait exactement les gestes de son père jadis sur les collines de Gollheim, à cette différence près qu'il n'avait pas de renards comme compagnons.

Franz-Eckart l'observait de loin, songeant à l'hérédité.

L'après-midi, s'il n'était pas à la plage, il chaussait des sandales de Caribe, en peau de porc sauvage, et partait dans la forêt, seul ou en compagnie de Joachim. Comme le lui avait recommandé Franz-Eckart, il en revenait toujours une heure avant le coucher du soleil ; c'est crotté, griffé, couvert de jus de feuilles et de pollens, qu'il allait se laver à la cascade avant d'étaler sur la table les trésors qu'il avait ramassés. Des fruits étranges, des plantes aux fleurs extravagantes qui poussaient sur des arbres, des cailloux, des insectes… L'un des cailloux, gros comme une noisette, émerveilla sa grand-mère : par une faille de sa gangue, on y reconnaissait un grenat couleur sang, pareil à un œil de dragon perçant à travers une paupière mi-close.

Une autre fois, il revint avec un petit perroquet bleu-gris voletant au-dessus de lui, qu'il avait capturé rien qu'en tendant la main. Relâché et posé sur la table de la terrasse, l'oiseau ne s'enfuit pas ; il arpenta la surface inconnue en direction d'une coupe de fruits et s'attaqua à une banane. Joseph la lui pela et la posa devant lui. L'oiseau en dévora la moitié tout en considérant l'assistance, esclaves inclus, d'un œil rond.

Jeanne se mit à rire.

Le perroquet l'imita.

Elle fut saisie.

Stella, une indigène nommée Juanita ainsi qu'un autre esclave observaient la scène, médusés.

— Joseph ! dit Joseph à l'oiseau.

Le perroquet le regarda et répéta :

— Joseph !

On lui conserva le nom. Il hanta la maison, explora toutes les chambres et, la nuit venue, suivit Joseph dans la sienne. Quand Franz-Eckart appela son fils au matin, l'oiseau arriva à tire-d'aile.

— C'est mon double, dit Joseph.

Peut-être était-ce vrai.

Son double en tout cas l'aimait ; quand Joseph lui disait : « Joseph, donne-moi un baiser », le perroquet se posait sur son épaule et frottait sa tête contre la joue de son maître.

Entre eux, les esclaves appelaient Joseph « le garçon qui enchante les oiseaux ».

Un après-midi, Jeanne regarda l'adolescent partir vers la plage, escorté par le perroquet.

— Il est devenu un Taïno, dit-elle.

— Tu penses toujours à l'identité, repartit Franz-Eckart.

Elle hocha la tête.

— S'il nous faut retourner dans l'Ancien Monde, comment fera-t-il ?

Elle partit à son tour à la découverte de cette forêt où Joseph et Joachim semblaient avoir élu domicile. Elle avait renoncé aux vêtements occidentaux : elle ne portait plus qu'une simple robe de toile qui lui servait de chemise et de robe tout à la fois. Ses chaussures d'Européenne n'eussent pas résisté longtemps à la boue, aux terrains caillouteux et à l'humidité ; que faire, d'ailleurs, de bas et de chaussures à poulaines sous les tropiques ?

Comme Franz-Eckart et Joachim, elle adopta ces sandales que Joseph portait nuit et jour.

Le relief de l'île était le plus accidenté qu'on pût imaginer. Et fort mal connu aussi. À l'exception des côtes, nul Espagnol n'avait, de l'aveu général, mis le pied dans le centre montagneux d'Hispañola. Colomb avait fondé La Navidad, au nord-ouest, mais la montagne, où s'étaient réfugiés les Taïnos, Ciguayos, Lucayos et Caribes qui ne voulaient pas céder à l'emprise espagnole, restait inexplorée. Peu de gens, d'ailleurs, en avaient cure. Les côtes ne recelaient déjà pas de grands trésors, alors les montagnes ! Ces païens finiraient bien par crever dans leurs antres.

À pied, toutefois, Franz-Eckart ni Jeanne ne risquaient d'aller bien loin. Au bout d'une heure d'exploration, on était fourbu : pas de risque dans ces conditions de se retrouver nez à nez avec des anthropophages.

— Du haut de cette colline, dit Franz-Eckart, à leur troisième promenade, on doit avoir une belle vue de l'île.

Ils en entreprirent l'escalade, se frayant un chemin à travers des branches basses et fleuries et des lianes tenaces. Au bout d'une demi-heure, ils étaient en eau. Au moment de reprendre haleine, Franz-Eckart enleva sa chemise, tout humide.

À gauche, le sentier qu'ils prirent était flanqué d'une paroi rocheuse au sommet de laquelle la végétation foisonnait. Ils étaient presque parvenus au sommet de la colline et leur regard embrassait déjà le paysage environnant.

Soudain, une tête apparut dans les broussailles à gauche, au-dessus d'eux. Jeanne fut saisie. Franz-Eckart rayonna.

— Salut, beauté ! s'écria-t-il.

C'était un cheval.

— Un cheval ! souffla-t-elle. Ici !

Elle franchit les quelques pas qui menaient au sommet. Le temps était limpide et la vue, celle qu'on souhaite aux âmes chères et parties. Une mer d'azur clair, piquée de bouquets de rochers verdoyants.

Un instant plus tard, le cheval se dégagea des broussailles et, suivant un chemin connu de lui seul, alla d'un pas décidé vers Franz-Eckart.

Jeanne prit peur.

Franz-Eckart accueillit le cheval comme un ami. Il éclata de rire et lui parla. Le cheval l'écouta. On ne pouvait prétendre le contraire : ce cheval écoutait cet homme. Mais à distance.

Franz-Eckart tenta de lui caresser le chanfrein. L'animal leva la tête.

— C'est à coup sûr le cheval fou du gouverneur, dit Jeanne. Prends garde.

Franz-Eckart lui parlait toujours. Elle ne comprenait pas ce qu'il lui disait.

La scène s'éternisait.

Le cheval fit un pas en avant et posa sa tête sur l'épaule de l'homme. Franz-Eckart le caressa. L'animal fermait les yeux, frottant son museau contre l'épaule. C'était une scène d'amour.

Jeanne fut stupéfaite. Elle se rappela le renard de Gollheim. Mais quel était donc cet étrange lien entre son compagnon et les animaux ?

Franz-Eckart, gardant une main sur le cheval, se retourna pour admirer le paysage.

— N'est-ce pas beau ?

Il le regarda et elle bégaya :

— Ce… cheval… ?

— N'est-il pas beau, lui aussi ?

Il était beau, en effet, nerveux, avec une encolure souple, une tête fine et des jarrets arrière très hauts, aux bas blancs. Sa robe était d'une couleur inconnue, bai clair, comme doré.

Lorsqu'ils amorcèrent leur descente, le cheval les suivit. La pente était trop abrupte et encombrée de branches pour que Franz-Eckart pût monter son nouvel ami. Mais quand le terrain redevint à peu près plat, Franz-Eckart se pendit à une branche et parvint à se mettre en selle. Façon de parler, d'ailleurs, car sa monture n'était évidemment pas sellée et, n'ayant pas de bride, n'obéissait qu'à la voix. Jeanne suivait, aussi étonnée qu'inquiète.

— Veux-tu monter ? lui proposa Franz-Eckart.

— Sans selle, ce sera trop difficile, répondit-elle.

En réalité, elle se méfiait de l'animal.

Lorsqu'ils approchèrent de la maison, les esclaves qui débroussaillaient le jardin à la machette suspendirent, incrédules, leurs mouvements.

Franz-Eckart sauta à terre, s'avisant progressivement de la stupeur qu'il causait. Joseph et Joachim, qui venaient de rentrer de la plage, s'immobilisèrent, eux aussi sous l'effet de la surprise.

Joseph demanda d'où venait l'animal ; Jeanne le lui dit.

Il alla flatter le cheval à l'encolure. Celui-ci tourna prestement la tête et lui donna un coup de langue. Joseph éclata de rire et redoubla de caresses. Joachim, de l'autre côté, frottait les flancs du cheval, le pansant de la main.

Les Caribes auraient vu une apparition qu'ils n'auraient pas été plus saisis.

Franz-Eckart, Joachim et Joseph conduisirent le cheval dans une des pièces vides de la maison.

— Voilà ton écurie, dit Franz-Eckart à l'animal.

Celui-ci parut hocher la tête.

Le lendemain, il sortit tout seul brouter dans les jardins. Franz-Eckart résolut d'aller au village du port, à la recherche d'un sellier qui confectionnerait au moins un harnais de fortune, pour brider l'animal. Joachim secoua la tête et haussa les épaules. Tout le monde comprit : point besoin de bride, ce cheval comprenait ce qu'on lui disait.

— Aussi, aller au marché avec ce cheval ! dit Jeanne.

Joseph le perroquet battit des ailes ; il voulait non seulement de la banane, mais encore ce fruit sucré et doré que pelait son maître. Joseph en trancha un morceau et le lui tendit. L'oiseau le remercia en imitant le rire de Jeanne, qui se remit à rire.

Les regards des esclaves allaient du cheval au perroquet. Les Caribes ne parlaient plus qu'à voix basse.

— Comment l'appellerons-nous ? demanda Jeanne, en indiquant le cheval dans le jardin.

— Pégase, dit plaisamment Joseph.

— Va pour Pégase.

Joseph obtint la permission de le monter ; il courut dans le jardin, pieds et torse nus et, s'accrochant à une branche, enfourcha le cheval avec agilité. Puis il se pencha pour caresser l'encolure de Pégase et sans doute lui parla. Ils partirent sur la plage au petit trot.

Le lendemain matin, le gouverneur Bobadilla se présenta à la Casa Nueva San Bartolome, accompagné de son secrétaire. Jeanne était sur la terrasse, en compagnie de Joachim ; elle comprit d'emblée l'objet de la visite : le secrétaire portait une selle et un harnais. Joseph était à la plage, Franz-Eckart et le cheval au jardin.

Bobadilla mit pied à terre, gravit le perron et salua Jeanne.

— Je vois que vous avez retrouvé mon cheval, dit-il.

— Je suis fort aise de vous avoir été utile, lui répondit Jeanne.

— Il s'était enfui dans les montagnes aussitôt débarqué, expliqua Bobadilla.

Franz-Eckart avait vu les visiteurs ; il les rejoignit.

— Comment l'avez-vous retrouvé ? demanda le gouverneur. Voilà près de deux ans qu'il a disparu. Toutes nos recherches ont été vaines. Je le tenais pour mort.

— Nous nous promenions à une heure d'ici, raconta Franz-Eckart. Je l'ai aperçu dans les broussailles, je l'ai appelé et il est venu.

Le gouverneur écarquilla les yeux.

— J'apprends que votre fils le monte, dit-il. Sans selle, ni étriers ni harnais. Il prend des risques. Ce cheval est fou, savez-vous ?

— Il ne m'a pas paru si fou, répondit doucement Franz-Eckart.

Il considéra la selle et le harnais que tenait le secrétaire et dit :

— Vous êtes donc venu le reprendre.

— Oui, les chevaux ne sont pas faciles à importer dans ce pays, comme vous avez pu en juger, répondit Bobadilla. Je destine celui-ci à mon épouse.

Le secrétaire s'était approché du cheval. Bobadilla et Franz-Eckart lui emboîtèrent le pas. Jeanne et Joachim suivirent la scène du regard.

Quand le secrétaire tenta de poser la selle sur le dos de l'animal, celui-ci se cabra et la rejeta. Il n'eut pas plus de succès avec le harnais, que le cheval saisit d'un coup de dents et lança au loin. En deux bonds, il s'était éloigné du secrétaire, qui ramassa la selle et réitéra son essai, en vain.

Bobadilla, rattrapant le cheval, tenta de lui barrer le passage. Pégase se cabra de nouveau, battant l'air de ses jambes antérieures de façon menaçante. Bobadilla recula pour ne pas recevoir un coup de sabot. Le secrétaire essaya une troisième fois de seller le cheval. Cette fois-ci, l'animal fonça en avant et s'enfuit vers la plage. Franz-Eckart se garda de tout commentaire ou conseil. Bobadilla demanda le fouet à son secrétaire et, ainsi armé, partit à la rencontre du cheval, qui l'observait par en dessous, tête baissée. Il arriva à trois pas de lui et fit claquer le fouet une fois, sans doute en guise d'avertissement. Le cheval s'élança vers le gouverneur qui dut faire un bond de côté pour éviter d'être écrasé.

La scène suivante fut carrément grotesque : le gouverneur poursuivit le cheval en claquant du fouet, suivi par son secrétaire, portant la selle et le harnais récupéré. C'était plaisant de voir ces deux hommes en noir, coiffés de grands chapeaux et bottés, tenter de battre un cheval de vitesse.

Bien évidemment, celui-ci les avait distancés de loin.

— Je vous avais dit que cet animal était fou ! s'écria le gouverneur, haletant et furieux. Et c'est lui que monte votre fils ?

Comme à point nommé, Joseph sortit de l'eau, vit les trois hommes à gauche et le cheval à droite et leva le bras ; le perroquet s'envola d'un rocher proche et alla se poser sur son épaule. Joseph ne prêta pas grande attention aux premiers, alla vers le cheval et lui flatta l'encolure. Le cheval tourna la tête vers lui, Joseph lui caressa le chanfrein et, grimpant sur un rocher proche, enfourcha Pégase et rejoignit les trois hommes au trot.

Perroquet sur l'épaule, il inclina la tête pour saluer les visiteurs de la main et repartit le long de la grève, tandis que l'oiseau homonyme battait des ailes pour garder l'équilibre.

Les femmes caribes sur la terrasse et les esclaves au jardin observaient la scène, pétrifiés.

Bobadilla était stupéfait. Son secrétaire béait également d'incrédulité. Ils se tournèrent vers Franz-Eckart, l'interrogeant du regard.

— Quel est votre secret ? demanda Bobadilla.

— Excellence, je n'en connais pas. Comme vous voyez, ce cheval se montre avec nous d'une grande douceur. Ma grand-mère le monte sans peine.

— Sans selle et sans étriers ?

Franz-Eckart sourit.

— C'est une bonne cavalière.

Bobadilla s'en retourna à pas lents vers la maison, escorté de son secrétaire et de Franz-Eckart. Il paraissait perplexe.

— Ne pourriez-vous le ramener vous-même à mes écuries ? demanda-t-il.

— Je veux bien essayer, Excellence, mais je crains que cet animal soit rebelle à la selle et aux harnais.

Le gouverneur gravit le perron, posa le fouet sur la table et se laissa choir sur un siège. Il leva enfin la tête vers Jeanne et Franz-Eckart :

— Je ne sais quel enchantement vous avez opéré sur ce cheval, mais il me semble que j'aurais mauvaise grâce à tenter de le reprendre, dit-il enfin.

Jeanne lui servit un gobelet de xérès.

— Il faut que vous ayez un étrange pouvoir sur les animaux, dit Bobadilla, sans s'adresser à personne en particulier.

Il porta le gobelet à ses lèvres.

— Excellence, répliqua Jeanne, je voudrais bien que ce pouvoir s'exerçât sur les insectes piqueurs qui hantent ma chambre !

Bobadilla éclata de rire. Jeanne servit du xérès à la ronde et s'assit.

— Peut-être, Excellence, dit-elle, et cela soit dit sans vous désobliger le moins du monde, les animaux ont-ils aussi des affections pour les humains et des préférences.

— Si je vous comprends bien, observa Bobadilla avec un sourire moqueur, les insectes nocturnes vous trouvent délicieuse. Ils ne sont pas les seuls.

Sur quoi il posa son gobelet et se leva. Il s'inclina cérémonieusement, son secrétaire en fit de même et les deux hommes se dirigèrent vers leurs chevaux.

Le gouverneur avait décidément l'esprit d'escalier.

Il revint avec son secrétaire déposer la selle et le harnais sur le perron.

— Ils vous seront utiles, déclara-t-il.

La selle était superbe. La refuser eût risqué de désobliger le gouverneur. Franz-Eckart accepta les cadeaux avec des remerciements respectueux, bien qu'il sût d'avance que ces équipements ne serviraient à rien. Ils étaient pour Pégase un symbole de servitude.

Lorsque le gouverneur Bobadilla et son secrétaire s'éloignèrent, Joachim, Franz-Eckart et Jeanne se regardèrent un moment, puis se mirent à rire.

— Tu as sauvé la situation, dit Franz-Eckart.

Elle se remémora le gouverneur des Indes occidentales courant sur la plage et faisant claquer son fouet ; son rire redoubla.

31

La vente du Paradis

L'année 1506 s'écoula sans autre incident.

Après un automne venteux et pluvieux, qui contraignit Pégase à se réfugier plus souvent dans son écurie improvisée, l'hiver fut délicieux : il adoucit les ardeurs de l'après-midi et ses brises vespérales chassèrent les zanzares.

Joseph ne se tint plus de joie à l'idée de fêter le matin de Noël à moitié nu, les pieds dans une mer tiède au lieu des neiges d'Europe.

La veille, on avait soupé d'une sorte d'oie sauvage rôtie aux patates douces cuites sous la cendre et arrosées de jus. Joseph le perroquet avait appris les mots *Feliz Navidad* qu'il devait répéter jusqu'à Pâques et au-delà.

Jeanne avait distribué des cadeaux aux esclaves : dix maravédis chacun. Une fortune. Les Caribes célébrèrent vraiment Noël : ils dépensèrent trois maravédis en vin de palme et chantèrent très avant dans la nuit des airs obsédants et plutôt sombres. Chacun ses cantiques.

Les Caribes comptaient déjà quelques Noëls depuis leur conversion forcée. D'après les entretiens que Jeanne eut avec Stella et Juanita, ce qu'ils avaient retenu des prêches véhéments du Padre Balzamor, c'était que le Dieu des chrétiens avait conçu un fils tout seul et l'avait envoyé sur la terre pour racheter les péchés des humains, mais que des gens aussi méchants que les Taïnos, les Juifs, l'avaient tué en le crucifiant. Et que ceux des Caribes qui étaient méchants, assassins, voleurs, impies, coléreux ou lubriques finiraient dans les flammes de l'Enfer, déchiquetés éternellement par des diables.

— ¡ *Dice el Padre que somos todos carne por diablos !* se lamenta Stella.

Guère portée aux discussions théologiques, Jeanne observa un silence prudent. La Casa San Bartolome avait frôlé les accusations de sorcellerie avec l'enchantement de Pégase par Franz-Eckart ; mieux valait n'en pas rajouter par des commentaires sceptiques.

Elle connaissait le Padre Balzamor : un curé obtus qui était venu reconnaître les lieux, sous prétexte de les bénir. Elle lui avait donné cent maravédis pour ses œuvres.

Cent maravédis ! Il avait souri, l'œil porcin, et réitéré ses bénédictions.

Chacun savait qu'il concubinait avec une Caribe, qui lui avait déjà donné un enfant.

En dépit des réserves de son capitaine, l'*Ala de la Fey* revint avec un autre chargement du commerçant génois et, bien plus précieux, le premier évêque d'Hispañola. Cependant le saint prélat avait été tellement éprouvé par la traversée qu'il s'était alité sitôt après son débarquement.

Le Génois, le *signor* Manicozzi, vint remettre à Jeanne une lettre de François. Son épouse, la Mauresque Odile, avait mis au monde un deuxième enfant, un garçon, qui avait été appelé Barthélemy. L'imprimerie des Trois Clefs prospérait, grâce aux auteurs latins.

Jacques-Adalbert et Simonetta avait eu un deuxième enfant, une fille, baptisée Jeanne.

Déodat et Yvonne avaient mis au monde un troisième enfant : après Guitonne et Gaspard, né le mois du départ de Jeanne, un garçon baptisé Georges. Ils favorisaient apparemment l'initiale G.

Déodat avait fondé un petit commerce annexe de feuilles de *tabak* et de pipes, qui semblait plus prospère qu'on l'eût cru et ne nécessitait pas d'autres fonds que les gages d'un jardinier pour la culture des plants aromatiques.

Jeanne se félicita publiquement de ces nouvelles et se moqua d'elle-même pour en avoir, fût-ce brièvement, secrètement souffert : elles signifiaient qu'on n'avait pas vraiment besoin d'elle pour continuer à vivre et être heureux.

À quel moment de l'existence, se demanda-t-elle, n'est-on plus le centre du monde ?

Plus elle y réfléchissait et moins elle entrevoyait la fin de son séjour à Hispañola. Le Génois lui apprit que Louis le Douzième avait rompu l'un des accords des traités de Blois et donné la main de sa fille Claude à un gros garçon vermeil, François, duc d'Angoulême, au lieu de Charles de Habsbourg. C'était bien ce qu'avait prédit un quatrain de Franz-Eckart :

> *La jouvencelle au jouvenceau*
> *Promise en vain, la nuit de noces*
> *Faillira…*

Elle le rapporta à Franz-Eckart ; il se contenta d'en sourire. Maximilien enrageait, rapporta aussi Manicozzi. La République de Gênes s'était révoltée contre le roi de France, lequel avait repris la ville et contraint tous les habitants à s'habiller de noir jusqu'à ce qu'il leur eût pardonné leurs mauvais penchants rebelles. Ces princes n'étaient donc jamais las de ces mômeries !

Sur quoi Louis le Douzième avait annexé Gênes et la Corse aux biens de la couronne.

C'étaient presque là des nouvelles des habitants de la Lune. L'état des lianes fleuries qu'elle avait plantées pour garnir la terrasse lui était bien plus important. Mais elle n'en perdit pas pour autant le sens des affaires.

Elle se procura de l'encre, du papier et une plume – une longue plume d'aigle local ! – pour écrire à Ferrando :

Cher Ferrando,

Hispañola est une île charmante et inutile. Les Espagnols s'y ennuient, jouent au tarot et aux échecs et fouettent de temps à autre ceux qu'ils appellent, contre l'évidence, des Indiens. Les rares épouses légitimes qui les aient suivis brodent, prient et médisent. À part quelques cultures de bananiers et d'autres arbres fruitiers, l'île est en friche, ce qui est dommage. Le gouverneur pense qu'on pourrait y cultiver de la canne à sucre. Je le pense aussi. Pourquoi pas de l'épeautre également. J'ignore tout de la canne à sucre, mais le gouverneur ayant besoin de capitaux, peut-être verras-tu si le projet est raisonnable. Franz-Eckart estime que le sucre remplirait les cales des bateaux à leurs voyages de retour. Par la même occasion, il enrichirait nos coffres.

Franz-Eckart, Joseph et Joachim se portent à merveille. Joseph a l'air d'un indigène qui parle latin.

Ta sœur aimante,

*Jeanne de l'Estoille, Casa Nueva San Bartolome,
près Saint-Domingue, à Hispañola de la couronne
d'Espagne.*

Deux mois plus tard, le second navire de la Compagnie, frère jumeau du premier et nommé *Stella Matutina*, lui apporta la réponse de Ferrando : il trouvait la suggestion de Jeanne judicieuse, mettait le projet à l'étude et, si la conclusion lui paraissait favorable, il s'y engagerait avant de venir à Hispañola en discuter avec le gouverneur.

Elle en informa ce dernier, qui l'invita à souper. Il évoqua les affaires, elle lui répondit qu'elle s'en remettait aux décisions de Ferrando Sassoferrato. Elle comprit qu'il comptait s'enrichir et se dit que, s'il y parvenait, la Compagnie s'enrichirait également.

On attendit donc Ferrando.

Il débarqua le 3 juin de l'année 1507, en compagnie de deux associés, l'un génois, l'autre espagnol.

Entre-temps, le paysage moral autour de la Casa Nueva San Bartolome s'était modifié.

Un incendie éclata un soir dans le village caribe qui se trouvait à mi-chemin du port et de la Casa San Bartolome. On ne sut comment il avait pris : sans doute par des flammèches échappées d'un feu qui avait incendié une première paillote indigène, laquelle avait communiqué le feu à une deuxième. Le feu était difficile à éteindre, le village étant éloigné des cours d'eau. Pis, la forêt proche, desséchée par de longs mois sans pluies, commençait à s'embraser. Elle risquait de consumer une autre habitation située entre la Casa San Bartolome et le port.

De la terrasse, Jeanne et ses compagnons voyaient bien le brasier qui rougeoyait dans la nuit et sa fumée obscurcir les derniers pans de ciel clair. Elle commença à s'alarmer. Si le feu ne s'arrêtait pas pour une raison ou une autre, la Casa San Bartolome risquait aussi de flamber. Ce serait dans trois heures ou quatre, mais le risque était certain.

Dans son écurie, Pégase donna des signes d'agitation.

On voyait filer sur la plage des animaux saisis de panique, principalement des cochons d'Inde. Les oiseaux fuyaient aussi le feu en bandes denses.

Les esclaves se lamentèrent bruyamment, car elles comptaient toutes des parents dans le village.

Jeanne décida de surseoir au souper et se rendit dans sa chambre pour ramasser ses affaires dans le coffre, projetant de fuir vers la mer si le feu s'approchait trop de la maison.

Sur son conseil, Franz-Eckart et Joseph en firent autant.

Puis tout le monde retourna sur la terrasse, regarder l'incendie.

— Où est Joachim ? demanda soudain Joseph.

On le chercha dans toutes les pièces, on l'appela. Il avait disparu.

Un temps indéfini passa et un bruit extraordinaire, apocalyptique, fit sursauter tout le monde. Les femmes caribes crièrent. Le tonnerre ! Comment, le tonnerre ? Cela faisait des semaines qu'il n'y avait pas eu d'orage. Mais l'éclair qui l'avait précédé d'une fraction d'instant ne laissait aucun doute. D'ailleurs, un autre coup de tonnerre retentit, puis un troisième. Un quatrième. On ne les compta plus. L'orage se déchaîna au nord, juste au-dessus de la montagne.

Franz-Eckart descendit le perron et s'aventura dans le jardin. Une pluie torrentielle s'abattit sur toute la région. Pour être resté dehors quelques secondes, l'imprudent rentra trempé. C'était une pluie furieuse, qui crépitait sur les toits de palmes avec une violence digne des tropiques. L'eau rejaillit sur les pierres de la terrasse. Les courants d'air firent danser les flammes des chandelles.

Les esclaves, tous réfugiés sur la terrasse, levèrent les bras au ciel et se répandirent en exclamations incompréhensibles, dans leur propre langue.

Joseph alla calmer Pégase.

Mais où était donc Joachim ?

Franz-Eckart adressa à Jeanne un regard songeur ; elle crut y déceler un imperceptible sourire.

L'averse dura près d'une heure. Quand elle prit fin, Franz-Eckart sortit de nouveau dans l'herbe détrempée : l'incendie était éteint.

Jeanne donna aux esclaves l'autorisation de rentrer chez eux, car ils se rongeaient d'inquiétude sur le sort des leurs ; elle ne garda que Stella, dont la famille habitait au port, pour l'aider à préparer un repas. Franz-Eckart et Joseph s'évertuèrent à bâtir un feu dans le four de la cour, évidemment inondé comme le reste.

Ils y étaient enfin parvenus quand un noyé apparut sur la terrasse, boueux, ruisselant, dépenaillé, les cheveux plaqués sur le crâne.

C'était Joachim.

Son visage reflétait une satisfaction inexprimable. Son regard plongea dans celui de Jeanne.

Personne ne dit mot.

— *Es el*, murmura Stella. *Es el, el hagador de lluvia.*

Elle s'avança vers lui et le regarda dans les yeux ; il ne broncha pas.

— *¡ Es un brujo !* s'écria-t-elle. *¡ Un buen brujo*[1] *!*

Elle lui saisit les bras et l'étreignit dans un élan sauvage. Il l'étreignit aussi.

Jeanne, interdite, une assiette en main, vit les yeux de Joachim s'emplir de larmes. Il pleura sur l'épaule de Stella.

Il pensait à sa mère, Mara.

Elle s'assit, proche des larmes, elle aussi.

Avant la fin de la semaine, tous les Caribes d'Hispañola savaient qu'un faiseur de pluie habitait à la Casa Nueva San Bartolome.

Ils envoyèrent une délégation, qui emplit le jardin jusqu'au sentier.

Leur chef, un vieux Caribe qu'on disait lui-même sorcier, s'avança vers Joachim, debout sur la terrasse, et lui offrit des herbes, des fleurs et une étrange petite statuette en or, qui représentait on ne savait quoi.

Il baisa la main de Joachim. Joachim le prit dans ses bras et lui donna l'accolade. Une clameur monta de la foule.

L'orage convoqué par Joachim avait sauvé la moitié du village.

Les autres Blancs sur la terrasse, Jeanne, Franz-Eckart et Joseph assistaient à la scène, submergés par l'émotion.

---

1. « C'est lui ! C'est lui le faiseur de pluie ! C'est un sorcier ! Un bon sorcier ! »

Joachim avait enfin vengé sa mère. Il l'avait vengée par la bonté.

Il se tourna vers Jeanne et, du geste, l'appela vers lui. Elle fit face à ces visages qui appartenaient aux débuts du monde, quand la méchanceté et la chaleur étaient jeunes et fraîches. Il y avait parmi eux des enfants de cannibales, peut-être cannibales eux-mêmes, jadis. Elle se souvint qu'elle avait livré son frère aux loups. Elle s'inclina et sourit. Une autre clameur monta.

Joachim appela Franz-Eckart. Il suffisait de les voir côte à côte pour savoir qu'ils étaient père et fils.

— ¡ *El incantador de caballos* ! dit le chef des Caribes, qui connaissait l'histoire de Pégase.

Franz-Eckart sourit et appela Joseph. Le garçon rejoignit son père ; le perroquet lui bécotait l'oreille. Eux aussi, on comprenait qu'ils étaient père et fils.

— ¡ *El incantador de papagallos* ! dit le chef des Caribes en riant.

La clameur qui monta fut assourdissante, ponctuée d'éclats de rire.

Une fête sans nom s'organisa dans le jardin et jusqu'à la plage. On fit rôtir des cochons d'Inde, de la volaille et des poissons. Jeanne envoya Stella acheter du vin de palme. On en but dix cruchons.

Enfin, le soir vint.

Jeanne épuisée dit à Franz-Eckart :

— Je n'aurai vécu que pour cette journée ! Je peux enfin mourir heureuse.

Il était bien temps de mourir.

Le Padre Balzamor vint le lendemain, l'œil sourcilleux.

— Les sauvages disent qu'il y a ici un sorcier ! déclara-t-il, fulminant.

Jeanne le reçut avec bonne humeur et lui répondit sur un ton de reproche :

— Padre ! Allons-nous croire aux histoires indigènes !

— Je veux voir le sorcier ! Un cheval ensorcelé ! Un faiseur de pluie ! grommela-t-il. C'est une maison de maléfices que celle-ci ! Cet homme s'appelle Joachim !

— Et qu'a-t-il fait ?

— Il a fait tomber la pluie !

Elle éclata de rire.

— Dans ce cas, Padre, il faudrait le faire engager au service de la couronne !

Il l'incendia du regard.

— Je veux voir cet homme !

Elle vit se profiler derrière le curé l'ombre sinistre de la sainte Inquisition espagnole. Et le bûcher où la mère de Joachim avait péri et où elle avait elle-même failli achever prématurément sa vie. Les infâmes bûchers de la puissance cléricale ! Ceux qui avaient consumé Jeanne d'Arc. Une colère violente la saisit.

Les enjeux étaient grands. Il fallait remporter cette partie haut la main.

Joachim aidait Stella à installer une étagère supplémentaire à la cuisine. Jeanne l'appela, il vint et dévisagea le visiteur. Celui-ci déboucha une gourde qu'il tenait attachée à la ceinture et en jeta le contenu au visage de Joachim, interdit.

C'était évidemment de l'eau bénite. Elle ne grésilla pas. Joachim ne se transforma pas en animal cornu. Il s'essuya le visage et regarda le Padre Balzamor d'un air étonné.

426

Décontenancé, celui-ci dévisagea Joachim de près. Joachim le dévisagea aussi. Ils se regardèrent, nez à nez.

— Satan, retire-toi de cet homme ! clama le Padre, agitant sa croix devant Joachim.

Rien n'advint. Aucun démon ne s'échappa en sifflant de la bouche de Joachim, qui se contenta de sourire.

— Pourquoi ne parle-t-il pas ? demanda le Padre.

— Les infidèles mahométans ont torturé Joaquín Cordoves quand il était enfant et lui ont coupé la langue, Padre, dit Jeanne d'un ton sévère. Maintenant, je crois que vos soupçons deviennent offensants. Vous persécutez une victime des païens. Je me plaindrai à l'évêque et au gouverneur !

Il la regarda, d'abord stupéfait, puis penaud. Sans doute vit-il aussi les cent maravédis qu'elle lui donnait à Pâques et à Noël s'évanouir en fumée.

— Je vous ferai accuser de superstition auprès de l'évêque de Séville pour croire à des fables païennes ! tonnat-elle. Et j'en informerai l'Inquisition. Un homme d'Église qui vit dans le péché !

— Non, plaida-t-il, épouvanté. Je voulais vérifier…

— C'est tout vérifié. Je vais demander qu'on vous fasse exorciser vous-même ! C'est l'une des ruses du diable que de se faire passer pour exorciseur !

Il la regarda d'un œil rond où luisait de la terreur.

— Non !

— Alors, présentez-moi une demande d'excuse et allezvous-en !

— Pardonnez-moi…

— Je vous pardonne.

— Vous ne direz rien au gouverneur ?

— Non. Allez-vous-en.

Il partit la tête basse.

Jeanne et Joachim éclatèrent de rire.

Bobadilla aussi avait entendu ces rumeurs.

Des Caribes avaient vu Joachim sur la montagne, les bras levés, pendant l'incendie. Et peu après, l'orage avait éclaté. L'attitude respectueuse des Caribes devant Joachim en disait long.

Le gouverneur n'était pas près d'oublier l'histoire du cheval.

Toute la colonie espagnole d'Hispañola en jasait.

Mais Ferrando Sassoferrato venait de débarquer avec deux associés pour débattre du projet de plantation de canne à sucre. Cela représentait de l'argent. Beaucoup d'argent. Le sucre ne coûterait quasiment rien à produire sur l'île ; en Espagne, une livre de sucre se vendait trois cents maravédis. Mille livres de sucre représenteraient trois cent mille maravédis. Soit huit cents écus ! Cinq navires transportant chacun mille livres de sucre achemineraient donc vers Cadix quatre mille écus de sucre ! Frais de transport payés, cela ferait trois mille cinq cents écus par mois. Net.

Bon, il faudrait partager avec les financiers. Il n'y aurait qu'à doubler les surfaces cultivées, moitié pour moi, moitié pour toi.

Bobadilla ne se tenait plus d'impatience. Il deviendrait l'un des hommes les plus riches d'Espagne.

Et l'on pouvait cultiver la canne à sucre toute l'année !

Ces histoires de faiseur de pluie ne pesaient pas lourd en regard des fortunes escomptées. D'ailleurs, elles ne résistaient pas à l'épreuve du bon sens. Quant à l'affaire du cheval, bah ! une lubie d'animal.

Lorsque le chef de la Casa de Contratación lui parla du faiseur de pluie de la Casa San Bartolome, il le toisa avec hauteur et s'étonna qu'un Espagnol chrétien pût croire à des fables indiennes. L'autre se le tint pour dit.

L'évêque s'inquiéta : le secrétaire du gouverneur lui expliqua que les animaux se comportaient souvent de façon étrange sous les tropiques et que les orages soudains y étaient fréquents. Le *monsignor*, d'ailleurs, était absorbé par le fruit de la quête qui lui permettrait de faire construire une véritable église au lieu de la paillote améliorée du Padre Balzamor. La baronne de l'Estoille avait donné cinq écus. On n'allait pas l'embêter avec des soupçons de sorcellerie pesant sur sa maison.

On pouvait, en effet, espérer d'elle dix écus de plus.

Le reste de la colonie apprit que le gouverneur Bobadilla et l'évêque rejetaient avec mépris les ragots superstitieux. Les dames espagnoles se remirent à saluer Jeanne avec chaleur à l'église. Elles reprirent leurs visites et leurs invitations, également assommantes.

Le gouverneur accueillit Ferrando et ses associés avec exubérance et donna un souper auquel Jeanne et Franz-Eckart furent conviés. Jeanne vit là plus de vaisselle plate que jamais. Et même des fourchettes. Les serviteurs caribes étaient vêtus d'uniformes jaunes à parements rouges. L'épouse du gouverneur rutilait comme une châsse ; elle souriait parcimonieusement, de peur que le masque de blanc d'Espagne qu'elle portait se fendillât. Elle avança sur la nappe une griffe parsemée de ces taches de vieillesse qu'on appelle fleurs de sépulcre. Un rubis et une émeraude de Golconde étincelaient à ses doigts. La *señora* Bobadilla aimait les bijoux.

— La mise de fonds est dérisoire, déclara Ferrando, quand le vif du sujet fut abordé. Cent plants de canne donnent trois cents boutures à planter et mille, trois mille. Vous connaissez le principe : on coupe une tige en trois et l'on plante trois bouts en terre. Chacun donne un rameau qui pousse et devient en trois mois un plant entier.

À l'évidence, Bobadilla n'en savait rien. Il écoutait Ferrando comme les dindons de la fable écoutèrent le renard qui dansait devant eux.

Franz-Eckart demeurait impassible.

— Ce qui compte, reprit Ferrando, ce sont les terrains et la main-d'œuvre. Car il faut d'abord irriguer la terre, ensuite récolter les plants. Vous prenez les joncs coupés et vous les pressez sous une meule de pierre. Vous recueillez le jus ; il est grossier ; vous le trempez dans l'eau. Le sucre se dépose et vous le laissez sécher. Il se transforme en cristaux. Il ne vous reste plus qu'à les recueillir et à les mettre en sacs. Revenons aux terres. Vous en avez à Hispañola des milliers d'arpents. Nous les achetons avec vous. Qu'en donnerez-vous à la couronne ? Quasiment rien. Ils ne valent pas un maravédis l'arpent. Un arpent produit quatre-vingts livres de sucre pur. Soit deux mille quatre cents maravédis sur les marchés d'Espagne. Déduisez les frais : deux mille maravédis. À deux récoltes par an, cela fait quatre mille maravédis l'arpent par an. Mes associés et moi demandons mille arpents pour nous.

Bobadilla était ivre de ces visions mirifiques. Il ignorait tout cela. Il se vit millionnaire.

Il but une gorgée de vin aigre.

— C'est accordé, dit-il.

Jeanne songea qu'elle gagnait à la fois sur la marchandise et le transport.

— Mais la main-d'œuvre ? dit Ferrando, penché sur la table, son regard de furet vissé sur le gouverneur.

Bobadilla écoutait.

— Il y a les « Indiens », répondit-il enfin.

La *señora* Bobadilla ne comprenait pas un traître mot de la conversation ; elle se tourna vers Jeanne et lui sourit.

Les esclaves activèrent les éventails de vannerie au-dessus des convives.

— Vos « Indiens » ne suffiront pas longtemps.

— Et alors ?

— Et alors vous devrez importer des esclaves.

Exactement ce qu'avait annoncé Franz-Eckart lors de la première conversation avec le gouverneur. Jeanne le regarda : un visage de sphinx.

— Il faudra les acheter, dit Bobadilla.

— Gouverneur, à quatre mille maravédis l'arpent par an, avec cent arpents, vous gagnez plus de mille écus l'an. Avec mille arpents, et qu'est-ce pour vous que mille arpents sur une terre en friche située entre le diable et la lune ? vous gagnez un million d'écus. Le prix de quelques esclaves est en regard dérisoire !

Bobadilla éclata de rire.

— *Señor* Sassoferrato, vous me donnez le vertige.

— Je préfère vous donner le vertige que de vous laisser des regrets.

— D'où viendraient les esclaves ? demanda Bobadilla.

— D'Afrique, répondit Ferrando.

— Ai-je besoin de vous pour gagner ces fortunes ? demanda Bobadilla, après un nouvel éclat de rire.

— Oui, parce que vous nous laisserez le soin de vos cultures et des nôtres. Et des moulins pour l'extraction du sucre.

Exactement le raisonnement de Déodat, quand il avait acheté des vignobles contigus à ceux qu'Ythier convoitait, se dit Jeanne. Mais là, en plus, Ferrando et ses associés prenaient le fermage des plantations.

— Vous avez les mille arpents, déclara Bobadilla.

— Nous établirons notre contrat demain, dit Ferrando, se tournant vers ses associés. Et nous irons reconnaître les terres.

C'était l'arrêt de mort du Paradis.

Le plâtrage de la *señora* Bobadilla commençait à se fendiller. Sa main ornée griffa la nappe damassée.

L'heure s'avançait.

Deux Caribes porteurs de torches précédèrent les invités du gouverneur, les aidèrent à monter dans les carrioles et ne les quittèrent qu'à la maison.

Comme à leur habitude, Joseph et Joachim jouaient aux échecs sur la terrasse, dans un nuage de phalènes et de moucherons.

Jeanne et Joachim se regardèrent. Savait-il qu'elle lui avait sauvé la vie en vendant le Paradis ?

32

Sucre et friandises

Ainsi, contrairement aux appréhensions de Jeanne, ni Joachim, ni Joseph ni Franz-Eckart ni elle-même n'avaient perdu leurs identités. Ils s'étaient simplement dépouillés du superflu avec leurs vêtements.

Joachim était demeuré le fils de Mara, capable d'appeler la pluie.

Joseph était plus familier de la nature que des humains.

Franz-Eckart charmait toujours les animaux.

Et Jeanne domptait les humains.

Ferrando, ses associés, ainsi que Jeanne et ses compagnons partirent reconnaître les terrains que le gouverneur Bobadilla proposait de leur vendre. Ils se situaient à l'est de l'île, suffisamment protégés des vents du large.

Une semaine se passa à établir les termes de l'association, placée sous couleurs espagnoles pour ne pas susciter d'intrigues ; l'associé espagnol de Ferrando agissait en tant que chef de la compagnie fermière. Le gouverneur vendait à cette compagnie mille arpents de terre à un maravédis l'arpent et concédait à la compagnie l'exploitation de mille autres arpents, propriété personnelle du gouverneur.

Quand tout fut signé, paraphé, enregistré, Ferrando fit descendre du navire quatre grands ballots enveloppés dans de la toile, longs de trois toises chacun[1] et fort lourds. Il invita le gouverneur à le suivre et, ayant emprunté à Jeanne trois de ses esclaves mâles, il fit charger les ballots sur deux carrioles. Et l'on reprit le chemin des terrains.

Arrivé à destination, Ferrando fit décharger l'un des ballots et en déchira le sac à la pointe de sa dague.

— Voici, Excellence, des plants de canne à sucre, dit-il au gouverneur qui n'en avait jamais vu.

Les plants étaient entiers, de la racine aux floraisons terminales. Bobadilla se pencha dessus : c'était donc de ces joncs que viendrait la fortune.

Ferrando donna à un esclave l'ordre de couper la canne en trois parties égales, les saisit et les planta à une distance d'un pied l'une de l'autre. Jeanne nota qu'il enfonçait la bouture en terre dans le sens de la sève et qu'il vérifiait que chaque section comportât un œil. Mais cela, il ne l'avait pas dit au gouverneur et elle se garda d'y faire allusion.

Il fit de même sur ses terres avec tous les plants qu'il avait apportés ; cela fit un total d'à peu près cent cinquante boutures. Puis le petit cortège se déplaça vers les terres du gouverneur et l'on planta les premières boutures.

— Mes esclaves sauront faire cela, dit le gouverneur, qui ne se sentait pas d'humeur à suivre l'opération jusqu'au bout.

Ferrando lui lança un bref regard et lui confia le reste des plants.

— Et les autres plants ? demanda le gouverneur.

— Je les apporterai moi-même à mon prochain voyage.

Ferrando et ses associés repartirent.

---

1. Une toise équivaut à peu près à deux mètres. Certains plants atteignent quinze mètres.

Jeanne et Franz-Eckart vinrent presque tous les jours surveiller la pousse des boutures. L'œil sortait de son petit nombril, dardait un brin vert qui bientôt grossit, montra des cannelures et, au bout de deux semaines, témoigna de toutes les promesses d'une belle canne entière.

Sur les terres du gouverneur, un bon tiers des boutures ne donnaient rien du tout.

Ce fut alors qu'un nouvel incident vint troubler l'atmosphère chaude d'Hispañola.

Stella et une Caribe inconnue, qui se révéla être sa fille, Carola, amenèrent à la Casa San Bartolome un poupon lamentable, enveloppé dans une pauvre couverture râpée. C'était le petit-fils de Stella.

Jeanne se pencha sur l'enfantelet ; il parvenait à peine à ouvrir les yeux, son souffle était court et son teint, cendré ; Jeanne eut le sentiment que ses heures étaient comptées. La mère et la fille étaient éplorées : c'était le premier enfant de Carola, et les Caribes considéraient comme un mauvais augure qu'un premier-né mourût à sa naissance. Pour eux, cela signifiait qu'un sort avait été jeté sur le clan.

Franz-Eckart, Joseph et Joachim achevaient la collation du matin. Tout le monde comprit pourquoi les deux femmes avaient amené le poupon.

Joachim se leva, prit le petit agonisant dans ses bras et sortit.

Le cœur de Jeanne bondit dans sa poitrine. Si l'enfantelet mourait dans les bras de Joachim, Dieu seul savait ce que les esprits simples des Caribes en déduiraient. Et s'il le guérissait… Mais le guérirait-il ?

Les deux femmes voulurent suivre Joachim. Il se retourna et secoua la tête.

Le reste des esclaves, rassemblé, regarda Joachim partir avec l'enfant dans les bois.

Une atmosphère anxieuse et funèbre envahit la Casa San Bartolome.

Stella balaya les sols en soupirant. Juanita partit laver le linge de la maison au torrent. On n'entendit que les bruits secs des domestiques qui débroussaillaient le jardin.

Joseph n'alla pas à la plage. Il sortit Pégase au jardin, pour le faire paître, puis s'assit sur la terrasse, tendu, caressant de temps à autre le perroquet ou lui tendant un bout de banane. Franz-Eckart ne lui donna pas sa leçon. Le garçon paraissait en transe. À un certain moment, il ruissela de sueur, sans faire un geste. Il semblait lié par la pensée aux efforts de son grand-père.

On entendait Carola pleurer.

Peu après midi, des exclamations éparses jaillirent du côté des esclaves dans le jardin. Joseph releva la tête.

Jeanne aperçut Joachim qui revenait du côté de la mer, à pas lents, portant l'enfant dans les bras. La lassitude de Joachim était évidente ; il paraissait même accablé. Joseph courut vers lui.

L'enfant est mort ! se dit Jeanne, et son cœur se serra.

Joseph gravit lentement le perron.

Les femmes caribes le regardèrent avec une tension insoutenable.

L'enfant poussa un cri. Bras tendus, Joachim le présenta aux femmes. Tout le monde s'élança vers lui. L'enfant s'agita. Carola le prit des bras de Joachim et regarda l'enfantelet de près : il avait changé de couleur. Ses yeux étaient ouverts. Il vagissait.

Stella se jeta aux pieds de Joachim. Toutes les femmes en firent de même. Elles lui baisèrent les pieds et les mains. Il les releva. Joseph alla le soutenir, car il chancelait. Les esclaves accoururent du jardin.

— Laissez-le se reposer, leur dit Jeanne. Il est fatigué.

Elle ordonna à Stella de lui servir une petite collation et un verre de xérès.

Joseph entoura de son bras les épaules de son grand-père, sous le regard songeur de Franz-Eckart.

Jeanne s'adressa aux esclaves :

— Je ne veux pas de réunion ici ce soir. Les gens disent que la Casa San Bartolome est une maison de sorcier. Cela n'est pas bien pour nous. Si vous nous aimez, ne faites pas de manifestation.

Il n'y eut donc pas de réjouissances comme la fois où la pluie avait éteint l'incendie, et Jeanne espéra que ni le Padre Balzamor ni le gouverneur n'en sauraient rien. Le lendemain, néanmoins, quand elle alla au marché avec Stella, elle s'avisa aux regards des Caribes que l'affaire s'était ébruitée. On refusa qu'elle payât ses achats. Elle dut insister. Une vieille femme lui baisa les mains.

Le lendemain, le gouverneur en personne se rendit à la Casa San Bartolome. Il était sourcilleux et son salut fut contraint.

— Il me faudra croire, madame, qu'il y a bien quelque fondement à toutes ces rumeurs de sorcellerie concernant la Casa San Bartolome. J'apprends maintenant que votre ami Joaquín Esteves guérit les mourants et je découvre qu'un tiers de mes plants de canne à sucre ne poussent pas du tout, alors que tous les vôtres sont florissants.

Elle rassembla son sang-froid.

— Voulez-vous, Excellence, que nous allions voir vos plants ensemble ? demanda-t-elle d'un ton égal.

— Vous allez les faire reverdir, je suppose ?

— Non, Excellence, répondit-elle en souriant. Je vais vous dire la cause de leur échec.

— Vous connaîtriez la canne à sucre, maintenant ?

La morgue reparaissait au travers de la contrariété.

— Non, Excellence, mais en tant que fermière, jadis, je sais ce que sont les boutures, car ce sont des boutures que vous avez plantées, et je sais pourquoi elles poussent ou non.

Elle le fixa du regard. Elle le savait bien : pour le gouverneur, les intérêts passaient avant les rumeurs. Mais elle se doutait bien que, s'il le pouvait, Bobadilla se servirait des rumeurs en faveur de ses intérêts. Il se lissa la moustache et hocha la tête.

— Fort bien, convint-il. Vous êtes cavalière, me dit-on ?

Elle hocha la tête. C'était comme une épreuve ; il voulait vérifier qu'elle montait bien Pégase.

— Prenez donc le cheval de mon secrétaire.

Elle mit le pied à l'étrier gauche et monta donc en amazone. Il la regarda, étonné, puis comme la courtoisie l'exigeait, il se rangea à gauche de la cavalière. Le secrétaire suivit à pied.

Ils arrivèrent à la plantation. Le secrétaire l'aida à mettre pied à terre. Le gouverneur indiqua les plants qui s'étaient desséchés. Elle se pencha, examina une bouture morte et l'arracha.

— En voici la raison, Excellence. Votre bouture a été plantée la tête en bas. La sève tirée du sol ne peut monter. Aussi n'a-t-elle pu développer de racines.

Il parut ébahi. Elle rejeta le plant et haussa les épaules.

— Mais pourquoi vos plants ont-ils tous pris ?

— Vous rappelez-vous, Excellence, que mon beau-frère les a lui-même plantés un à un et que vous vous en êtes même lassé ? Il vous a proposé de planter vos boutures, mais vous avez assuré que vos hommes sauraient le faire. Ils n'ont cependant pas su distinguer le sens de la bouture. Voilà votre sorcellerie.

Il se tapa sur les cuisses et éclata d'un rire incrédule.

— Accepterez-vous mes excuses ? demanda-t-il.

— Excellence, elles me flattent. Mais l'occasion est bonne pour éviter que vos esclaves refassent la même erreur sur une plus vaste échelle. Vous n'avez là qu'une cinquantaine de boutures perdues. Ce serait bien plus grave avec cinq cents. Voilà pourquoi mon beau-frère vous avait offert ses services.

Elle avait remis toute l'affaire sur le terrain du bon sens. Il se tourna vers son secrétaire, qui écarta les mains pour exprimer son impuissance.

— Vous m'aviez parlé d'une autre affaire de sorcellerie, il me semble ? reprit-elle.

— Cet homme, Joaquín Esteves, on raconte à Saint-Domingue qu'il guérit les mourants ?

— Les apothicaires aussi, parfois, Excellence.

— Je ne comprends pas...

— Joachim connaît les herbes. On lui a présenté un enfant malade. Il est allé chercher dans la forêt des herbes et des plantes qui pourraient le guérir. Comme ces produits agissent plus vite chez les nouveau-nés, il a donc guéri l'enfant. Les Caribes, qui sont ignorants, ont inventé je ne sais quelle fable. Va-t-on accuser les herboristes et les apothicaires de sorcellerie ?

Il soupira et baissa la tête. Puis il eut un rire bref. Ce fut lui, cette fois, qui l'aida à monter à cheval.

— Vos alarmes procédaient de l'ignorance des Caribes, déclara-t-elle quand elle fut en selle. Et cette ignorance porte curieusement sur les plantes. Ces gens n'y connaissent rien.

Il hocha longuement la tête. Quand ils furent de retour à la Casa San Bartolome, il mit pied à terre le premier, aida Jeanne à descendre et lui baisa la main.

— Heureux ceux qui partagent votre vie, lui dit-il.

— Heureux les bénéficiaires de votre vigilance, Excellence.

— Soyez assurée de mon amitié, je vous prie.

Et il s'en fut après avoir ostensiblement salué Franz-Eckart et Joachim qui se trouvaient sur la terrasse.

— Une fois de plus, j'ai sauvé la mise ! dit-elle à ses compagnons. Quel métier ! Je vais me baigner dans la mer.

Les faits, cependant, avaient leur logique, et têtue.

Deux jours plus tard, Joachim fut absent à la collation du matin. Elle supposa d'abord qu'il était parti de bonne heure se promener en forêt, mais l'intuition l'en dissuada.

Elle trouva à Stella une expression inhabituelle et comme facétieuse.

— Je crois que Joachim a passé une nuit de noces, finit par dire Franz-Eckart.

Jeanne fut abasourdie.

Joseph riait sous cape, bien que presque nu.

— Le conseil des Caribes a décidé qu'un homme aussi merveilleux que Joachim devrait laisser une descendance sur l'île. Il lui a donc offert une vierge.

— Mais comment sais-tu cela ? demanda Jeanne.

— J'ai écouté certains propos des esclaves. Je me proposais d'interroger Joachim, mais il avait déjà disparu. N'étant certain de rien…

Tout à coup, la réalité des corps fit irruption dans l'esprit de Jeanne. Elle s'avisa que Joachim n'avait que cinquante ans et qu'il n'était certes pas muet de partout. Elle regarda Joseph et il sut d'emblée quel regard elle portait sur lui. Il avait douze ans révolus et les signes de la virilité n'étaient que trop évidents quand il se jetait nu à l'eau.

Elle était peut-être au Paradis, mais les anges y avaient un sexe.

— Eh bien ! dit-elle.

Et elle s'assit avec un sourire.

— As-tu vu cette… fille ?

Franz-Eckart secoua la tête.

— Et c'est ainsi que je vais avoir un oncle ou une tante plus jeune que moi, dit Joseph.

Jeanne but pensivement son lait de coco et mangea un œuf dur. Un œuf de poule espagnole. On n'avait même pas de beurre pour les faire cuire sur le plat. Puis elle mangea une patate douce. Le lait lui manquait, mais les vaches, à Hispañola, étaient des animaux aussi fabuleux que les licornes en France.

Franz-Eckart avait tracé au milieu du jardin un cercle divisé en douze parties, au milieu duquel il avait planté un piquet à la pointe durcie au feu. Quand le piquet ne projetait pas d'ombre, on était à peu près à midi. Ce cadran solaire était quelque peu rudimentaire, Franz-Eckart en convenait, et il eût fait bien mieux avec un astrolabe, mais l'installation restait néanmoins fiable pendant le jour.

Vers dix heures, Joachim apparut. Accompagné. Souriant.

Sa compagne correspondait à l'idée qu'on eût pu se faire d'une nymphe antique, mais à la peau de bronze pâle, du moins si on lisait les poètes latins.

Jeanne fut saisie.

Franz-Eckart et Joseph aussi.

Les femmes esclaves observaient le couple comme s'il était descendu du ciel. Jeanne se leva pour l'accueillir.

— Eh bien, Joachim, dit-elle, vous êtes en retard pour la collation. Venez donc vous asseoir avec votre… épouse.

Il les regarda tous, les siens, les esclaves, ému, imperceptiblement goguenard. Puis il s'assit.

Les servantes s'empressèrent, aux anges.

Quand la collation fut achevée, Joachim alla dans la chambre de Jeanne. Elle l'y suivit. Il cherchait de l'encre, du papier, une plume.

Elle ne l'avait jamais vu écrire.

Il rédigea pour elle ce mot :

> *Jeanne, Franz-Eckart, Joseph, ne m'attendez pas*
> *ce soir à dîner. Je viendrai parfois pour vous voir,*
> *parce que je vous aime, mais ma vie est*
> *dans les montagnes. Avec Estefania.*
>
> *Joachim.*

Joachim revint parfois à la Casa Nueva de San Bartolome, le plus souvent pour dîner, en compagnie de son épouse. Il joua aux échecs avec Joseph ou Franz-Eckart.

Ses yeux étaient ailleurs.

C'est mieux ainsi, pensa Jeanne. La société chrétienne, fondée au nom d'un rebelle juif d'il y avait quinze siècles, n'était guère favorable ni aux rebelles ni aux inspirés. En Europe, Joachim aurait sans doute aucun fini sur le bûcher.

On jasa dans la colonie espagnole d'Hispañola. Mais avec réserve, car les dîners de la Casa San Bartolome étaient honorés de la présence du gouverneur et du directeur de la Casa de Contratación.

De plus, on assurait que la cuisine y était d'un raffinement inouï et l'on parlait avec une langue gourmande d'une certaine fricassée de canard au xérès et aux baies sauvages.

L'évêque Nunez battait froid à Jeanne, protectrice officieuse d'un sorcier capable de bien plus de prodiges qu'il n'aurait lui-même su en accomplir. Mais le gouverneur s'abstint de mentionner l'ensauvagement d'un membre de la maisonnée de la Casa San Bartolome. En effet, Ferrando était revenu sur la *Stella Matutina* avec mille plants de canne à sucre. Et il dirigeait à présent la taille d'une meule à canne à sucre. Six esclaves, sous la conduite d'un contremaître génois, dégageaient à coups de ciseau et de maillet la forme d'un vaste disque plat creusé d'un trou en son centre.

À la fin de l'année 1507, Joachim arriva avec un enfantelet dans les bras. Le sien et celui d'Estefania. Un garçon. Le demi-frère de Franz-Eckart et l'oncle de Joseph.

Le fils de Janós Hunyadi et de la magicienne Mara s'était enraciné. Comme une bouture.

Joseph prit le poupon dans ses bras, le berça, l'embrassa, et le nourrisson finit par tendre la main vers la joue de celui qui, somme toute, était son neveu. Franz-Eckart, songeur, observa la scène sans mot dire. Joseph était déjà père, par l'esprit.

L'année 1508 vit le premier acheminement vers Cadix de deux mille livres de sucre roux, produit des plantations du gouverneur et de la Compagnie maritime du Nouveau Monde. Puis elle disparut comme une averse dans le sable.

Lui succéda l'année 1509. Six mille livres de sucre, dans des sacs de vannerie confectionnés par les Caribes.

L'évêque tonna contre les chrétiens qui, dans la chaleur des tropiques, redevenaient païens. Vainement : nul n'ignorait qu'il vivait lui-même avec une Caribe. Et comme il n'avait pas de cheval et qu'il était contraint d'aller à pied, il entendait bien qu'on ricanait sur son passage.

Jeanne se fit expédier par Ferrando cinq cents autres écus, ayant dépensé le plus clair de ses provisions en achats somptuaires de vaisselle, d'argenterie et autres menus plaisirs.

En l'an 1510, l'inévitable advint : Joseph succomba aux charmes d'une Caribe de son âge, près de quinze ans : Valeria. On ne le vit quasiment plus à la Casa San Bartolome, sinon quand il passait sur Pégase, avec Valeria en croupe, et qu'il s'arrêtait pour embrasser son père et Jeanne, avec son perroquet sur l'épaule.

Pour le fixer, Jeanne lui offrit deux pièces de la Casa San Bartolome. Ce fut dans l'une d'elles que Valeria accoucha d'une fille, qu'on nomma évidemment Juanita.

Déodat vint cette année-là avec son épouse Yvonne et leurs enfants. Un soir de rires, on s'efforça d'établir le lien de parenté de Juanita avec Georges, le cadet des enfants de Déodat, et l'on s'avisa qu'elle était sa petite-nièce : à quatre ans de différence.

Jeanne le voyait bien : ce monde les emplissait de vertige. Leur identité risquait de s'y dissoudre.

Elle eût voulu faire construire une aile de plus à la Casa San Bartolome. Mais elle hésita longtemps, et le pis était qu'elle savait pourquoi. Soixante-quinze ans. La vue qui faiblissait. Le muscle aussi. Et le désir. À force de s'être occupée des autres, elle avait perdu un peu de son identité.

Elle fit un rêve, une nuit. Un fleuve immense et lent descendait du ciel. Un fleuve d'âmes. Elle y figurait et coulait du ciel vers la terre. Dans ce fleuve figuraient des êtres chers, ses parents, Denis, François Villon, Matthieu, Barthélemy, Jacques, Joseph, Aube, Franz-Eckart… Elle les rejoignait, puis s'éloignait d'eux, puis les retrouvait. Eux et des milliers d'autres faisaient partie de ce fleuve. Ils étaient ce fleuve.

À la fin, elle n'avait plus d'importance.

Ce matin-là, Joachim vint partager la collation du matin avec eux. Il avait amené sa compagne, Estefania, et son fils, Janós. Estefania croyait que ce nom avait été choisi pour faire honneur à Jeanne.

Déodat et Yvonne regardèrent avec stupeur ce sauvage qu'ils connaissaient et ne connaissaient pas.

— Il s'est enfin retrouvé, conclut Franz-Eckart.

Lors d'un souper chez le gouverneur, on parla du Continent du Sud qu'on commençait à mieux connaître.

Elle se rendit compte qu'elle s'en fichait absolument.

À Noël 1511, le nouveau gouverneur ne l'invita pas, parce que le roi Louis le Douzième avait convoqué un concile à Pise pour faire déclarer le pape schismatique. Elle portait les fautes de son roi.

Une fois de plus, exactement ce qu'avait prédit Franz-Eckart.

Le lendemain, elle demanda à Joseph, en présence de Franz-Eckart :

— Veux-tu vivre ici ou rentrer en France ?

La question le surprit. Fallait-il choisir ? Tout le monde ne vivait-il pas heureux à Hispañola ?

— J'ai ici une femme et un enfant, répondit-il.

Le perroquet lui bécota la joue.

L'être humain choisit toujours la pente la plus douce. Au nouveau pays du sucre, Joseph avait évidemment cédé aux sucreries de l'existence.

— Je rentre en France, lui annonça-t-elle. Je te lègue la Casa San Bartolome. Tu recevras ta part des bénéfices de la Compagnie. Ils ne seront pas énormes, car beaucoup d'autres les partageront avec toi. Écris-moi de temps à autre.

Joseph regarda son père.

— Je rentre avec Jeanne, lui dit Franz-Eckart.

Joseph s'élança vers Jeanne, la prit dans ses bras et l'étreignit. Il posa la tête sur son épaule et la tint ainsi, un long moment.

— Tu sais qu'ici, je suis plus près de chez moi.

Que signifiaient ces mots ? Chez lui ? Le paradis ? Non, la liberté. Le perroquet voletait au-dessus d'eux, imitant le rire de Jeanne. Elle se dit qu'en effet, à l'instar de son grand-père, il serait moins contraint à Hispañola qu'en France.

Elle fit sa malle sans regrets et, même, avec allégresse. Tout ce qu'elle emportait d'Hispañola était la fidélité de Franz-Eckart.

— Il y a des filles, des fleurs et des étoiles, lui dit-elle. Ne veux-tu pas rester ?

Il rit.

— Je te l'ai dit, Jeanne. Je n'ai plus besoin d'aller nulle part, j'y suis déjà. Ne me connaissais-tu pas ?

Il légua Pégase à son fils. Joachim, mystérieusement informé, vint les embrasser, lui et Jeanne. Ils le savaient : ils ne se reverraient plus. Les grâces dodelinantes des plantes à fleurs rouges et le parfum des jasmins fous se gravèrent dans leurs mémoires.

Ils prirent, pour retourner à l'Ancien Monde, le cinquième navire de la Compagnie maritime du Nouveau Monde, *Cruz del Sul*.

Au port, le capitaine les informa qu'ils partaient à temps, car une maladie bizarre décimait les « Indiens » davantage encore que les Espagnols. C'était une dysenterie souvent fatale. Au port aussi, ils virent débarquer une horde épouvantable, des spectres noirs : les premiers esclaves africains, achetés à des rois arabes pour cultiver la canne à sucre.

À bord, Jeanne n'avait plus l'énergie nécessaire pour faire cuire des soupes. Elle se contenta de l'ordinaire du capitaine : soupe de fèves noires ou de chou avec des miettes de viande boucanée.

Elle et Franz-Eckart firent néanmoins un petit festin à Cadix.

Vingt-trois jours plus tard, ils étaient à Angers.

Frederica, exaltée, tourneboulée, en dansait presque. Elle leur prépara un souper comme jadis.

Comme jadis.

Jeanne remarqua que le lys rouge, rapporté il y avait bien des années par Déodat, prospérait. Il disposait à présent d'un grand pot orné. Pourvu qu'on le rentrât à la froidure, il se portait splendidement.

33

La fleur d'Amérique

Déclaré schismatique par le concile de Pise, en 1511, Jules II convoqua à son tour un concile à Latran, en 1512, pour excommunier le roi de France.

Ces batailles de mitres ne changèrent à vrai dire rien à la vie quotidienne.

Franz-Eckart résolut de ne plus écrire de quatrains. Prudence superflue : le père Lebailly vint lui annoncer que le cardinal Georges d'Amboise était mort quelques mois auparavant. Sa tribu était désormais sans pouvoir.

Les vins des propriétés de Jeanne s'amélioraient.

Ciboulet, presque septuagénaire et marchant avec peine, vint à Angers, pour le plaisir de revoir sa maîtresse. Il lui apprit que Sidonie, la sœur de Guillaumet, était morte d'une fluxion et que sa pâtisserie était passée aux mains de sa propre fille, âgée de vingt-trois ans, qui s'en tirait fort bien.

— Guillaumet n'est plus très jeune, ajouta-t-il. C'est son fils Gontrand qui tient l'affaire.

Décidément, les pâtissiers duraient plus longtemps que les rois ; l'équipe pâtissière de Jeanne en avait déjà vu quatre et elle en verrait sans doute un cinquième, car l'on murmurait que Louis le Douzième était malade.

Pendant les années passées à Hispañola, Jeanne avait vécu en plein air. Mais l'âge l'avait rendue frileuse ; sauf quand les journées de printemps étaient douces, et l'été, elle préférait le coin du feu. Sa lecture favorite était une traduction de Sénèque, *De la tranquillité de l'âme*, imprimée par François aux Trois Clefs.

Le livre lui glissait parfois des mains et elle dérivait dans une torpeur crépusculaire. Elle revoyait des visages aimés.

Un jour, il lui sembla que Barthélemy se tenait au coin de l'âtre, debout ; elle lui sourit et allait lui parler quand Frederica entra pour lui demander si elle souhaitait qu'on ajoutât de l'ail à une fricassée de poularde.

Une autre fois, elle vit Denis, en larmes. Elle s'affola, se redressa sur son siège. Avait-il enfin compris son crime ? S'était-il repenti ?

Mais la vision disparut.

En 1513, Louis le Douzième, battu à Novare par la Sainte Ligue de Jules II et de Maximilien, perdit le Milanais. Les Suisses assiégèrent Dijon. Henry le Huitième d'Angleterre fit le siège de Thérouanne, l'emporta et rasa les murs de la ville. Tant de frais engagés, tant de sang versé, et rien à la fin. Depuis plus d'un demi-siècle qu'elle observait l'humanité, Jeanne n'en retirait qu'une immense tristesse.

Mais aussi la fierté d'avoir épargné aux siens les blessures et les déboires de ceux qui frayaient avec les princes.

Cette année-là, 1513, elle convoqua tous les siens à la maison L'Estoille : Ferrando, ses fils et son frère, François, Jacques-Adalbert, Déodat et Léonce Doulcet.

— Je me fais vieille, leur dit-elle, et je ne suis pas éternelle. En un demi-siècle, nous tous et moi-même avons constitué un patrimoine qu'une gestion prudente nous a permis d'étendre. J'ai commencé par être pâtissière. Par l'ironie du sort, nos plantations outre-Atlantique produisent du sucre. Nous possédons également une draperie, des fermes, des vignobles, une imprimerie, une compagnie maritime forte de cinq navires et une compagnie d'assurances. Nous possédons enfin des maisons à Paris, à Strasbourg, à Angers, à Genève et maintenant à Cadix. Tout cela nous a permis d'être banquiers. Les bénéfices sont également répartis entre vous. Je vous adresse la prière suivante : ne laissez jamais la vanité compromettre le fruit de tant d'efforts. Nous avons pu maintenir ce patrimoine en évitant de nous engager dans les querelles de princes. À leurs yeux, tout étranger est l'ennemi et tous les biens de ce monde leur appartiennent en dernier recours. Rien n'est moins chrétien qu'un prince, à commencer par le pape, et tout homme qui porte un glaive est perdu. Le pouvoir est un ver corrupteur. Ne vous laissez jamais séduire par le désir de briller et de montrer votre bien. Ne vous séparez jamais. Votre force est dans votre union. Que vos enfants grandissent dans cette croyance.

Ils l'avaient écoutée en silence. Elle les avait élevés et mariés et ceux qu'elle n'avait pas élevés s'étaient tous chauffés à son soleil. Elle était leur voix secrète.

— Quand je ne serai plus là, ajouta-t-elle, il vous faudra un chef. Ce sera François.

Elle avait fini. François remplit un verre de vin et le lui porta, puis l'embrassa. Sa femme, Ferrando, Angèle et tous les autres, ainsi que les enfants, l'embrassèrent à leur tour.

Elle se sentait légère. Trop sans doute. Le temps l'avait amenuisée et rendue comme poreuse.

Un matin de septembre, elle reçut un courrier de Cadix, adressé par le siège de la Compagnie maritime ; il avait été acheminé par l'*Ala de la Fey*, qui, désormais, faisait régulièrement la traversée entre Cadix et Saint-Domingue, comme les quatre autres navires, qui arrivaient et partaient également chargés.

Ma chère Jeanne,

Cela fait deux ans que tu es partie et tu es toujours avec moi à la Casa San Bartolome. Si je l'oubliais, Juanita me le rappelle de son rire copié du tien. Valeria et moi avons eu un deuxième enfant, un garçon, Juan. Avec l'aide de Joachim, que nous voyons parfois, trop rarement, nous nous efforçons de le préserver et nous préserver aussi de maladies nouvelles qui sont apparues sur l'île et qui déciment les Caribes et même les esclaves d'Afrique, sans parler des Blancs.

Ferrando m'ayant nommé intendant des plantations, j'ai obtenu du nouveau gouverneur d'être espagnol, sous le nom de Josefe Hunyadi de Stella. Je parle bien leur langue, maintenant, grâce aux leçons de latin de Franz-Eckart.

Il y a bien cent esclaves noirs sur nos plantations, et Ferrando a jugé que j'étais le plus à même de les diriger sans brutalité, du moins ceux qui travaillent sur nos terres, car il en va hélas autrement pour les autres.

Joachim est devenu le chef des Caribes de la région, et comme il a réussi à calmer une rébellion d'esclaves, il est bien vu du gouverneur. Sachant nos liens, je veux croire que cela a incité le gouverneur à la bienveillance à mon égard.

Nos vies s'achèveront sur terre, mais tu sais, toi entre toutes, qu'elles se poursuivent ailleurs, et tu sais que je suis avec toi.

Pégase se porte à merveille et comme on a importé des juments à Hispañola, je veux espérer qu'il ne sera plus longtemps célibataire.

Embrasse tendrement Franz-Eckart, mon père, pour moi. Il est le père le plus doux qu'on puisse espérer.

Josefe Hunyadi de Stella,
Casa Nueva San Bartolome, Santo Domingo,
Hispañola, en ce 25 juillet de l'an 1513.

Hunyadi de Stella. Il avait uni les deux noms, celui du sang et celui du cœur.

Elle montra la lettre à Franz-Eckart ; elle lui vit les yeux humides et s'abstint de lui demander s'il retournerait à Hispañola quand elle ne serait plus là. Elle dit simplement :

— Je veux qu'il soit inscrit dans l'héritage.

Pour en être sûre, elle en écrivit à François, craignant que, par discrétion, Franz-Eckart ne voulût pas mentionner son fils.

Le 25 septembre, alors qu'elle cueillait des poires dans le verger, elle poussa un petit cri et Franz-Eckart, qui se trouvait à quelques pas de là, accourut pour la soutenir.

Elle défaillit. Il la porta dans ses bras jusqu'à la grande salle du bas et l'allongea sur un faudesteuil.

Elle revint brièvement à elle et entrouvrit les yeux. Ses binocles étaient tombés. Il revit le bleu de ses yeux.

— Je m'en vais, murmura-t-elle.

— Je suis là, je t'accompagne, dit-il, la tenant dans ses bras.

Il n'y eut plus que le souffle de Franz-Eckart. Jeanne était inerte.

Elle vit Joseph, souriant, solaire. Il avait tenu parole.

Elle avait Franz-Eckart à droite, Joseph à gauche.

Elle avança vers la lumière et aperçut au loin ses parents. Puis Barthélemy…

Un vent souffla.

Après elle ne sut plus. Et d'ailleurs, il n'y avait pas de mots pour le dire.

Frederica entra dans la salle.

— Elle est morte, dit Franz-Eckart.

La vieille servante fondit en larmes. Il reprit Jeanne dans ses bras, la monta dans sa chambre et l'étendit sur son lit. Frederica courut appeler le père Lebailly.

On ne pouvait attendre que François, Déodat, Jacques-Adalbert, Ferrando et tous les autres eussent reçu leurs lettres et qu'ils vinssent.

Jeanne, baronne douairière de Beauvois et de l'Estoille, morte d'un arrêt du cœur à soixante-dix-huit ans, fut inhumée deux jours plus tard au cimetière de Saint-Maurice.

Franz-Eckart fut le seul de ses proches présent à la messe et à l'enterrement. Mais peut-être fallait-il considérer Frederica et les servantes comme des proches. Il jeta la première aspersion d'eau bénite et la première pelletée de terre.

Il n'avait jamais imaginé qu'on pût être aussi seul au monde. Il n'avait vécu ces dernières années qu'en communion avec elle. Elle seule avait été assez forte pour l'arracher sans violence à ses études. Le secret de sa force était dans sa douceur et dans son absence d'apprêts. C'était ainsi qu'elle avait créé tout un monde.

Il envia ceux que les larmes soulagent.

Une deuxième messe fut célébrée quinze jours plus tard, à Saint-Maurice cette fois, en présence de ses enfants et alliés. De Guillaumet, d'Ythier, de Ciboulet.

Après la messe, Déodat prit le pot de la fleur d'Amérique qu'il lui avait rapportée de son voyage et alla le poser sur la tombe de sa mère.

Quand il revint, l'année suivante, à sa grande surprise la fleur avait survécu.

Dix ans plus tard, elle fleurissait régulièrement.

Peut-être fleurit-elle toujours, d'ailleurs.

Postface

Quelques éclaircissements et précisions m'ont paru opportuns en guise de conclusion à la trilogie *Jeanne de l'Estoille*.

D'abord, le choix de l'époque, 1450-1520. Cette période intermédiaire se situe entre la fin du Moyen Âge et le début de la Renaissance. On y voit, dans les guerres incessantes que se livrent les princes européens – pas une seule année de paix ! –, s'ébaucher l'idée de nation, dont Jeanne d'Arc est sans doute la représentante la plus éclatante. L'Europe entière est en proie à des convulsions sanglantes qui ne connaîtront de répit qu'avec la première ébauche de l'Europe des nations, sanctionnée par le traité de Westphalie en 1648.

On y voit aussi, dans la contestation du pouvoir spirituel absolu de Rome, s'esquisser l'individualisme de la Renaissance et des temps modernes. Quand Louis XII convoque le concile de Pise pour déclarer Jules II hérétique et le déposer, il fraie le chemin à Luther. De fait, sept ans seulement séparent ce concile de la proclamation des quatre-vingt-quinze thèses à Wittenberg. À force de prétentions temporelles, de querelles intestines, culminant dans la sombre période des papes d'Avignon, où l'on compta à un certain moment jusqu'à trois papes rivaux, l'Église catholique

457

a désormais perdu son rôle d'intercesseur unique entre la chrétienté et la foi. En cinq siècles, en effet, elle a surtout perdu les chrétiens de l'Est et ceux du Nord.

Incidemment, la voie a également été frayée à l'expansion de l'Islam.

La société change également de manière fondamentale durant cette même période : les guerres ont dépeuplé les campagnes. Une immense partie des terres de France est en friche. Ruinés par ces mêmes guerres, les seigneurs quittent leurs châteaux-forts, qu'ils ne peuvent plus entretenir, et s'installent dans les villes. Celles-ci deviennent simultanément des refuges d'éclopés et de fuyards et des centres commerciaux vitaux.

Le respect commandé par la royauté depuis Clovis se dégrade lui aussi lentement et passe de la reconnaissance populaire spontanée du chef défenseur de la nation à une déférence d'apparat ; celle-ci porte en elle les germes de sa propre décomposition. L'autorité du pouvoir royal est de plus en plus contestée et la révolte estudiantine du Pet-au-Diable, préfiguration de Mai 68, témoigne que l'autorité royale a perdu son caractère moralement catégorique.

La société change également durant cette période, pour des raisons économiques.

Les terres passent des mains des seigneurs à celles des marchands et des serfs d'hier, les paysans. La thèse de Fernand Braudel sur la naissance du capitalisme dans les foires est établie ; on sait moins que ce capitalisme commence à s'affranchir des frontières et des intérêts politiques : la lettre de change permet de transférer, au-delà des frontières et des alliances, sans cesse variables, des sommes considérables sans transport de numéraire ; instruits par l'exemple de

Jacques Cœur, victime de sa trop grande fortune et de la jalousie qu'elle a suscitée, les marchands-banquiers, comme le font, dans le roman, les L'Estoille, Beauvois et Sassoferrato, peuvent ainsi mettre leur fortune à l'abri des vicissitudes politiques et militaires et de la convoitise des princes, prompts à confisquer ce qu'ils ne peuvent emprunter. La nouvelle bourgeoisie marchande, consciente qu'elle fait la fortune du royaume, est excédée de voir le produit de taxes souvent exorbitantes passer dans des aventures militaires sans lendemain, telles ces tentatives absurdes de reconquête du royaume de Naples et du Milanais, où les Valois, et particulièrement Louis XII, s'entêtèrent à grands frais jusqu'en 1525.

De même que l'Église catholique a perdu la moitié de la chrétienté avec la Réforme, les rois européens ont perdu la confiance des financiers avec leurs guerres.

C'est également l'époque où une « invention » et une découverte bouleversent organiquement le monde médiéval et sa représentation du monde elle-même : l'imprimerie et les voyages vers l'Amérique. La première, qui alarme les hiérarchies politique et religieuse, permet une libre diffusion du savoir, jusqu'alors contrôlé par les moines copistes, et la seconde assène un coup mortel à l'européocentrisme du Vieux Monde. Lorsque Balboa traverse à pied Panama, où il avait espéré trouver un passage vers les Indes, et qu'il découvre le Pacifique, il est pris de vertige.

Les trois volumes qu'on vient de lire ne constituent évidemment pas un roman à thèse, mais une illustration.

Il m'a paru qu'une jeune femme volontaire et courageuse représentait, au regard du XXIe siècle, le repère idéal des réactions face à ces changements fondamentaux. Ce fut donc, pour moi, Jeanne de l'Estoille.

Pourquoi une femme ? Parce qu'elle occupe une place bien plus importante dans la société du temps qu'une certaine image conventionnelle du Moyen Âge et de la fin de cette époque le laisserait deviner.

Tour à tour considéré comme une Grande Nuit et comme une période d'illumination religieuse exemplaire, deux lieux un peu trop communs, le Moyen Âge finissant ne fut ni ceci ni cela. Il apparaît plutôt comme une interminable série d'épisodes sanglants déclenchés par la convoitise de petits chefs de guerre rêvant tous de se constituer des royaumes et ne possédant de souverain que leur mépris pour les embryons de nations sur lesquelles ils prétendaient régner.

Ce n'est pas parce qu'ils sont anciens que les crimes de guerre sont absous : par exemple, quand le 19 février 1512 Gaston de Foix reprit possession de la ville italienne de Brescia, ses soldats massacrèrent la population, pillèrent la ville et finirent par y mettre le feu. Sinistre barbarie qui annonçait, près d'un siècle à l'avance, les massacres du Palatinat.

S'il demeura une société française pendant la guerre de Cent Ans, où labours et commerces étaient désertés par les hommes, ce fut essentiellement grâce aux femmes, qui sauvèrent ce qu'elles purent des fureurs de la soldatesque qui déferlait sans cesse sur leurs régions et des épidémies qui achevaient le travail. Le caractère « viril » de Jeanne d'Arc et d'une Jeanne Hachette n'a sans doute d'autre cause que la défection des hommes.

La violence de Jeanne de l'Estoille aura peut-être surpris certains. Car cette jeune femme joue du couteau et n'hésite pas à dépêcher à la mort ceux qui menacent sa vie ou son clan. Mais cette violence ne fait que refléter l'époque. La vie humaine n'y pèse pas lourd et la seule sécurité qu'on puisse y trouver est celle qu'on s'assure à soi-même.

Il est également possible que le lecteur ait attribué à l'invention romanesque certains points qui ressortissent cependant à la probabilité ou à la certitude historiques.

Ainsi de certains traits prêtés à François Villon. Je m'en suis expliqué au fur et à mesure dans des notes succinctes, car ces pages sont romanesques. Coureur de filles, proxénète, cambrioleur, assassin et gibier de potence avéré, on le sait bien ; mais homosexuel, on tire sur ce point un voile prudent. Trop nombreux pourtant sont ses poèmes argotiques qui, une fois que le jobelin en est déchiffré, révèlent sa familiarité avec les pratiques et les milieux homosexuels.

Ainsi également de l'invention de l'imprimerie, de moins en moins souvent attribuée à Gutenberg, et dont l'histoire demeure parsemée de lacunes. L'origine semble être cependant une adaptation de l'imprimerie à caractères mobiles métalliques, invention coréenne, progressivement affinée dans les Flandres et en Allemagne, et que Gensfleisch, dit Gutenberg, enrichit de deux perfectionnements notables, le cadre mobile et la presse.

Ainsi, enfin, de la découverte de l'Amérique que la tradition continue d'attribuer pieusement à Christophe Colomb, alors que près d'un siècle et demi auparavant, les frères Zeno, Vénitiens, avaient déjà franchi l'Atlantique et ramené de leur exploration une carte indiquant grossièrement l'existence de grandes masses continentales au-delà. Abstraction faite des découvertes antérieures, par l'Irlandais Brandan, par les Vikings Erik le Rouge et Leiv Eriksson, il faut citer les cartes de Martin Behaïm et de Toscanelli, dont Colomb eut connaissance, et qui indiquent l'Amérique de façon nettement moins floue, ce qui atteste d'une véritable découverte de l'Amérique bien avant Colomb. Par qui ? Le point demeure obscur, bien que les Chinois apparaissent comme les meilleurs candidats. Mais j'ai cru devoir restituer aux frères Corte Real, Portugais, la véritable paternité de la découverte de l'Amérique du Nord en 1500 et 1503, alors que Colomb ne découvrit que l'actuelle île de Haïti-Saint-Domingue, Cuba, les Bahamas et l'embouchure de l'Orénoque.

Un point est certain et méritait d'être mis en relief dans le roman : la découverte de l'Amérique fut, en Europe, un non-événement caractérisé. Et quand les conquistadores s'aperçurent que ce n'étaient pas les Indes, terre des épices, qui avaient été abordées par l'ouest, le non-événement se changea en véritable déception. Il fallut bien des années pour que l'esprit de lucre le cédât enfin à l'instinct de découverte ; hélas, ce fut pour procéder au saccage sans nom rapporté par Bartolomé de Las Casas, ainsi qu'à l'extermination des vrais Américains et de leurs cultures.

Ces quelques trois quarts de siècle écoulés entre la fin de la guerre de Cent Ans et le début de la Renaissance sont également le théâtre d'un profond changement dans la culture européenne, dont il était impossible d'ignorer les répercussions sur le personnage de Jeanne de l'Estoille ; tout être humain, en effet, est le produit de son temps. Or, le principe mystique d'alliance entre la royauté et le ciel, symbolisé dans le titre de la première partie, *La Rose et le Lys*, s'évanouit progressivement. Le peuple se déprend de ses rois, qui l'accablent d'impôts, produits de leurs ambitions. La société marchande qui naît alors apprend à se méfier du pouvoir.

L'époque des cathédrales et des grands élans de foi collective est alors terminée. Le mysticisme personnel produit de nouveaux rameaux, parallèlement à une licence dans les mœurs, que Jérôme Bosch illustre particulièrement bien : l'ascétisme intellectuel d'Érasme coexiste avec la gueuserie ribaude de Villon et de Rabelais. L'esprit du temps oscille entre l'angélisme pénitent et l'épicurisme.

Le sentiment obscur que l'univers est régi par d'autres lois que le caprice divin suscite la vogue de l'astrologie. Paradoxalement, cette pratique, aujourd'hui tombée en discrédit, annonce la fin du géocentrisme auquel l'Église se montre fanatiquement attachée : ce n'est pas la Terre qui régit le monde, mais l'inverse. Galilée n'est plus loin, ni cet astrologue et alchimiste illustre qui fonda l'astronomie moderne, Isaac Newton. Ironie du sort, qui semble échapper trop souvent à certains thuriféraires de l'absurde : l'astrologie ouvrait la voie au rationalisme. Les astrologues répondent à une intuition de leur temps : c'est qu'il existe une clef pour la compréhension du monde. Le plus célèbre d'entre eux, Nostradamus, naît en 1503, mais dès la fin du XVe siècle, ils prolifèrent en Europe : toutes les cours ont leur astrologue attitré, car les princes d'hier (comme ceux d'aujourd'hui) et les bourgeois sont avides d'horoscopes.

Je précise que les quatrains de Franz-Eckart de Beauvois, dans le troisième tome, sont entièrement de ma main, de même d'ailleurs que les poèmes et comptines dont les auteurs ne sont pas spécifiés.

Ces pages ne constituant pas un travail scientifique, une bibliographie serait superflue. Je m'en voudrais toutefois de ne pas citer ceux des ouvrages qui m'ont été le plus utiles et, pour commencer, la somme célèbre de Georges Duby : *Qu'est-ce que la société féodale ?* (Flammarion, 2002). Le *François Villon* de Jean Favier (Fayard, 1982) est autant un magistral panorama de l'époque qu'une biographie du poète et, du même auteur, *La Guerre de Cent Ans* (Fayard, 1980) et *Louis XI* (Fayard, 2001) m'ont offert des ensembles historiques, économiques et sociaux précieux. Le *Louis XII* de Didier Le Fur (Perrin, 2001) m'a permis de trouver commodément maints détails peu connus sur un règne qui l'est aussi peu. Le *1492* de Jacques Attali (Fayard, 1991) est à coup sûr l'ouvrage-clef sur la déception formidable que fut la découverte de l'Amérique et le solvant le plus savoureux du magma d'idées confuses qu'elle engendra. Impossible, enfin, d'omettre deux guides souvent consultés, *Monnaie privée et Pouvoir des princes*, de Marie-Thérèse Boyer-Xambeu, Ghislain Deleplace et Lucien Gillard (Éditions du CNRS et Presses de la Fondation nationale des sciences politiques, 1986) et l'indispensable *Connaissance du Vieux Paris*, de Jacques Hillairet (Gonthier, 1954 ; rééd. Rivages, 1993).

Table

SECONDE PARTIE
FINIS TERRAE

CHEZ LE MÊME ÉDITEUR

Gerald Messadié

LA ROSE ET LE LYS

Jeanne de l'Estoille

*

Jeanne n'aurait jamais dû s'attarder en forêt ce jour de mai 1450. Le temps de remplir son panier de cèpes et de girolles, la fortune lui a tourné le dos. À quelques lieues de là, dans la maison saccagée, père et mère gisent près de l'âtre. Assassinés. Et Denis, son petit frère, a disparu. Seul a survécu l'âne de la maisonnée.

Des brigands ? Plus sûrement des déserteurs anglais, assoiffés de vengeance, écumant la campagne normande comme loups en maraude. Ils ont pillé l'église de La Coudraye, profané le tabernacle, souillé l'autel. À défaut de curé, Jeanne dira les prières pour ses parents défunts.

Est-ce à Paris, ce ventre peuplé de mendiants et de malandrins, avec ses places festonnées de pendus et ses rues pavées de boue, que Jeanne trouvera la force d'oublier ? Elle n'a encore que quinze ans et, pour toute richesse, son baudet, un sac de méteil, du beurre, un peu de sel. Comment survivre parmi ce peuple de camelots et de détrousseurs, elle qui ne sait faire que des petits pains ?

Dans une France décimée par la peste et livrée aux aventuriers, nul ne donnerait cher du destin de Jeanne. Mais la rose est gracieuse, et le lys magnanime. Comment un roi, Charles VII, comment un poète, François Villon, ignoreraient longtemps sa beauté ?

ISBN 2-84187-810-4 / H 50-4096-9 / 8,50 €

Gerald Messadié

LE JUGEMENT DES LOUPS

JEANNE DE L'ESTOILLE

* *

Dix années ont passé depuis que Jeanne Parrish a fui sa Normandie
natale, livrée aux pillards anglais. Elle qui n'était qu'une miséreuse
lorsqu'elle posa son bagage sur le pavé parisien, un matin de l'an
1450, est devenue baronne de Beauvois. Et la cour continue de
savourer les pâtisseries qui ont fait sa renommée.
Mais la roue tourne. Son mari est emporté par l'explosion d'une
bombarde, sa protectrice Agnès Sorel terrassée par le poison, et le
poète François Villon, père de son enfant, impliqué dans une affaire
de meurtre… Autant d'amis que vent emporte…
Lorsque resurgit dans la vie de Jeanne le premier homme qu'elle eût
aimé, qui peut dire si ce messager annonce un retour de fortune ?
Car Isaac Stern est juif : si la rumeur le répétait, même la faveur
royale ne pourrait empêcher le discrédit…
Mais Jeanne est femme de cœur autant que de tête. Pas question
pour elle de sacrifier son amour à son honneur. Isaac lui a dit : « Tu
est mon étoile. » Il est bien temps que cet astre brille. Dût-elle, pour
forcer le destin, supporter l'accusation de sorcellerie, braver les doc-
teurs en Sorbonne, ou soumettre son propre frère au jugement des
loups…

ISBN 2-84187-811-2 / H 50-4097-7 / 8,50 €

Cet ouvrage a été composé
par Atlant' Communication
aux Sables-d'Olonne (Vendée)

Impression réalisée sur Presse Offset par

BRODARD & TAUPIN

GROUPE CPI

La Flèche (Sarthe)
en mars 2006
pour le compte des Éditions Archipoche

Imprimé en France
N° d'édition : 006 – N° d'impression : 34471
Dépôt légal : mai 2006